egzamin

z oddychania

egzamin

z oddychania

Redakcja
Sylwia Bartkowska

Korekta
Justyna Żebrowska
Elżbieta Jaroszuk

Wielka Litera Sp. z o.o.
ul. Kosiarzy 37/53
02-953 Warszawa

Skład i łamanie
Piotr Trzebiecki

Druk i oprawa
Abedik S.A.

ISBN 978-83-63387-27-3

ŚMIERĆ STARCA

Umieram. Leżę w łóżku w Popielawach, oddycham płytko i zachłannie, przedzieram się przez mgłę coraz gęstszą, szukam jakiegoś prześwitu, ale ta pieprzona mgła nie chce się skończyć. Żadnego tunelu ze światłem, żadnego filmu do tyłu – od starości do dzieciństwa. Niczego takiego. Tylko strach. Dużo cuchnącego strachu. Odchodzę. Czuję, jak wszystko we mnie zwalnia. Boję się. Mam dziewięćdziesiąt trzy lata. Chciałbym jeszcze pożyć.

Wieczór. Drewniany dom nad stawem. Mgła. Psy szczekają bez zapału. Nie mają sobie wiele do powiedzenia, dwa słowa tylko: „Umiera stary".

Leży w łóżku pod oknem. Jest wysuszony, nakropiony wątrobianymi plamami, nastrzyknięty siecią bladych naczyń krwionośnych. Boi się. Ma za mało siły, by to ukryć. I za mało dumy. Zresztą wcale nie wiadomo, czy by chciał. Cuchnie i to mu chyba przeszkadza najbardziej; ten smród gówniany, pomieszany z kwaśno-słodkim odorem moczu i mdłą nutą starczego potu. Właśnie przełyka ślinę, szuka kogoś wzrokiem, wysila zetlałe nerwy, by naostrzyły spojrzenie. Chce zobaczyć. Męczy się. Wreszcie dostrzega.

Ona trzyma go za rękę. Tak jak należy. Krucha, nieludzko delikatna dłoń, z palcami ułożonymi tak elegancko, jakby grały muzykę. Każdy palec osobny: pierwszy, drugi, trzeci, czwarty i piąty, ale wszystkie ułożone w komplet prawie nie z tego świata. Maleńka dłoń przytula i opowiada o nieuchronności. Czule. Bardzo czule.

Umieram. Nie potrafię już nabrać powietrza. Bolą mnie płuca. Krew błaga o odrobinę tlenu. Prawie słyszę, jak pękają pęcherzyki i jęczą wysychające oskrzela. Piasek w tchawicy i ogień schodzący w dół. Jakby ktoś sypnął garść gorącego popiołu do gardła. Jestem przerażony. Duszę się. Gdzie jesteś, Moja Matko?! Przeprowadź mnie!

Starzec otwiera usta. Chce coś powiedzieć, ale głos zostaje w gardle. Zamiast niego w powietrzu zawisa smród jednego z ostatnich, wykradzionych, nadliczbowych oddechów. Spogląda na Dziwkę. Chyba ją widzi. Próbuje wyznać.

*

Żyłem. Dostałem wszystko. Nie po kolei, ale... wszystko. Przychodziło samo. Cierpiałem, nie cierpiałem. Wreszcie – za późno – przyszłaś TY, moja Dziwka, moja miłość śmiertelna. W dniu spotkania w stołówce Najwyższej Szkoły Filmowej Świata zacząłem w tej samej chwili żyć i umierać, wspinać się i schodzić w dół.

Dziwka uśmiecha się. Ma jakieś sześćdziesiąt lat, czarne oczy, posiwiałe włosy, śniadą skórę. Jest krucha i piękna. Delikatna. Jako dziecko grała w jego filmach. „Proszę, niech pan na mnie poczeka... jakieś dziesięć lat, aż dorosnę. Niech pan nie odrzuca tych słów tylko dlatego, że wypowiada je mała dziewczynka... Mam dwanaście lat, ale wiem, co czuję. Kocham pana najbardziej na świecie".

Teraz pomaga mu umrzeć. Gdyby mogła, oddałaby mu oddech, tętno, ciśnienie krwi. Gdyby mogła, umarłaby zamiast niego. Tego nie trzeba się domyślać, bo czarne oczy wyświetlają taki film. Wszystko widać jak na ekranie. Przeprowadza go na drugą stronę. Trzyma starca za dłoń, gra opuszkami palców po zeschniętym pergaminie. Żeby bał się jak najmniej. Ale on się boi przeraźliwie. Nie jest wystarczająco uprzejmy.

Żyłem, robiłem filmy, byłem nauczycielem i mistrzem, byłem ojcem, draniem i dobrym człowiekiem. Teraz sram ze strachu i to jest moje ostatnie wypróżnienie. Już nigdy nic nie wejdzie w ten organizm i nic z niego nie wyjdzie. Żadne gówno. Kocham cię, Dziwko, za największą miłość świata, której nie musiałem przyglądać się z boku ani robić o niej filmu. Szkoda. Czarno. Nic nie ma. Jebać to.

Noc. Ta sama. Przy Starym leży jego pies. Burek. Duży przekarmiony mieszaniec. W nogach, na zimnych już kościach leżą dwa koty. Są trochę zdziwione deficytem ciepła. Mruczą z przyzwyczajenia, ale kocia wibracja nie wytwarza niczego. A raczej wytwarza NIC. Pustkę.

Dłoń Dziwki pojawia się z czerni. Otwiera szufladę. Szuflada skrzypi, kobieta zatrzymuje się w pół ruchu, potem uśmiecha się przepraszająco. Nikogo już nie obudzi. Sięga po coś. Za chwilę wydobywa dziesiątki wymyślnych majtek, majteczek, pasów do pończoch, staników, halek. Desusy są prześwitujące, błyszczące, obrobione koronkami w różnych kolorach: czerwonym, czarnym, złotym i białym. Niektóre są tak małe, zrobione z tak niewielkiej ilości materii, że odrzucone na bok przez chwilę wiszą w powietrzu. Jak mgła.

Ubiera się. Zrzuca szlafrok, zakłada kurewskie majteczki, potem pas z czerwoną koronką, czarne pończochy i stanik. Przez otwarte okno dyszy noc; świerszczami, żabami od stawu, burkami od pól. Dziwka włącza radio i zamyka okno. Nie chce słuchać nocy. Za chwilę schodzi po schodach. Na nogach ma najwyższe szpilki, te, których nienawidził: „To nie są twoje buty. Chodzisz w nich jak dziwka. Nie jesteś dziwką. Jesteś Matką Boską. No chodź już, chodź. Pokręć tą twoją zadzierzystą dupką...".

Staje przed nim. Teraz – nie kiedyś. Staje przed trupem. Jest wymalowana jak na kurewskie wyjście, na układ.

– Dżuku – odzywa się. – Ubrałam dla ciebie ten pierwszy komplet. Ten z pierwszej nocy. Pamiętasz? Dupkę miałam wtedy twardą jak kamień. Skarżyłeś się, że poobijałam ci podbrzusze, a to była twoja wina... to ty nadziewałeś mnie na siebie tak mocno. Klęczałeś za mną, trzymałeś mnie za biodra i nabijałeś na siebie jak szmacianą lalkę. Nogi mi wisiały w powietrzu jak pajacykowi.

Dżuk nie odpowiada. Nie chce mu się. Przez tyle lat musiał chcieć, musiał zapewniać, zarabiać, utrzymywać, pocieszać, przytulać, tłumaczyć, nie umierać ze strachu, ale teraz – kiedy już nie żyje – nie musi chcieć. Wydaje się nawet, że po zakrzepłej twarzy błąka się uśmiech ulgi. Tymczasem ona, Dziwka, odwraca się do niego plecami, pochyla, wypina ciągle zgrabny tyłek i zaczyna nim kręcić jak gwiazdeczka z filmów porno – w lewo i w prawo, potem dookoła w jedną i dookoła w drugą stronę.

Śniade plecy. Trochę już matowe, trochę już przygasłe i pomarszczone, ale ciągle dziewczęce – filigranowe i… wzruszające. Pod karkiem wytatuowany kot. Śpi zwinięty w kłębek. Po szyi schodzi ścieżka czarnych krótkich włosków. Kończy się kępką na grzbiecie kota. Dziwka tańczy. Kot na karku przeciąga się, ale zaraz zasypia na nowo. Pod kotem długa linia arabskiego napisu. Prowadzi wzdłuż kręgosłupa, aż prawie do pęknięcia nad pośladkami. Tak, pośladki Dziwki nie kończą się zwyczajnie. Nad kreseczką przedziałka zaczyna się jeszcze jedna krzywa kreska oparta o wystającą kość ogonową: „Dżuku, ja się rodziłam jakoś nienormalnie. Lekarz mnie ciągnął za nóżkę. Może od tego ta moja dupka tak krzywo pęknięta? Od tego, Dżuku? Jak myślisz?". Dżuk już nie myśli. Odpoczywa na chmurach.

Arabski napis, ostatni tatuaż Dziwki: „Największą w życiu mądrością jest kochać z wzajemnością".

Biodra zakreślają kolejne koło. Dziwka tańczy dla trupa. Arabski napis ogłasza miłość z wzajemnością. I mądrość. Największą Mądrość Świata.

MUSZELKA PO RAZ PIERWSZY

Trzydzieści osiem lat wcześniej. Dzisiaj. W dwa tysiące jedenastym roku. Jest wczesne lato. Jakiś czerwiec dość deszczowy. Dziwka ma na imię Muszelka. To od arabskiego nazwiska odziedziczonego po egipskim dziadku. Dżuk ma na imię Sandow. Na razie. Tak na niego mówią, bo jest atletycznie zbudowany. Jak przedwojenny siłacz. Niedługo będzie Dżukiem. Za kilka godzin. Ale na razie jako Sandow idzie drogą między łanami zielonkawego żyta, trzymając za dłoń Muszelkę. Dziwnie wyglądają. Jak ojciec i córka, chociaż on blondyn (kiedyś, zanim jeszcze wyłysiał), a ona czarna jak kruk. On nie jest piękny. Raczej dostojny, raczej mocny, chociaż przełamany tą delikatnością, która tak bardzo uwodzi kobiety. Ma pięćdziesiąt pięć lat, jest profesorem, uczy robienia filmów i sam je robi od dawna. Ona – Muszelka – jest od niego młodsza o trzydzieści trzy lata. Niewysoka, krucha, czarnowłosa i czarnooka. Ładna. Czarne włosy podbite ma niebieskością od spodu i posypane rudawym brązem po wierzchu. W czoło wrasta jej rozśmieszający trójkącik, rzadkość nazywana „wdowim czepkiem" – kępka czarnej sierści. Jak u Myszki Miki. Idą. Młode żytko paruje, wilgoć uderza w nozdrza, nad głową drą się skowronki. Wreszcie dochodzą. Pod lasem, pod ścianą wyliniałych świerków jest polana. Sandow zrzuca koszulę. Zostaje tylko w spodniach. Na nadgarstkach połyskują skórzane bransolety. Nosi je od dawna i od dawna nie pamięta po co. Zaczyna kręcić ramionami i rozluźniać kark. Rozgrzewa się. Muszelka też się rozbiera. Na twarzy skupienie, jak przed ważnym występem. Zdejmuje koszulkę, po niej stanik i buty. Wygląda pięknie; napięta skóra lśni, drobne mięśnie pracują, piersi połyskują potem. Nie patrzy na Sandowa. Stoi z opuszczonym łbem i dyszy z napięcia. Coś w niej wzbiera, jakaś fala poruszona pamięcią. W którejś chwili nie wytrzymuje. Bez uprzedzenia rusza w kierunku mężczyzny. Uderza go dłonią zwiniętą w pięść. Z półobrotu, z całej siły. Trafia w nos. Pęka skóra na grzbiecie nosa i tkanka rozchodzi się na boki. Za chwilę z obydwu dziurek wycieka krew. Sandow jest zdziwiony. Nie może uwierzyć.

– Chyba złamałaś mi nos…

Muszelka nie odpowiada. Bierze zamach i znów uderza Sandowa w twarz, potem jeszcze raz, w szyję. Wkłada w uderzenia całą zebraną siłę, a nawet jakiś naddatek wydobyty z najgłębszych zakamarków organizmu; z nagle ożywionej frustracji, wściekłości, żalu, podniecenia, gniewu i nienawiści. Ze wszystkiego. Bije. Uderza raz za razem, na oślep, w zapamiętaniu i furii. Sandow nie zasłania się. Poranione knykcie dziewczyny krwawią, znacząc twarz czerwonymi smugami. Coraz bardziej zdziwiony patrzy na Muszelkę, próbując odczytać, które uderzenie jest za co. Które za ojca, które za Nauczyciela Tańca, które za Tatuatora, które za fotografa alfonsa.

– Dlaczego cię wtedy nie było?! Dlaczego, kurwa?!

Kobieta zatrzymuje się na chwilę dla nabrania oddechu, chwieje się ze zmęczenia, patrzy spode łba, ogląda swoje okrwawione dłonie, znów zwija je w pięści i odchyla się do tyłu. Zamach. Tym razem pięść nie dociera do twarzy Sandowa. Mężczyzna przechwytuje ją w locie i odpowiada uderzeniem. Bije wierzchem dłoni, na odlew, z całej siły. Muszelka odlatuje do tyłu jak wystrzelona z procy. Upada na pokruszone gałązki i igliwie. Wstaje. Wyciera krew cieknącą z nosa, otrzepuje się z igieł. Cała jest mokra od potu. Uśmiecha się. Podchodzi.

– Tylko na tyle cię stać, pedale?! Przypierdol mi tak, żebym nie miała siły wstać! Potrafisz tak? No, potrafisz?

Sandow uderza jeszcze raz. Też otwartą dłonią, ale mocniej niż poprzednio. Głowa kobiety odskakuje. Z pękniętej wargi puszcza się krew. Zbiera ją językiem, zagarnia do ust, miesza ze śliną i wypluwa różowawą miazgę prosto w twarz Sandowa.

– Wiesz, kim jesteś, niusiu? Jesteś jebanym dżentelmenem, pedałem w różowych kapciuszkach, przedszkolakiem z kupą w rajtuzach. Jesteś, kurwa... nikim. No, przypierdolisz mi wreszcie czy popłaczesz się jak malutki zasrany nieptyś?

Dłoń Sandowa zwija się w pięść. Muszelka dostrzega to i garbi się odruchowo. W kąciku ust pojawia się uśmiech triumfu, ale zaraz gaśnie. Razem ze świadomością. Sandow uderza, Muszelka traci przytomność.

Leżą na wznak. Jedno przy drugim. Muszelka jest drobiną. Ma jakieś metr sześćdziesiąt, kolczyk w pępku i kolczyk w języku. Bawi się nim teraz, wodząc kulką po pęknięciach wargi. Namyśla się.

– Udawałam wtedy, że śpię. Starałam się oddychać głęboko i rytmicznie, ale podniecenie mi przeszkadzało. On... ojciec musiał to wiedzieć. Przecież nie był idiotą. Dotykał mnie... Zabierał moją rękę do tyłu i... Wiedział, że to nie było dla mnie nieprzyjemne. Czuł to i wykorzystywał bezwzględnie. Byłam dzieckiem, ale i trochę... kobietą. On to wyczuwał. A ja brzydzę się do dzisiaj... nie tyle tych wszystkich rzeczy... ile samej siebie. Brzydzę się tym, że to nie było nieprzyjemne. Miałam jedenaście lat. To działo się zawsze wtedy, kiedy przyjeżdżała prababcia. Ona spała z mamą w pokoju, a ja lądowałam w łóżku ojca, w sypialni. Miałam... jedenaście lat. Właśnie wygrałam casting do twojego filmu. Wygrałam, bo byłam najsmutniejszym dzieckiem na świecie.

Sandow płacze. Próbuje to robić dyskretnie, ale z piersi wydobywa się psi skowyt.

– Chciałam go zabić. Nawet napisałam sobie wypracowanie o jego śmierci. Dwie strony drobnym pismem. Przeczytać ci?

Nie czekając na odpowiedź, sięga do kieszeni. Wydobywa z niej dwie pomięte kartki. Rozkłada, czyta na głos.

„Właśnie zabiłam swojego ojca. Teraz chcę to opisać ze szczegółami. Najpierw jednak napiszę, że nie czuję się z tym źle, bo to, że mój ojciec nie żyje, zmieniło moje życie na lepsze. Mniej się teraz boję, mogę myśleć o przyszłości i na pewno będę lepiej spała w nocy. Na najbliższy czas zaplanowałam sobie same przyjemności. Na przykład, że pojadę autobusem do miasta na lody. Zjem ich bardzo dużo, bo mam pieniądze, które wyjęłam z kieszeni mojego zabitego ojca. A teraz opis morderstwa: Więc to się stało na działce babci. Najpierw w domku zbudowanym na jabłonce przygotowałam sznur do powieszenia mojego ojca. Taki biały, do bielizny. Na jego końcu wykonałam pętlę zaciskającą się pod wpływem pociągania. Sznur ukryłam pod indiańskim kocykiem z frędzelkami, ale najpierw jego koniec przywiązałam do grubej gałęzi. Potem wymyśliłam historyjkę o zepsutej lalce Barbie, której trzeba naprawić źle poruszającą się nogę i wyłamaną rękę. Ojciec bardzo lubił nazywać siebie specjalistą od wszystkich zepsutych rzeczy, więc chętnie przyjął zaproszenie na drzewo w celu naprawienia uszkodzonej lalki. Ja oczywiście tę Barbie sama specjalnie zepsułam, tak jak to napisałam wcześniej – jej nogę i rękę. Kiedy już byliśmy na jabłonce, ojciec uklęknął na podłodze domku i pochylił się nad zepsutą Barbie, a ja szybko wyjęłam spod kocyka sznurek i zarzuciłam mu od tyłu na szyję. Ojciec myślał, że to zabawa, że ja żartuję, więc zaśmiał się głośno i zaczął udawać, że się dusi. Wtedy ja cofnęłam się o dwa kroki, a potem z rozpędu pchnęłam go z całej siły, żeby spadł z podłogi domku. I tak się właśnie stało, dokładnie tak, jak zaplanowałam: ojciec przełamał barierkę i poleciał w dół. Coś krzyczał ze strachu, ale tylko przez chwilę, bo sznurek się skończył, szarpnął i pętla się zacisnęła. Wtedy usłyszałam, jak charczy, a z ust zaczęła mu wypływać ślina. Obydwiema rękoma próbował się podciągnąć na sznurku, ale nie miał już na to siły. A ja czekałam i przyglądałam się z zaciekawieniem. To było naprawdę bardzo ciekawe i dziwne. Ojciec szukał mnie wzrokiem, a kiedy mnie znalazł, spojrzał na mnie inaczej niż dotąd. Jakby chciał mnie o coś zapytać albo jakby nie mógł uwierzyć w to, co mu się przytrafiło, i prosił o cofnięcie wyroku śmierci. Ale wyroku nie można już było cofnąć. Zresztą nawet gdyby można było cofnąć, ja bym wcale tego nie chciała. To był wprawdzie straszny widok, ale było w nim też coś miłego. Sądzę, że to miłe wzięło się stąd, że prawdopodobnie mam niedobre serce i jestem okrutnym dzieckiem. Może zresztą z tego powodu ojciec upodobał sobie te dorosłe zabawy ze mną? Może chciał mnie ukarać za mój niedobry charakter? Nie wiem i już się tego nigdy nie dowiem. Ale to jeszcze nie koniec opisu zabójstwa. Kiedy mój ojciec przestał się już poruszać, zwiesiłam się na sznurku i zjechałam na wprost jego twarzy. Chciałam z bliska sprawdzić, czy jego oczy na pewno nie żyją i czy już nie oddycha. Wisiałam tak chyba z pięć minut, wpatrywałam się w jego twarz i czekałam na jakiś znak życia. Ale żaden znak się nie pojawił. Wtedy zeskoczyłam na ziemię i pobiegłam do szopki po dwie butelki z benzyną i zapałki. Kiedy wróciłam, wspięłam się na domek na drzewie i z góry bardzo dokładnie polałam ojca benzyną, a potem zapaliłam zapałkę i zrzuciłam ją na dół. Wybuchła kula ognia, która mnie bardzo przestraszyła i dodatkowo opaliła mi brwi oraz trochę włosów. Ciało ojca bardzo szybko zajęło się ogniem, potem przepalił się sznurek i ciało spadło na ziemię. Ja uciekłam na łąkę".

Muszelka kończy czytanie i spogląda na Sandowa. W spojrzeniu widać narodziny tkliwości. Czarne oczy patrzą i patrzą. Otwiera usta, chce coś powiedzieć, ale nie jest pewna przygotowanych słów. Wygląda tak, jakby kłóciła się ze sobą samą o niewypowiedziane jeszcze racje.

– Widzisz, zabiłam ojca – odzywa się wreszcie. – Powiesiłam go i spaliłam. Ale ta nieobecność nie zachwiała równowagą we wszechświecie, bo ty się urodziłeś na jego miejsce. Stworzyłam cię. Zaraz po tym okrutnym morderstwie. Jestem twoją matką i córką. Uwierz. Urodziłam cię naprawdę. Wyszedłeś nie tylko z mojej głowy, ale i z mojego brzucha. Nie, nie dosłownie, to przecież jasne. Kiedy o tobie myślałam – jako dziecko – zawsze widziałam cię w sobie, choć jeszcze nie byłam kobietą. To znaczy... byłam i nie byłam. Wiem, trudno zrozumieć. Szyfr. Zaszyfrowane... Bo na przykład jako twoja matka, jako ta, która cię urodziła – byłam całkowicie dorosła. Kiedy ze mnie wychodziłeś, przenikała mnie radość dorosłej kobiety – okrzepła, ugruntowana, świadoma powinności, jakie niesie miłość macierzyńska. Tylko że będąc twoją matką, wytwarzając w sobie zdolność do opiekowania się tobą jako dzieckiem, zużywałam na to bardzo dużo energii. Byłam małym człowiekiem, bardzo wtedy potrzebowałam czyjejś opieki, więc będąc twoją matką, wchodziłam jednocześnie w rolę... twojej córki. Bo przecież zabiłam ojca, nie miałam go i mi go... brakowało. To skomplikowana figura psychologiczna. Moja terapeutka próbuje ją rozszyfrować...

Sandow leży bez słowa. Opuchnięta twarz bez wyrazu. Nie płacze już, bo to nietaktowne. Płacz postawiony naprzeciw jej słów mógłby zamienić się w odwrotność płaczu, w szyderstwo, w zasrany, pretensjonalny komentarz. Nie było go wtedy, bo nie mogło być. Nawet nie wiedział o jej istnieniu. Teraz jednak jest i musi unieść ciężar tej chwili. Od niej, od tej niewielkiej chwili zależy całe jego przyszłe życie.

– Teraz już będę. Postaram się – odzywa się matowo, bez pewności, że wychodzące z jego ust słowa mają jakąś wagę.

Muszelka nie reaguje. Jakby nie usłyszała.

– Zaczekałam na ciebie, widzisz? Dotrzymałam słowa. Jutro zadzwonię do ojca i mu podziękuję. To przecież on mnie pchnął w twoje ramiona. Gdyby nie te jego specjalne potrzeby, nie byłoby ciebie, a jakby nie było ciebie, to... niczego by nie było, mój Dżuczku. Pieprzyłabym się z rówieśnikami.

– Jak powiedziałaś?

– Dżuczku. Taki mały... Dżuku. Może być?

– To już wolę... Dżuku. Wolę być większy, dobrze?

– Dobrze, Dżuku. Bądź sobie większy.

Wczoraj. Styczeń dwa tysiące dziesiątego roku. Zima długa i śnieżna. Sandow akurat uczy w szkole. Na ekranie film studencki. Seks, przekleństwa, roztrzęsiona kamera. Wszystkie składniki strachu – żeby go zakamuflować, żeby nie odezwać się szczerze. Kochankowie z telewizora patrzą sobie w oczy, ale te oczy nie wyrażają miłości. Sandow jest tego prawie pewien, bo przecież pamięta, jak kochał, więc pamięta też, jak patrzył. Kochankowie z telewizora wypowiadają słowa, dużo słów, ale nie mówią do siebie. Sandow jest poirytowany. Zarządza przerwę.

Schodzi do stołówki. Jest środa, dzień zalewajki. Szef kuchni uśmiecha się szeroko.

– Zalewajka?

– Zalewajka.

Siedzi przy stole, siorbie zalewajkę, przegryza chlebem. Nie, stanowczo, to nie jest popielawska zalewajka dziadka Jakuba ani rokicińska zalewajka matki. Ot, zalewajka ze stołówki Najwyższej Szkoły Filmowej Świata. Dobra, i tyle.

Jedzenie. Nic nie zapowiada chwili, która właśnie wzbiera.

Sandow zawiesza spojrzenie na tyłku czarnowłosej studentki. Ta ze szklanką czerwonawego kompotu wyślizguje się akurat z kolejki, odwraca się, stawia nogę i – w zwolnionym tempie – podnosi głowę. Coś w tym ruchu niepokoi, bo przecież wszystkie inne osoby, wszystkie czarnowłose studentki, zamorscy studenci i wykładowcy poruszają się normalnie, dwadzieścia cztery klatki na sekundę. Ale TA nie. TA porusza się inaczej. Już idzie na wprost, już dociera spojrzeniem do jego oczu i zmusza do przypomnienia sobie. Tak, te oczy napominają. Są brązowe, smoliste, obwiedzione niebieskawym pierścionkiem i... domagają się przypomnienia. Szklanka z kompotem płynie w powietrzu w kierunku Sandowa. Błysk. Kościół wiszący nad schodami. Nad setkami schodów. Pod kościołem jesień przełamana zimą, liście i śnieg. Mała dziewczynka w kolorowym wełnianym kapeluszu patrzy w oczy Sandowa.

– Zaczekam na pana.

– Tak, wiem. Już mi to mówiłaś. Cieszę się.

– Nie wierzy pan.

– No dobrze... zaczekasz. Niech tak będzie. Ułożę się jakoś ze światem, ułożę się jakoś ze sobą... Ty dorośniesz przez ten czas... Jak chcesz czekać, to sobie czekaj. Wiesz, co to znaczy układać się ze światem?

– Nie wiem.

– No widzisz...

– Ma pan smutne oczy...

– Mam.

– Zaczekam na pana. Potrafię czekać i wiem, co to znaczy... miłość.

– Muszelko, masz dopiero dwanaście lat... Nie możesz wiedzieć. Dzieci nie wiedzą takich rzeczy. Poza tym ja żartowałem.

– Za późno. Te słowa już poszły w świat. Tak, mam dopiero dwanaście lat, ale wiem, że kocham pana największą miłością na świecie. Świat nie znał dotąd i nigdy już nie pozna takiej miłości.

– Nigdy, zawsze... Jestem od ciebie starszy o trzydzieści trzy lata. Moje „zawsze" skończy się dużo wcześniej od twojego.

– Potrafię liczyć, proszę pana, i potrafię... czekać. Zaczekam.

Szklanka z kompotem zawisa w powietrzu tuż przed stolikiem Sandowa. Wisi. Czarnowłosa zabiera dłoń, poprawia włosy, wraca do wiszącej szklanki, ujmuje ją delikatnymi palcami i stawia na stole.

Sandow nie pamięta, co było dalej. Jak długo stali w przytuleniu? Czy ktoś coś do nich mówił? Czy tymczasem zapadła noc i obiad w stołówce wystygł?

– Muszelko...

– Pamięta mnie pan?

– Pamiętam.

– Czekam. Nic się nie zmieniło. Czy już ułożył się pan ze światem?

– Tak... nie... to znaczy... nie wiem.

– Mam dwadzieścia jeden lat. Studiuję tu obok. W środy przychodzę na zalewajkę...

Muszelka patrzy i patrzy, potem opuszcza głowę i odchodzi. Siada dwa stoliki dalej, obok krzywo uśmiechniętego mężczyzny. Ten przejmuje kompot i wypija duszkiem.

Sandow ma dom na wsi nieopodal szkolnego miasta. Dom, domek, drewnianą chatkę po dziadku Jakubie, stojącą prawie na skrzyżowaniu dróg. Tu śpi w dni wykładów, bo hotel go zabija. Jest styczniowa noc, pierwsza po spotkaniu w stołówce. Przejeżdżają auta, wiatr poświstuje w rozebranych do naga lipach, psy odzywają się przeziębionymi głosami. Szczekania są srebrzyste, pełne lodowych kryształków. Zza lasu prześwitami dochodzi gwizd pociągu od stacji w Łaznowie. Ktoś odjeżdża do kogoś. Na przejeździe siedzi w budce Stasio, szkolny kolega Sandowa. Właśnie cofa do wnętrza czerwoną dłoń z żółtą chorągiewką i zamyka okienko. Dosypuje węgla do piecyka, sięga po telefon, dzwoni zameldować o kolejnym pociągu. W tym samym czasie Sandow dosypuje węgla do kuchni w Rokicinach, potem kładzie się na łóżku. W głowie tylko ona, Muszelka. A przecież ma film do skończenia – tydzień zdjęć pod rosyjską granicą, a przecież ma scenariusze, książki i rodzinę. Do tego nową kochankę, Irminę, pomocnicę kostiumografa. „To ciekawe, że reżyserzy tak często romansują z garderobianymi" – taką myśl wypuszcza głowa Sandowa, taką refleksję w związku z ważnym filmem. Tylko tyle. Zaraz po tym odkryciu rozbiera się do naga i wychodzi na dwór. Zimno. Śnieg jęczy pod stopami i parzy do żywego. Sandow sika. Dużo krótkich strumyków. Kolejne przypomnienie o przemijaniu.

Środa. Dzień zalewajki w Najwyższej Szkole Filmowej Świata. Sandow jest dobry dla ludzi. Schodzi do stołówki na długo przed obiadem. Muszelka już tam jest.

– To nowe nazwisko... Wyszłaś za mąż?

Muszelka wybucha śmiechem. Aż podnoszą się głowy znad talerzy.

– Skąd! To panieńskie nazwisko mojej matki. Arabskie. Dziadek był Egipcjaninem.

– Był?

– Umarł. Chyba z tęsknoty. Podobno tak jest z Afryką. Człowiek, który ją poznaje, tęskni. Coś w tym jest. Byłam w Egipcie, u rodziny. Różne ciocie, czarni wujkowie, kuzyni...

– Więc nie masz męża.

– Nie, nie mam. Ten mężczyzna, z którym byłam tu zeszłej środy... Nauczyciel Tańca... w pana wieku. Mieszkamy razem.

– Mów do mnie po imieniu, dobrze? Sandow.

– Poznałam go na kursie. Chodził koło mnie... W tańcu jest się blisko. Nie chciałam mieszkać z matką. Mama jest nadopiekuńcza. Ciągle wymyśla dla mnie nowe choroby, a zaraz potem... sposoby na ich wyleczenie. Bardzo ją kocham, ale ona z uporem utrzymuje mnie w dzieciństwie. To niebezpieczne, bo później nie umiem bronić się przed światem, który traktuje mnie jak dorosłą...

– Świat to... mężczyźni, prawda?

– Tak.

– Nie czekasz, prawda? To żart albo w najlepszym wypadku pensjonarska zabawa w miłość. Nie czeka się na starca, który w międzyczasie postarzał się jeszcze bardziej.

– Nie kokietuj... Wyglądasz bardzo młodo. Zresztą mnie nie obchodzą rówieśnicy. Nic mnie w nich nie pociąga. Nawet ciało. Ja wolę ciało naznaczone wysiłkiem, wiekiem, zdarzeniami. No i... smutek. Solidarność w smutku. Nie uśmiechałam się prawie. Zresztą dzięki temu dostałam rolę w twoim filmie. Szukałeś przecież najsmutniejszej dziewczynki na świecie.

– Nie czekasz, prawda?

– A czy to ważne? Czekam, nie czekam... Żyję jak potrafię. Nauczyciel Tańca uważa, że nie potrafię kochać. A ty nie przejmuj się tak i... nie wytwarzaj w sobie poczucia winy. A jeżeli czekam, to co? Zmienisz dla mnie swoje życie, ożenisz się ze mną? Oczywiście, że... nie czekam. Żartowałam. Dwunastoletnia dziewczynka nie może wiedzieć takich rzeczy o sobie. Dziecięca przysięga... Przecież nie czeka się na starca, który w międzyczasie zestarzał się jeszcze bardziej...

Dalszy ciąg dnia. Zajęcia warsztatowe w hali zdjęciowej. Kilka ścianek, meble, młodzi aktorzy odgrywający napisaną dla nich scenkę. Sandow mało skupiony. Zostawia studentów, wychodzi na korytarz, dzwoni.

– Jesteś jeszcze w szkole?

– Jestem.

– Przyjdziesz tu do mnie?

– Przyjdę.

Wchodzi po cichutku, staje w kącie, patrzy. Sandow uwija się między studentami. Porusza się szybko i w zapamiętaniu. Przestawia młodych aktorów, dopytuje się o uwagi, jakie kierują do nich reżyserzy, kręci głową, podpowiada. Śpieszy się, nawet przy tym. Sprawia wrażenie kogoś, komu wyznaczono limit na obecność między ludźmi, a on – kierowany przeczuciem – nie chce tej obecności zmarnować. Zapomina o Muszelce. Jest w samym środku żywiołu, któremu zaprzedał się przed laty. Ten żywioł to zastępowanie życia prawdziwego życiem imaginowanym – żeby się nie bać. Żeby nie umierać ze strachu.

Kobiety lepsze w filmie niż w życiu, miłości spełnione, sensy wyraźne i ostre, bez mgławicowych konturów. Wystarczy drobny impuls, by wszedł w ten świat spełnień bezwarunkowych i zapomniał o wszystkim. Teraz nie pamięta o Muszelce. Wyciera pot z czoła, zamyka oczy, sięga do pamięci po coś znacznie ważniejszego od niej, ale to coś nie chce się dać przywołać.

Muszelka wyjmuje z torby aparat fotograficzny. Przykłada do oka, mierzy, naciska spust migawki. Kliknięcie. Lustro w aparacie uderza o spód pryzmatu. Dźwięk wyrywa Sandowa z zamyślenia. Zauważa Muszelkę. Podchodzi. Ona chowa aparat – zawstydzona. Sandow zatrzymuje jej dłoń. Palce ma zroszone potem.

Nic się nie stało w tamtej chwili. Dotknięcie palców, prąd, obietnica. W torbie Muszelki zdjęcie w śmiesznej ramce: dwa wypukłe koty przy latarniach zapatrzone w szkiełko. A tam, za szkiełkiem, mała dziewczynka z mężczyzną. Muszelka z Sandowem i lato dookoła. I film. „Spałam z tym zdjęciem, woziłam je na wczasy, kolonie i do koleżanek. Rozbiłam nos takiej jednej, która powiedziała, że jesteś brzydki i… stary. Za stary dla mnie. Wezwali mamę do szkoły. No i cnotę traciłam, też patrząc na to zdjęcie". Tak powie niedługo, stawiając ramkę przy kolejnym łóżku. Ich wspólnym.

*

Dom na wsi. Noc ciągle styczniowa w dwa tysiące dziesiątym roku. Wchodzą z dworu opatuleni w parę. Kuchnia kaflowa rozgrzana do czerwoności. Sandow przyciąga Muszelkę i całuje długo. Ona zapada w jego ramiona. Pasuje do nich jak zaprojektowana przez specjalnego projektanta od miłości. Od dopasowania. Wszystko się zgadza. Każdy najmniejszy szczegół. Jej szyja pokryta meszkiem. Pamięta, jak dla zabawy dmuchał w te włoski dziesięć lat wcześniej, na planie ich filmu. Mała Muszelka przybiegała po tę pieszczotę kilka razy dziennie. Aż raz wokół włosków wykwitła gęsia skórka i z ust dziewczynki wyrwało się westchnienie. Wtedy Sandow zrozumiał, że to nie zabawa. Że właśnie na jego oczach narodziła się kobieta. I rozkosz. Potem, kiedy malutka przybiegała do monitorów, by wraz z nim oceniać rezultaty pracy, sadzał ją na kolanach bardzo ostrożnie. Jego broda wisiała tuż nad jej ramieniem, a policzek ocierał się o włosy. Oddychali na przemian. Czuł wtedy, jak w jego nozdrza puka przyjemny zapach potu pomieszanego z pudrem i dziecinnymi perfumami. Zawsze chciało mu się wtedy płakać. Ten zapach i ta chwila rozrzewniały go. Przemieniały w chłopca spragnionego bliskości matki, która zawsze była gdzie indziej. Zawsze za daleko.

Teraz ma ją w ramionach, ale ta nowa, dorosła Muszelka pachnie już inaczej. Całują się namiętnie i mocno. Jak w dobrym filmie o miłości.

*

Mijają minuty. Sandow otwiera komputer i pokazuje sceny z najnowszego filmu. Nie pamięta, jak doszli do tej chwili. Pewnie tak jak zawsze w jego niewiernym życiu. Niewiernym i wiernym. Kobieciarskim. Ona, Muszelka, podchodzi od tyłu, oddycha w jego szyję, patrzy – nie patrzy na ekran, a potem wiedziona podnieceniem sięga po jego dłoń i wsuwa ją sobie między uda. Bezwstydnie. Teraz już wszystko idzie zwykłym torem. Sandow nie planuje wielkiej miłości. Chce tylko sobie użyć, zaczerpnąć rozkoszy z głębi jej młodego, nienagannego ciała. Przy tym zmieszać tę przyjemność z pamięcią tamtych filmowych chwil i wytworzyć perwersyjny nastrój. Żeby rozkosz odurzyła go jak narkotyk i przykryła ból. Niesie ją na łóżko i rzuca jak lalkę. Kobieta rozbiera się pośpiesznie. Podoba jej się ta gra. Ściąga spodnie razem z majtkami. Sandow chwyta ją za pośladki i przyciąga do siebie. Jej wzgórek łonowy napiera na zesztywniały członek. Kobieta czuje napięcie Sandowa, więc chce dać mu ujście. Rozpina rozporek, pomaga zsunąć spodnie, ani przez chwilę nie spuszczając mężczyzny z oka, potem zsuwa się w dół. Za chwilę jest po wszystkim.

– Szybki jesteś. Jak dwudziestolatek.

– Znasz dwudziestolatków?

– Wszystkich już znam. Jestem dziwką.

– Nie jesteś...

– Przecież... nie wiesz, co robię.

– A co robisz?

– Bywam tu i tam. Czasem odwiedzam... czerń. Wpadam w nią, przyklejam się do niej i wtedy można robić ze mną, co się chce. Faceci to czują, więc kręcą się koło mnie. Szczególnie starsi.

Sandow milczy. Nie wie, co powiedzieć. Boi się, że jedno niewłaściwe słowo może zamienić to spotkanie w kurewską randkę. W przeciwieństwo. A to przecież jest... Muszelka, jego mała dziewczynka z bajki.

– Nie wiesz, co powiedzieć? Nie dziwię się. Takie wyznania zamykają usta. Mów, mój kochanku. Będzie, co będzie. W końcu ktoś TO za nas układa.

– Lubisz być na dnie, prawda? Boisz się tego, ale... lubisz. Coś cię w tym uwodzi. Im brudniej, im bardziej kleiście, tym przyjemniej. To się zaczyna w dzieciństwie. Coś się zdarza, co potem rodzi poczucie winy... i człowiek chce się sam... ukarać.

– Nic się nie stało w moim dzieciństwie. Było zwyczajne, blokowiskowe... Paliłam papierosy, piłam tanie wino, straciłam cnotę w wieku piętnastu lat. Nie, nic się nie stało, no chyba że twój film i moje zadurzenie. Ale to akurat było super... Kocham mamę. Jest bardzo dobra. Rodzice nawet się lubili, ale ojciec pił za dużo... a potem... pojawiła się tamta kobieta. Nie przeżyłam ich rozwodu jakoś szczególnie. Zachowali się wobec siebie bardzo przyzwoicie. Pamiętam, że nawet poszli potem razem na piwo. Ojciec jest zabawny. Taki... duży chłopiec. Tęskni za nami i dzwoni często. Pomaga mi finansowo. Nie stać go na wiele, ale daje mi pieniądze na czesne, kupuje różne rzeczy. Różne takie... W zasadzie to jemu zawdzięczam zainteresowanie fotografią. Jeździliśmy na wycieczki, robiłam dużo zdjęć... Kupił mi pierwszy aparat fotograficzny. A w seksie lubię być... niewolnicą. To mnie bardzo kręci. I lubię kobiety. Tak po prostu jest.

Sandow znów jest podniecony. Na usta cisną mu się kolejne pytania, ale odkłada je na później. Teraz jest czas pierdolenia. Podnosi Muszelkę na kolana i ustawia tyłem do siebie. Jest szorstki, traktuje kobietę jak zabawkę, która ma być posłuszna. Taki ma obowiązek, Szmaciana Lalka. Podnosi ją za biodra i nasadza na siebie tak mocno, jak tylko potrafi. Uchwyt jest żelazny, napięte mięśnie przedramion twardnieją jak postronki. Maszyna do jebania wchodzi w rytm. Do przodu, do tyłu, do przodu, do tyłu. Ciało kobiety otwiera się całą dostępną wilgocią, kleistością i przyzwoleniem. Pot. Dużo potu. W powietrzu wiszą małe stopy Muszelki. Wyglądają jak stopy dziecka. Paluszki są delikatne i oddzielone od siebie. Każdy osobno, pierwszy, drugi, trzeci, czwarty, piąty. Muszelka krzyczy. Z bólu i rozkoszy. Głos wzmacnia się, zamiast słabnąć. Mięśnie Sandowa palą się od wysiłku. Małe stopy podskakują w rytm pchnięć. Sandow przyśpiesza. Kiedy zaczyna drżeć w spazmach zapowiadających wytrysk, ona uwalnia się z jego uścisku i odwraca przodem. Otwiera usta i uruchamia dłoń. Znów przyjmuje cały ładunek miłości.

Opadają na łóżko. Sandow oddycha głośno. Dopiero teraz zauważa, że majteczki, które zdjęła ze spodniami, są czerwone, wyrafinowane, obrobione czarną koronką. Że została w czerwonym pasie i czarnych pończochach. Że wygląda jak dziwka.

Dalszy ciąg nocy. Muszelka oddycha spokojnie. Po drewnianym suficie tańczą ogniki kuchenne, syczy woda wylewająca się na fajerki, pojękują zziębnięte okiennice. Sandow zsuwa kołdrę, kobietą wstrząsa senny spazm. Palce ułożone w piąstkę. Biegnie gdzieś, śpieszy się, boi, potem uśmiecha. Jej ciało jest ciągle rozgrzane i zarumienione. Nie ma w nim nic grzesznego. Nawet śladu grzechu. Najmniejszej odrobiny zbrukania. Śpiące ciało Muszelki jest czyste jak woda w potoku, jak dusza dziesięcioletniej dziewczynki. Porusza się i naciąga kołdrę na maleńkie stopy. Sandow zauważa drobne rozstępy na pośladkach. Pot na plecach już wysechł, sól zmatowiła skórę, zgasły kreski tatuaży.

Nie ma świadków naszej nocy. Tylko ty i ja, i sól na plecach.
Zgasły kreski tatuaży. Kot na karku nie może zasnąć.
Przeszkadzają mu twoje myśli. On jeden coś widział,
ale nikomu nie powie.
Koty są dobrymi kompanami. Szczególnie te narysowane.
Coś się stało dzisiaj? Patrzę na ciebie i nic nie wiem.
I chyba wiem już wszystko. Chyba wiem.
I na wszelki wypadek uczę się ciebie na pamięć.

FOTOGRAFER

Fotografer jest przystojnym mężczyzną. Ma jakieś czterdzieści pięć lat, mocne ramiona, dość gęste włosy i jasne oczy. Kiedy na coś patrzy, mruży je, a wtedy oczy zamieniają się w szparki widzące świat ostro i dokładnie. To bardzo się przydaje przy robieniu zdjęć. No i modelki uwielbiają ten grymas. Czują się wtedy prawdziwie docenione, bo obserwowane z uwagą i w twórczym napięciu. Coś w nich wtedy mięknie, coś je obezwładnia i jedynym, co chcą sobie wtedy wyobrazić, jest rozmiar jego penisa.

Fotografer dużo fotografuje. Za pieniądze lub za zdjęcia i seks. Ma pozycję na rynku, więc może stawiać warunki. Jest rozwiedziony, ma syna i kolekcję starych aparatów fotograficznych. Najbardziej lubi niemieckie wczesne lejki z dokładanym dalmierzem. Jego marzeniem jest lejka z migawką z czerwonego płótna. Nieco późniejsza, ale wyjątkowa. Prawdziwa rzadkość. Aparat wykonany dla afrykańskiego korpusu feldmarszałka Rommla. Pośród kolekcjonerów krąży kilkanaście sztuk, w tym kilka pozłoconych osiemnastokaratowym złotem. Z tym marzeniem budzi się każdego ranka. Myśl o czerwonej lejce jest od lat pierwszą, jaka przychodzi mu do głowy po wyłączeniu budzika i przeciągnięciu się.

Tego dnia, dwudziestego trzeciego września dwa tysiące dwunastego roku, Fotografer budzi się bez budzika. Jest szósta rano. Mężczyzna przeciąga się, przywołuje pod powieki obraz czerwonej lejki, uśmiecha się, potem klepie w tyłek leżącą obok kobietę. Jest to zgrabna młódka w typie lalki Barbie, nienagannie ładna i bez żadnego wyrazu. Fotografer mruży oczy i odzywa się.

– Cześć, kochanie. Masz dokładnie dziesięć minut na ewakuację.

– Nie mogę zostać?

– Nie. Jak byś mogła zostać, to byś nie musiała spadać. Jest w tym logika?

– Mogłabym ci coś ugotować, posprzątać...

– Nie mogłabyś. Dzisiaj jest dzień bez kobiet. No, może z jedną... szczególną...

– Znam tę laskę?

– Nie znasz. To nie twoje towarzystwo i nie twoja... że tak

powiem… klasa. To jest wyjątkowa kobieta. Wyrafinowana i elegancka, chociaż nie taka… młoda.

– Powiesz, kto to?

– Powiem. Leica Luftwaffe.

– Jakaś Niemka?

– Aha, Niemka prawie osiemdziesięcioletnia.

– Coś ci się stało?

– No… stało się. Nawet bardzo. A tobie zostało już tylko… siedem minut.

Kobieta wychodzi. Nie, nie ma pretensji. Zależy od Fotografera, więc nie robi scen i nie kaprysi. Wie, że świat potrzebuje dowodów na jej istnienie, a on, Fotografer – wytwarza je w najwyższej pożądanej jakości. Dzięki ostrości jego zdjęć, dzięki milionom pikseli układających się w jej nogi, brzuch, biust, szyję i głowę, ona – prowincjonalna koza z małym rozumkiem – istnieje.

Jajko na miękko, chleb z masłem, pomidory, kawa z mlekiem. Fotografer je śniadanie. Z radia snuje się gładki, nieprzeszkadzający jazz. Mężczyzna uśmiecha się do myśli. W powietrzu zawisa jej kształt: Jest noc, Fotografer siedzi w kącie wielkiej hali fabrycznej, po taflach szkła spływają strumienie deszczu, błyskawice rozjaśniają niebo, niebieskawe światło sączy się do środka. Światło nie ma widocznego źródła. Nadchodzi z góry, ale nie od księżyca. Zresztą księżyca być nie może, bo niebo zaciągnięte chmurami.

Jednak światło jest – niebieskawe i nieprzyjazne. Brudne. Trzyma się kropel deszczu i rozpylonej w powietrzu mgły. Fotografer siedzi na rozbebeszonej, skórzanej kanapie. Jest nagi. Na sobie ma tylko wyszywane kowbojskie buty i kapelusz. Płacze ze szczęścia. Nie, nie powściągliwie, rzeczowo i skromnie jak mężczyzna, tylko radośnie, głupio i po szczeniacku. Jak chłopiec. W dłoniach trzyma lśniące metalowe cacko. Połyskującą chromem lejkę – tę wymarzoną, z czerwoną migawką, sprężynowym silnikiem Molly na dwanaście klatek i pięciocentymetrowym obiektywem Elmar. Mężczyzna trzyma aparat przy uchu, raz po raz naciska spust i słucha szczęku migawki jak najlepszej muzyki. To szczęście mu wystarcza. Nie chce żadnego innego.

Dzwonek. Fotografer sięga po słuchawkę domofonu.

– Kurier. Mam przesyłkę z Warszawy. Wpuści pan?

Fotografer otwiera drzwi, spocony mężczyzna podaje paczkę. Koperta nie jest duża. Kilka słów, podpis i rozpakowywanie. Pokazuje się kartonowe pudełeczko omotane taśmą klejącą. Fotografer sięga po nóż. Drżąca dłoń prowadzi ostrze po krawędzi, potem topi je w brzuchu pakunku. Mężczyzna zaciska usta. Nie wytrzymuje napięcia. Jęczy cicho. Zachowuje się tak, jakby od zawartości kartonika zależało całe jego przyszłe życie. Wreszcie taśma ustępuje i wieczko pudełka odskakuje niczym wystrzelone z procy. Zaraz po nim wypadają ze środka kawałki rozprężonej folii bąbelkowej i styropianu. Pośpieszne palce wydłubują otulinę, aż wreszcie pokazuje się ONA – Leica Luftwaffe, przedostatnia z siedmiu wymarzonych. Cudo.

Aparat jest szary. Ten kolor go wyróżnia. No i jeszcze numer zakończony literą „K". Fotografer czyta na głos: „Trzydzieści dwa tysiące zero siedemdziesiąt dziewięć K, Ernst Leitz Wetzlar D.R.P.". Oczy zaczynają mu błyszczeć z podniecenia. Zdejmuje dekielek z obiektywu, wyciąga tubus i lekko przekręca w prawo. Elmar blokuje się z trzaskiem. Teraz Fotografer naciska sprężynkę bagnetu i kręci obiektywem w lewo, do oporu. Ramię bagnetu kończy bieg na śrubce oznaczającej koniec skali. Popchnięte dalej naprze na śrubkę i zacznie wykręcać obiektyw z obudowy. Wtedy, po dwóch i pół pełnych obrotach, otworzy się korpus aparatu i ujawni płótno migawki. Czarne, to pewne, ale być może sygnowane tą samą świętą literą „K". Bez tego znaku aparat jest niczym. Bezużytecznym złomem wyprodukowanym przez więźniów Feliksa Edmundowicza Dzierżyńskiego w łagrach NKWD. Literka „K" na migawce zmienia wszystko. Oznacza przynależność do elity Luftwaffe i cenę liczoną w dziesiątkach tysięcy. Ale Fotograferowi nie chodzi o tysiące, choć jest człowiekiem oszczędnym. Jemu chodzi o coś zupełnie innego. O miłość.

Wstrzymuje oddech. Napiera na ramię bagnetu, ten popycha śrubkę wkręconą w aluminiowy pierścień. Opór trwa tylko przez chwilę, bo zaraz rusza gwint wyrżnięty w mosiądzu – drobny i diabelsko precyzyjny. Ten gwint ma swoje znaczenie. To jego zwój kieruje nastawem dalmierza. Fotografer zna ten mechanizm jak mało kto na świecie. Lepiej poznał go jedynie Max Berek, twórca elmara, najlepszego obiektywu pięciocentymetrowego, jaki wyszedł spod ręki człowieka. No, może ktoś jeszcze, Sasza Biełanow z Federalnej Służby Bezpieczeństwa Federacji Rosyjskiej, specjalista od kamuflowanych, ściśle limitowanych zabójstw. Ale o nim Fotografer nigdy nie słyszał. Podobnie jak Sasza o Fotograferze. Los tych dwóch mężczyzn połączy się za chwilę, po wykręceniu obiektywu i sprawdzeniu płótna migawki, ale na razie żyją jeszcze osobno i niezależnie od siebie. Mija pierwszy obrót pierścienia, po nim drugi. Następuje trzeci, a właściwie jego połowa. Korpus i obiektyw oddzielają się. Fotografer głośno wciąga powietrze i... zagląda do wnętrza lejki. Za chwilę oddycha z ulgą. Jest tam. Na swoim miejscu, dokładnie tam, gdzie potrzeba – na wysokości popychacza dalmierza. Ona, bezcenna literka „K". Teraz zostaje już tylko ostatnie badanie. Trzeba sprawdzić, czy znak jest głęboko wytłoczony w płótnie. Zdarzają się bowiem wyrafinowane kopie spod ręki niemieckich fałszerzy, którzy iluzjonistycznym pismem zastępują stygmat na migawce. Fotografer zamyka oczy i powoli wprowadza wskazujący palec do otworu w korpusie. Palec przekracza aluminiowy pierścień i kiedy już prawie dociera do migawki, niechcący zawadza o popychacz dalmierza – obły kawałek oksydowanej stali. Wtedy sprężyna popychacza, wzmocniona na tę okazję potrójnie, uwalnia iglicę i tłoczek. Zza pierścienia wystrzeliwuje igiełka i boleśnie kłuje Fotografera. Mężczyzna z sykiem cofa palec. Wkłada go do ust, nie wiedząc, że oto popełnia kolejny śmiertelny błąd. Ostatni w swoim życiu. Kiedy jeszcze raz sięga w głąb aparatu, trucizna jest już blisko serca. Fotografer dociera palcem do migawki, dotyka jej i uśmiecha się z zadowoleniem. Litera „K" widoczna na płótnie migawki jest prawdziwa. Zadowolony sięga po obiektyw, przykłada go do korpusu, wkręca starannie. Popychacz dalmierza wraca na swoje miejsce, sprężyna iglicy naciąga się na nowo, igła cofa się w mrok, za krawędź pierścienia. Teraz zdarzenia następują bardzo szybko. Zatruty organizm Fotografera odmawia oddychania. Wygląda to tak, jakby ktoś zlikwidował powietrze. Mężczyzna nie wie, co się dzieje, próbuje się poderwać, ale odkrywa, że nie potrafi. Jest przerażony. Cała jego obecność przybiera w jednej chwili kształt strachu. Strach. Niewiarygodnie gęsty, smolisty i lepki jak asfalt. Otwierają się wszystkie blokady; Fotografer oddaje kał, mocz i toczy z ust pienistą ślinę. Jeszcze tylko jeden obraz przebija się przez to śmierdzące umieranie: konie. Stado dzikich koni na pustyni, stacja kolejowa zasypana piaskiem, wagon towarowy, zardzewiałe, nieruchome koła. To ostatnie, co widzi Fotografer, nim przestaje widzieć na zawsze.

MARIA CARMEN

Trzy miesiące wcześniej. Dwudziesty dziewiąty czerwca dwa tysiące dwunastego roku. Lima, dzień świętych Piotra i Pawła. Sandow jest ciągle z Muszelką. Wmieszani w tłum biegają po placu Armii, przyłączając się do kolejnych procesji. Grają orkiestry, błyszczą politury i pozłoty na figurkach świętych, idą rozmodlone delegacje dzielnic. Na przodzie każdej ktoś najbardziej zasłużony, najbardziej religijny, najpiękniejszy. Dalej – tancerze i tancerki w potokach taft, jedwabi i cekinów. Błyskają flesze aparatów fotograficznych, nawołują się turyści z Niemiec i Japonii. Ich języki nie chcą pasować do modlitw, więc odbijają się od hiszpańskich fraz jak od ścian. Peruwiańska roztańczona religijność wciąga Muszelkę. Kobieta ustawia się za jedną z tancerek i próbuje naśladować jej ruchy. Z tyłu podchodzi mężczyzna, ujmuje Muszelkę za biodra i naporem dłoni wprowadza ją we właściwy rytm. Sandow idzie za tłumem. Ogląda tę scenę z daleka. Muszelka śmieje się i wygina wdzięczny kark. Biodra zakreślają koła coraz bardziej zmysłowe. Zaczyna tańczyć dokładnie tak samo jak kobieta idąca przed nią. Mężczyzna coś mówi, ale Muszelka nie rozumie, więc tamten pochyla się i szepcze słowa prosto w ucho, a potem dotyka wargami szyi. Wtedy Muszelka poważnieje, odrywa ręce tancerza od swoich bioder i odpycha go. Szuka wzrokiem Sandowa, znajduje, podbiega, wpada w jego ramiona. Krzyczy głośniej od orkiestr.

– Kocham cię! Bardzo, bardzo, bardzo! Czy ty wiesz, że ja to ja, a ty to ty?!

– Wiem. Ty to ty, a ja to ja.

– Czy to nie cud?!

– Nie wiem.

– Jak to nie wiesz?! Przecież ty wiesz wszystko!

– Nie wszystko, Muszelko głupia...

– Wszystko, wszystko, wszystko!

Nagle Sandow coś zauważa. To coś, z pozoru błahe i niezauważalne, w jednej sekundzie przenosi go w sam środek filmu. Oto z bocznej uliczki wychodzi szklana procesja. Szklana, bo figura świętej – bardzo stara, przejedzona przez kołatki i zmatowiała – cała jest otoczona szkłem. Płynie w szklanym akwarium, niesiona przez Indian, jakby była ich starą matką rybą. Na oczach – Sandow widzi to wyraźnie – matka Indian ma wysepki niebieskiej farby, na tych zaś... żywe źrenice. Ale nie to jest najbardziej widoczne. Jest jeszcze coś, co zauważa wcześniej niż inni, choć stoi daleko i za głowami tłumu. To coś przebija się nie tyle samym widokiem, co jego zapowiedzią niesioną na fali modlitewnego rozedrgania. Na razie Sandow widzi dobrze jedynie burmistrza dzielnicy, wąsatego poważnego mężczyznę w czarnym garniturze, trzymającego dłoń żony – kobiety chudej, okraszonej różem na policzkach i karminem na ustach. Za nimi, przodem do Świętej Matki w akwarium i tyłem do kierunku ludzkich spojrzeń, idzie ONA, peruwiańska dewotka. Zatopiona w egzaltacji, w przesadzonej modlitwie – idzie z zamkniętymi oczami. Sandow wie to na pewno, chociaż procesja jest ciągle bardzo daleko od niego. Dewotka idzie tyłem, nie potyka się, ma zamknięte oczy i krzyczy całą sobą, choć na zewnątrz nie wydostaje się nawet jedno słowo. W procesji widać zakłopotanie. Burmistrz ma czerwone policzki, dąsa się, mówi coś na ucho kroczącemu obok pomocnikowi. Ale pomocnik udaje, że nie widzi, i nie interweniuje. Nie chce, żeby tłum go rozszarpał.

Podchodzi Muszelka. Ona też zauważa.

– Widzisz, ta kobieta modli się w naszym imieniu.

– Skąd wiesz?

– Słyszę to, Sandow. Ty nie słyszysz?

– Słyszę.

Idą całą szerokością ulicy, kołyszą się, wreszcie dochodzą. Kiedy czoło procesji mija Sandowa, ten odwraca się i... spogląda. Idąca tyłem ma zamknięte oczy.

Noc w hotelu. Od placu Armii dochodzą odgłosy zabawy. Muszelka zbiera się do zadania ważnego pytania. Sandow jest tego pewien, bo słyszy szereg następujących po sobie maleńkich westchnień. Wreszcie pytanie nadchodzi.

– Wierzysz w Boga, Dżuku?

– Dżuku?

– Tak, dzisiaj jesteś Dżukiem aż do zaśnięcia. Więc jak, wierzysz?

– O Jezuuu... A może coś łatwiejszego... na początek...

– Nie mam nic łatwiejszego.

– Wierzę.

– A Afganistan, Irak i... Auschwitz?

– Ale co?

– W Afganistanie mężowie obcinają kobietom nosy za jakieś śmieszne rzeczy, w Iraku samobójcy wysadzają się gdzie popadnie. A Biesłan? Pamiętasz te potworności? Te dzieci oszalałe z rozpaczy, nagie, spragnione odrobiny wody... A Auschwitz?

Wiatrak pod sufitem zawodzi. Jedno skrzydło jest wygięte i raz na obrót ociera o blaszany korpus. Dźwięk jest jękliwy i nieprzyjemny.

– Auschwitz jest wyjątkowym dowodem na nieistnienie Boga, nie sądzisz? Byłam w Oświęcimiu na wycieczce i... widziałam te wszystkie rzeczy... Rzygałam potem jak kot – ciastkami, czekoladą, żelkami, chipsami i... colą – wszystkim, co zjadłam w autokarze. To były niewiarygodnie dobrze zakomponowane rzygi. Miały kolor złotozielony. Daję słowo honoru. Pióropusz złotozielonych rzygów i krew z nosa, a potem długa wodnista sraczka i gorączka czterdzieści stopni. Dziecko na wycieczce...

Milknie. Namyśla się gruntownie. Przełyka ślinę.

– Dowodów na nieistnienie Boga jest bardzo dużo. Mogłabym wymieniać je przez cały dzień. Mam rację, Sandow?

– Masz i... nie masz. To zależy co i... po co, i... komu chcesz udowodnić.

– Chcę udowodnić, że... Pan Bóg, mimo tylu dowodów na nieistnienie, jednak... istnieje. Jak myślisz, Sandow, potrafię to zrobić?

– Bez trudu. Ty potrafisz wszystko, a poza tym... sama jesteś bardzo poważnym dowodem. Mnie on przekonuje.

– No co ty?! Ja?! Byłeś tak blisko i tak popisowo spieprzyłeś sprawę... Jaka ja? My, Sandow. Ty i ja jako komplet, rozumiesz. Osobno to my tylko... jesteśmy sobie. Ja ci mogę powiedzieć, jak to jest z nami. A właściwie, jak będzie. Powiem ci, chcesz?

– No mów.

– No więc jak ja cię spotkałam w tej stołówce po dziesięciu latach, to... dostałam taki bardzo szybki i wyraźny przekaz. Taką iluminację. To było coś w rodzaju filmu... do przodu. Taki plan. Bo słyszy się, że jak człowiek umiera, to wyświetla mu się przedśmiertny film. W głowie... chyba. Od momentu, w którym jest, ale do tyłu, wstecz, fragment po fragmencie, aż do dzieciństwa. Wszystko, co było ważne w jego życiu, co go formowało, dawało radość, przerażało... A ja dostałam odwrotność tej przedśmiertnej projekcji. Pamiętam, że jak wtedy zmierzałam do ciebie ze szklanką czerwonego kompotu, to nagle, w jednej sekundzie, wszystko zawisło w powietrzu i... zaciął się czas. Potem poczułam, że przez taką... szczelinę przedziera się do mnie obraz kręcony do przodu. Zobaczyłam wtedy, jak Nauczyciel Tańca znika, jak zostaje po nim jedynie pusty talerz i odcisk wilgotnej dłoni na blacie stolika. Tak jak w filmie o Harrym Potterze, bardzo podobnie. Wszystko wtedy znikło naraz. Tylko ty zostałeś w tej stołówce, naprzeciwko mnie, zdziwiony, ze wzrokiem utkwionym najpierw w szklance kompotu, a potem w moich oczach. No i wtedy poleciał ten film... Najpierw my w twoim domku na wsi, potem razem... wszędzie, w wynajętym mieszkaniu z kotem, który cię nie lubi, na placu budowy, w baseniku kliniki porodowej, w Popielawach z naszym synkiem...

– Z synkiem? Nie planujemy przecież dziecka. A kto z nim będzie grał w piłkę?

– Ty, Sandow.

– Ja? A widziałaś mój rezonans magnetyczny, głupku muszelkowy?

– Nie widziałam, ale za to... widziałam ten film w stołówce i tam był nasz syn. Pięknie graliście razem w piłkę i łowiliście ryby w stawie. Tak właśnie było.

Muszelka milknie. Jest zadowolona z siebie. Powiedziała wszystko, co miało być powiedziane.

– To wszystko?

– Wszystko.

– I twoim zdaniem dostarczyłaś mi dowodów na istnienie Boga.

– Mnóstwo.

Kilka dni później. Sandow i Muszelka lądują w Cusco. Na lotnisku muzyka powietrzna – fletnie Pana, gitary i perkusje. Muszelka blednie i chwyta się za pierś. Zauważa to Indianka w kolorowym ponczo. Podchodzi z kubkiem naparu z koki, podaje, naciera Muszelce dłonie. Nic nie chce, żadnej zapłaty. Chce tylko popatrzeć na Indiankę ładniejszą od siebie, chce tylko dotknąć dłoni delikatniejszych od skóry młodej lamy. Patrzy i nie może się napatrzeć. Potem noc. Powietrza ciągle za mało. Muszelka zasypia na sekundy, budzi się, oddycha łapczywie, patrzy ze strachem na Sandowa, ale on nie zna sposobu, żeby ją uspokoić. Kręci głową, tłumacząc, że nie wie. Tak ma po prostu być. Tak jest w Cusco.

– Ale ja umieram, Sandow. Jestem tego pewna. Niczego już nie będzie.

– Wszystko będzie, głupia Muszelko.

– Wszystko?

– Wszystko.

– Dom w Popielawach?

– Będzie.

– Ganek z drewnianą podłogą?

– Będzie.

– Kominek z rekuperatorem?

– Będzie.

– Stajenka na jednego konia?

– Będzie.

– No to koń chyba też…

– No tak, koń też będzie.

– Kot… ashera?

– A nie może być normalny, wiejski, mruczący kociak?

– Może, ale ashera też.

– No dobrze, to niech… będzie.

– Karpie i złote karasie w stawie?

– Będą.

– Szczupaki?

– No co ty? To się nie uda. Przecież szczupaki natychmiast wpierdolą karasie…

– No to… rezygnuję ze szczupaków.

– Dzięki.

– A… synek?

– Muszelko…

– Ja umieram, Sandow.

– Będzie.

– Okej. To już mi trochę lepiej. Lepiej już oddycham. To rzadkie powietrze nie jest jednak takie bardzo złe. Nie jest, prawda, Sandow?

Jadą z Cusco do Pilcopaty – Sandow z Muszelką. W starym autobusie marki Mercedes zgraja pasażerów; kobiety w kapeluszach, ponury Indianin z profilem wyjętym z kamienia, dwóch jasnowłosych Szwedów, dziecko z zajęczą wargą i patrząca na niego z obrzydzeniem matka. Do tego parę innych osób, pośród nich dwóch Japończyków i jeden typ spod bardzo ciemnej gwiazdy. Prawie wszyscy żują liście koki. Najbardziej Muszelka. Wydaje się, że to sprawia jej radość szczególną – przepychanie zielonkawej miazgi językiem, miażdżenie jej zębami, układanie pod policzkiem. Oddycha już znacznie lepiej, jest ożywiona i bardzo uważna. Obserwuje kamiennego mężczyznę, a potem – idąc za obserwacją – dopycha sobie do pełnych ust jeszcze jedną garść liści. Wygląda teraz jak chomik i to też się jej bardzo podoba. Żuje tak pracowicie, że aż na policzkach wykwitają wypieki, a z nosa wypływają zielonkawe kokowe smarki. Kamienny mężczyzna wypluwa ślinę na podłogę autobusu. Muszelka nie daje na siebie czekać. Strzyka strumieniem śliny zaraz po nim. Jej transport ląduje tuż obok kałużki kolegi.

Kamienny mężczyzna podnosi wzrok. W oczach zapala się na chwilę akceptacja dla drobnej kobiety skądś. Z jakiegoś innego Peru.

Kilka godzin później. Droga przyklejona do zbocza rudej góry. Co jakiś czas migają przepaście zieloności, w nich splątana w nieładzie roślinność; palmy, żylaste drzewa ceiba, liany, bambusy, bananowce – jedne wrośnięte w drugie, poprzytulane do siebie i mokre. Pada drobny deszcz. Ze zboczy osuwają się błotne lawinki i żłobiąc bruzdy, padają pod koła autobusu. Muszelka śpi na kolanach Sandowa. Buzię ma umorusaną jak dziecko, pod nosem zaschnięte smarki. Co jakiś czas mocniej wciąga powietrze. Gospodaruje tym niedostatkiem, dzieląc duży haust na kilka płytszych oddechów. Coś jej się znowu śni. Piąstki walczą z wrogiem. Wreszcie zwycięstwo, drgnięcie kącika ust, uspokojenie, uśmiech.

Jęk hamulców. Kierowca zatrzymuje autobus. Brakuje drogi. Woda zabrała kawałek skarpy i drogi ledwo starcza. Wszyscy wysiadają. Z boku kilometrowa przepaść. Indianki chowają głowy pod kolorowe poncza. Kierowca naradza się z pasażerami, potem – metr po metrze, trzymany w równowadze przez kilkanaście par rąk – przejeżdża.

Pilcopata. Kilkadziesiąt niskich chatek pomalowanych kolorowym wapnem. Jedna ulica biegnąca wzdłuż i kilka mniejszych, ułożonych w poprzek. Niebieskości, żółcienie i czerwienie. Kolorowe prostokąty ścian, rdza wrośnięta w wapno, niżej drewniane podesty ochronione blachą wspartą na słupach. Pod daszkami siedzą ludzie. Twarze ukryte, zaciągnięte mrokiem i bezruchem. Słowa zatrzymane. Słychać tylko deszcz i od czasu do czasu szczeknięcie psa. Psie szkielety obrośnięte skórą włóczą się po ulicy, zaglądają do rynsztoków, popatrują w martwe oczy ludzi. Ale nikt nie reaguje. Wydaje się, że ludzie oszczędzają energię. Kumulują ją na lepszy czas i sprawy ważniejsze niż zasrane psie pretensje. Nadjeżdża autobus. Rzeźby pod blaszanymi dachami ożywają. Na chwilę. Poznać to można po smużkach dymków wysnuwających się spod kapeluszy. Autobus zajeżdża na plac targowy, za którym widać już tylko pordzewiały wiszący most i parującą selwę. Staje. Ze środka wysypują się ludzie. Sandow pomaga wysiąść zaspanej Muszelce. Rozgląda się i zaraz zauważa nadbiegającą od hotelu Amazonia Marię Carmen.

Maria Carmen ma jakieś trzydzieści pięć lat, wysportowane ciało, oczy czarne i przepraszające oraz chłopięcość w sposobie bycia. W biegu, chodzie, staniu, poprawianiu włosów, odwracaniu głowy. Prawie we wszystkim. W jej twarzy czyta się zamrożony na zawsze wyraz przepraszającego smutku, umocowany tam przez marzenia o tysiące kilometrów przekraczające granice Pilcopaty i jej najlepsze możliwości. No i przez miłość do drania, rosyjskiego poszukiwacza przygód Saszy Biełanowa. To ona właśnie – niespełniona miłość do drania – przyprowadziła Marię Carmen z powrotem do tej podłej osady, ostatniej na szlaku, otwierającej drogę już tylko do dżungli, do selwy dzikiej i mokrej, do nagich Indian Quapacores, Machiguengas i Huachipeiros. Maria Carmen zna ich wioski poukrywane w selwie, zna potrzeby i słabości, więc potrafi wystawić ich przerażone twarze przed obiektywy aparatów fotograficznych. To jest jej największy kapitał. Dzięki niemu żyje w Pilcopacie dość dobrze, utrzymuje niewielki hotelik, siebie samą, matkę, ojca, dwóch braci i Alika, syna Saszy Biełanowa z Rosji.

Podbiega swoim chłopięcym biegiem i zaraz przypada do Sandowa.

– Señor Sandow, ale się pan… postarzał! Przepraszam za szczerość… Ile to lat? Dziesięć?

– Dziewięć z kawałkiem.

Maria Carmen sięga po walizkę, na Muszelkę prawie nie patrzy, ale mityguje się, stawia walizkę, wyciąga dłoń.

– Maria Carmen.

– Muszelka.

Idą w kierunku Amazonii, pochlapanego wapnem baraku pod blachą.

– Padre Polentini bardzo chce się z tobą zobaczyć.

– Ze mną? Ja już nie szukam złota.

– Nie chodzi o złoto.

– A o co chodzi, Maria?

– O rozmowę przed śmiercią. Może da się z tego zrobić film?

– Film?

– No, przecież jesteś reżyserem, señor...

– Jestem.

– No właśnie. Więc wysłuchaj starca, zapisz to i zrób kiedyś film... Zorganizuję ci ludzi do pomocy, chcesz?

– Carlos i Jaime ciągle mieszkają w Pilcopacie?

– A gdzie mają mieszkać, señor? W dżungli? Oni już nie potrafią mieszkać w dżungli...

– A gdzie mieszka padre?

– U siebie, w Wakariji.

Godzina na ulicach miasteczka. Pokazuje się słońce. Muszelka zaprzyjaźnia się z grupką dzieciaków. Kupuje im kilka butelek inca-coli, żółtej oranżadowej słodyczy. Wydaje na to fortunę. Wreszcie idą do Wakariji, Maria Carmen i Sandow uzbrojeni w maczety, Muszelka w aparat fotograficzny. Maria przygląda się Muszelce. Jest zazdrosna o jej indiańską urodę. Mówi coś do siebie po cichu, jakieś hiszpańskie słowa. Wypowiada je w ledwo skrywanym, przyciszonym gniewie. Brzmi to jak modlitwa w jakiejś specjalnej kobiecej sprawie. Kiedy dochodzą, słońce opiera się już o krawędź selwy i rozlewa po nurtach Pini-Pini.

Sandow mruży oczy. Wakarija nie zmieniła się wiele od czasu jego poprzedniej wizyty. Był tu z wyprawą rosyjskich i argentyńskich awanturników, których w głąb selwy powiodła chęć zmierzenia się z mitem Paititi, zaginionego miasta Inków. Prowadziło ich piętnastu Indian. Dzień w dzień wycinali w selwie ścieżkę, a ta zaraz zarastała, zasklepiała się jak rana i zapadała w dżunglę niewidzialną. Mieli znaleźć złoto, znaleźli malarię, głód, sraczkę i... wyciszenie ran w sercach. Rozmaitych; po zdradach żon, śmierciach bliskich, upokorzeniach w pracy i innych rozlicznych niespełnieniach. Sandow zbierał materiał na scenariusz, więc pchał Indian w głupstwa, z którymi ledwo dawali sobie radę. Takie upoważnienie dał mu Jackie, szef wyprawy, łajdak i agent dwóch wywiadów. Jackie znał Sandowa ze studiów i z wojska. Z dawnej Polski. I jeszcze ktoś podążał z nimi. Najważniejszy. Padre Polentini, franciszkański misjonarz, znawca ludzkiej natury i opiekun indiańskich dusz. Przez trzydzieści lat wypływał łódką w górę Pini-Pini, zapadał w dżunglę, docierał do Indian, zaglądał im w oczy głęboko i łagodnie, dzieciom rozdawał cukierki, dorosłym święte obrazki. W chwilę później ruszyli za nim potulnymi sznurkami – na łodziach dłubankach, na bambusowych tratwach, piechotą. Jak się dało. Założył dla nich osadę na granicy cywilizacji i dżungli, pośrodku, ani tu, ani tam. Tu uczył ich myć zęby, czytać, pisać i modlić się. Przez te lata zebrał też wiedzę o Paititi, mieście wypełnionym złotem i kamiennymi budowlami. Natchniony nią porwał na wyprawę Jackiego, Sandowa, Rosjan i całą ogłupiałą resztę. Wrócili z pustymi rękami, ledwo żywi z wycieńczenia i głodu. Teraz jeden z nich, Sandow, w eskorcie dwóch czarnowłosych kobiet, wkracza na czerwony trakt prowadzący do czworokąta baraków przykrytych pordzewiałą blachą. Do największego dzieła staruszka Polentiniego, osady Wakarija.

Idą, ziemia pod stopami schnie na poczekaniu i dymi czerwonawą mgłą. Staruszek siedzi w głównym baraku, na ziemi, po turecku. Jest stary, wyschnięty i pomarszczony. Kiedy podchodzą, podnosi obolałe powieki, patrzy, uśmiecha się nieznacznie i gestem wskazuje miejsce obok siebie. Ten znak przeznaczony jest dla Sandowa. Muszelka i Maria Carmen muszą zostać na zewnątrz. Kiedy wychodzą, Polentini odzywa się jako pierwszy.

– Byliśmy bardzo blisko. Słyszałeś, prawda?

– Tak. Jackie coś wspominał. Podobno Norwegowie znaleźli Paititi... ale nie dowieźli złota do Pilcopaty.

– Złota i... życia. Nad Incabaraqulią czekali na nich Huachipeiros. Z dmuchawami. Durnie... zostali tam na zawsze...

Padre wybucha śmiechem.

– Mogliśmy być na ich miejscu, Sandow... Poukładani równiutko nad potokiem Incabaraqulia...

Milknie, kaszle sucho i świszcząco, potem sięga po batystową chusteczkę. Odpluwa flegmę, przygląda się jej uważnie, wyciera kąciki ust. Wraca do rozmowy.

– Misja... Widziałeś taki film, Sandow?

– Widziałem.

– I co?

– Wiesz przecież, Padre... Jesteś taki sam... jak on. Tak samo kochasz tych ludzi.

– Kocham ich? No tak, kocham, ale... co im po mojej miłości, Sandow? Ta miłość przywiodła ich do Wakariji, pokazała twarz Chrystusa, krzyż, miskę z wodą, ustęp, szklankę, zapałki, szczoteczkę do mycia zębów, litery w książce, zegarek, butelkę z wódką... Wiesz, ja już czuję oddech Pana, więc wolno mi już mówić takie rzeczy... Ta moja... miłość przywiodła ich do... zguby. Stracili tamto, a nie zyskali... tego. Uczyniłem moich Indian ludźmi znikąd.

Padre znów milknie na długą chwilę, a kiedy odzywa się na nowo, jego głos brzmi jeszcze słabiej.

– Jesteś moim dłużnikiem, Sandow. Pokazałem ci dżunglę i otworzyłem drogę do serca Quapacores, pamiętasz?

– Pamiętam, Padre.

– Jesteś gotowy spłacić ten dług?

– Tak, Padre. Co mam dla ciebie zrobić?

– Pamiętasz małego Jaime?

– Pamiętam. Wyciągnął mnie spod łodzi. Zawdzięczam mu życie.

– Oddaj go dżungli, Sandow. Zabierz go z rynsztoku Pilcopaty i oddaj go selwie. Niech odzyska przyzwoitość i... ojczyznę. Zrób to, Sandow, dla mnie. Zrobisz?

– Zrobię, Padre.

Noc w Amazonii. Muszelka nie może spać. Przewraca się z boku na bok. Dużo drobnych westchnień. Więcej niż zwykle. Widać wspina się do ważnej rozmowy. Ale to jeszcze nie teraz. Na razie sprawdza, czy po deskach nie chodzą robaki. Z dołu dobiegają tłumione rozmowy. Maria Carmen kłóci się z matką. Pada deszcz. Krople tłuką o blaszany dach. Na dole do rozmowy dołącza ojciec. Słychać kilka stanowczych słów, potem płaczliwe pojękiwanie matki i na koniec... ciszę. Ulicą przejeżdża ciężarówka. Jęczą wyrobione resory, szczekają psy, rozstępuje się błoto pod kołami. Sandow nasłuchuje. Kombinacja dźwięków jest identyczna jak przed laty. Niczego więcej, niczego mniej. Słychać też koguty; raz po raz, na wyścigi, pomimo nocy i deszczu. Pieją jak oszalałe, jakby ktoś uwolnił świat od logiki polskiej, czyli... popielawskiej. Bo przecież koguty pieją o świcie, puszczają głos po mgle, nakreślają granice świata, w którym się żyje. A tu słońce przesuwa się w lewo i na niebie wisi Krzyż Południa zamiast Wielkiego Wozu. Ta myśl poruszona na ułamek sekundy – paraliżuje. I Sandow nie chce już żyć, chociaż obok leży jego ukochana kobieta. „Jestem idiotą. Durniem chorym na tęsknotę" – myśli.

– O czym myślisz, Sandow? – Muszelka odzywa się cichutko.

– Myślę, że jestem chory na tęsknotę, że nie umiem… nie tęsknić. Dlatego żyję bez radości. Nie umiem żyć.

– Umiesz, umiesz. A te jebane koguty kiedyś zamkną dzioby?

– O świcie.

– Wszystko tu jest na odwrót?

– No nie, nie wszystko.

– Kto to jest Jaime? Ktoś ważny?

– Uratował mi życie… Urwała się lina, nurt wciągnął mnie pod łódź i… ten dzieciak bez wahania skoczył za mną. Mogłem się utopić, bo nurt był tak silny, że sam nie dałbym rady. Skąd wiesz o Jaime?

– Maria Carmen wiele razy powtarzała jego imię, kiedy wracaliśmy od tego… księdza. Wypowiadała całe przemówienia z jego imieniem i… była wkurwiona.

– Aha.

– A… bzykniemy się w dżungli, Sandow?

– W dżungli. Jak to sobie wyobrażasz?

– No, normalnie. Odejdziemy gdzieś na bok, złapiesz mnie za biodra, odwrócisz, popchniesz na jakieś drzewo… tam są przecież drzewa, prawda? Przecież to dżungla, więc na pewno są tam te wszystkie palmy...

– Są, są, Muszelko podniecona. Dużo różnych palm.

– No właśnie. Więc popchniesz mnie na taką palmę, potem zedrzesz ze mnie spodnie, złapiesz za włosy i władujesz kutasa z całej siły... Tarzan i Jane, ty i ja i... dzika dżungla dookoła...

Sandow z trudem powstrzymuje śmiech. Układa się za Muszelką, zsuwa jej majtki i prowadzony dłonią kochanki wchodzi w nią.

– Nie ruszaj się. Zaśnijmy tak. Jak jedno ciało...

– Przecież nie wytrzymasz tak, głuptasie...

– Przy tobie wszystko wytrzymam, mój kochany. Wszystko.

Ranek. Słońce strzela zza selwy. Na targu w Pilcopacie zaczyna się ruch. Muszelka próbuje fotografować, ale każde wycelowanie aparatu kończy się uśmiechem do obiektywu i wyciągnięciem ręki. Podbiegają dzieciaki Muszelkowe, w ruch idą drobniaki z kieszeni pod ponczem. Zaraz otwiera się królestwo śmiechu, radości i żółtej inca-coli. Sandow idzie wzdłuż drewnianego podestu ułożonego nad błotem. Spod desek wyczołgują się psie kości i patrzą błagalnie. Drzwi w domach, sklepach i warsztacikach pootwierane; tu krawiec pochylony nad starodawną maszyną, tam szewc, aptekarz, dentysta, fryzjer. Migają prześwity między domami i słońce oślepia do białości. Nic nie widać, zaledwie czarne sylwetki. Maria Carmen milczy. Nie patrzy w słońce, w przepadliny między domami, bo zna widoki, które tak przyciągają oczy Sandowa. Zna te odnogi od rynsztoku, od piekła, zapełnione ludzkim ścierwem; matkami, ojcami i dziećmi z selwy, tymi różnymi Machiguengas, Quapacores i innym dżunglowym śmieciem. Żyją w szczelinach Pilcopaty całymi rodzinami, śpią, jedzą jukkę pomieszaną z miazgą bananową, modlą się, spółkują i wypróżniają, prawie nie wychylając nosa spomiędzy desek. Może cień ścian coś im przypomina, jakąś lepszą przeszłość? Może przywołuje nadzieję na coś, czego nie potrafią nazwać, bo ciągle znają zbyt mało słów?

Muszelkowe dzieci wpadają z krzykiem do jednej ze szczelin. Nadbiega księżniczka.

– Tam jest, tam jest! Poprosiłam moje dzieciaki i one go zaraz znalazły! Widzisz, Sandow, jak dobrze sobie daję radę w tej... dżungli...

Jaime jest pijany. Leży na skrawku folii rzuconej na błoto pomieszane z psimi odchodami. Obok widać całe jego bogactwo – karton z resztkami jedzenia, porzucone plastikowe butelki, kapelusz, cynowy garnuszek z niedopałkami. Próbuje wstać. W jednej chwili rozpoznaje Sandowa, więc rzuca się do ucieczki, żeby z niczego się nie tłumaczyć i nie patrzeć w oczy. Na darmo. Pijane nogi nie są w stanie go utrzymać. Jeszcze chwyta pordzewiałą maczetę, podpiera się, ale Muszelkowa gówniarzeria jest bezlitosna. Któryś z malców wytrąca mu podpórkę i Jaime zwala się z nóg. Upada twarzą prosto w błoto. Muszelka próbuje interweniować, krzyczy coś do dzieciaków, macha rękoma, podbiega, zagląda w oczy Indianina. Nie może uwierzyć. Oczy Jaime są pełne łez.

Płyną. Rzeka Pini-Pini połyskuje w słońcu, ale niebo znów się zaciąga złowróżbnie. Dżungla dymi mgłą. Muszelka robi zdjęcia i zaraz nagrywa do nich komentarze.

– Zdjęcie zrobione obiektywem Sigma, ogniskowa dwieście dziesięć milimetrów, przesłona szesnaście, czas jedna tysięczna. Dżungla widziana z łodzi jest jak jeden organizm, nie da się w nim wyróżnić pojedynczych elementów, zieleń zewnętrzna to skóra dżungli. Nie wiem, co jest ukryte pod nią, jaka zawartość... wewnętrzna. Najpewniej jakieś wewnętrzne rośliny, jakieś zwierzęta i jacyś ludzie. Ale stąd nie widać. Rzeka jest bardzo rwąca. Płyniemy w górę, pod prąd. Nie wiem dlaczego, ale Sandow na pewno wie.

Sandow wie. W górze rzeki, w dzikim sercu Río Madre de Dios żyją Quapacores. O tej porze roku można ich spotkać nad rzeką, o cztery dni łodzią od Pilcopaty. Płyną do nich, do rodziny Indianina Jaime.

Łódź jest duża, solidna. Na dziobie siedzi Paco, pomocnik motoristy, czternastoletni dzieciak. Co jakiś czas sprawdza kijem głębokość wody i nie oglądając się do tyłu, pokazuje, ile jest zapasu pod śrubą. Motorista kiwa głową, podnosi silnik, przymyka nieco przepustnicę. Ma na imię Santo i twarz pociętą bliznami tak szerokimi, że mogła je wyrzeźbić jedynie maczeta. Silnik zniża ton. Zwalniają. Jaime rozgląda się po okolicy, ale nie rusza głową. Patrzą jedynie oczy. Z jego twarzy nie sposób wyczytać myśli. Nie widać nawet, czy ma pretensje do Sandowa. Siedzi jak pomnik – związany, brudny, cuchnący wódką i psim gównem. Maria Carmen rozdaje liście koki. Jako pierwsza wyciąga rękę Muszelka, sięga do worka, bierze garść i wpycha do kieszeni. Robi zapas. Motorista przyjmuje poczęstunek, ale uzupełnia go swoim specjałem, brązową maścią, brudnym półproduktem rafinacji koki. Smaruje nim podniebienie, wkłada pod język. To samo robi Paco. Muszelka spogląda pytająco, więc Paco wyciąga pudełko z maścią i pozwala nabrać trochę na palec. Muszelka sprawdza indiańską metodę, smaruje podniebienie, krzywi się, wpycha liście do ust, zaczyna żuć jak mała lama. Zaraz do oczu napływają jej łzy, ale do serca – radość. Ożywia się.

– Kocham dżunglę! Już wiem, że ją kocham!

Zatrzymują się na noc. Miejscem spoczynku jest piaszczysta łacha zamknięta ścianą selwy. Zieleń wspina się na dziesiątki metrów. Jest tak gęsta, że nie widać za nią niczego. Z góry zwisają kosmate liany. Muszelka sprawdza ich wytrzymałość. Zawisa na jednej, kołysze się, ciągnie, wygina. Paco kopie latrynę. Od czasu do czasu spogląda na ładną kobietę z innego świata. Podoba mu się.

Układają się pod plastikową folią umocowaną na tyczkach. Santo zostaje na brzegu, przy łodzi. Maria Carmen rozpala ognisko i przygotowuje posiłek. Dzwonią cykady, pokrzykują małpy, odpowiadają im jakieś wieczorne ptaki. Selwa opowiada o sobie.

Następny dzień i następna noc. Pini-Pini płynie coraz gniewniej. Głazy naniesione w zakola rzeki rozbijają wodę na tysiące drobiazgów. Łódź nie daje rady pokonać tego oporu. Sandow, Paco i motorista chwytają za liny, wyskakują, przeciągają łupinkę przez katarakty. Dżungla zaczyna ciążyć. Wszystkim. Nawet Muszelka nie chwyta za aparat przy każdej okazji. Ma już dość zieloności zielonej, zieleńszej i najzieleńszej, więc kiedy zauważa dwa czerwone drzewa w lesie, wykrzykuje radośnie:

– Czerwone! Czerwone! Widzisz, Sandow... czerwone!

Znów wysiadają na brzegu. To już czwarty dzień. Deszcz przesiąka pod serca. Maria Carmen rozwiązuje ręce Jaime, ale przedtem spogląda mu głęboko w oczy. Nie znajduje niczego niepokojącego. Muszelka spaceruje pod ścianą selwy – w jedną i drugą stronę. Sandow podchodzi jak zbity pies. Już wie, że będzie odpowiadał na pytania.

– A po co właściwie my się tak... pchamy do tej dżungli?

– Wypełniamy obietnicę.

– My? Ty wypełniasz, więc ty jeden masz tu jakiś... prawdziwy cel. Maria, Santo i Paco zarabiają pieniądze na tej twojej obietnicy, a Jaime... cierpi.

– A ty?

– Ja?

– No tak, ty.

– Ja... ja jestem po prostu... zakochaną kobietą, która chce być przy tobie.

– I to ci wystarcza?

– Aha. Wystarcza. Mimo że muszę srać bezpośrednio do dziury w ziemi, że nie mogę podmyć sobie dupki, że jem jakieś jebane pietruszki wygrzebane z piachu, tuńczyka z puszki i to zielone gówno z... czubka palmy.

– Te jebane pietruszki to bardzo zdrowe dżunglowe ziemniaki, a to zielone gówno z czubka palmy jest w Paryżu droższe niż kawior astrachański...

– No to... jedzmy to w Paryżu.

Leżą pod niebieskawą folią – Maria Carmen, Muszelka, Sandow i Paco. Santo kołysze się przy łodzi. Mruczy coś do siebie, żuje liście koki i od czasu do czasu wypluwa nadmiar śliny.

Jaime też nie śpi. Klęczy na piasku i... przyzywa po cichu Pana Boga z Wakariji. By go nie opuszczał. By zlitował się nad nim w chwilę spotkania z ojcem.

Dzień. Selwa oddycha mgłą, słońce pracuje na wysokości. Wypływają zza rzecznego zakola i zaraz zauważają trzy bambusowe chatki, przysadziste, żółtawe, pokryte trzciną i palmowymi liśćmi. Przez strzechę przesącza się dym, ale powietrze nie chce go nieść do góry. Na brzegu, na pniu powalonego ceiba siedzi dwóch chłopców, Chochon i Xavier, obydwaj nadzy, obydwaj natarci popiołem i przerażeni. Ciekawość jest jednak silniejsza od strachu. Z otwartymi ustami patrzą na łódź i na bezwłosą głowę mężczyzny, który właśnie zdejmuje kapelusz. Ten mężczyzna to Sandow, pierwszy biały i pierwszy łysy człowiek w ich indiańskim życiu. Z chatek wychodzą pozostali Quapacores; wysuszony starzec, ojciec, matka, kuzyni i kuzynki. Tak się wydaje, bo Indianie są do siebie bardzo podobni. Jaime opuszcza głowę. Nie chce patrzeć. Na brzegu nie ma wprawdzie jego ojca, ale wysuszony starzec jest bratem jego dziadka. Santo podnosi silnik i przekręca kluczyk. Motor milknie. Podpływają do brzegu. Starzec wychodzi im naprzeciw. Ma na sobie porwane szorty, a na czole opaskę z ptasich piór, znak łączności z inkaskimi przodkami. Nie patrzy na białego, bo kolor jego oczu onieśmiela go. Nie patrzy też w oczy Jaime, bo na to nie pozwala mu duma. Podchodzi do krewnego i bez słowa wymierza mu policzek, po nim drugi i trzeci. Jaime nie podnosi głowy. Czeka na kolejne razy, ale staruszek zatrzymuje dłoń. Uznaje, że wymiar kary jest wystarczający.

Wchodzą do największej z chat. Pod bambusowym rusztem żarzy się ogień. Najmłodsza z kobiet zdejmuje z rusztu małe rybki, układa je na liściach bananowca i podaje podróżnikom. Jaime rozwiązuje worek z podarkami. Wykłada na klepisko używaną kolumbijską maczetę, dwa prostokątne kawałki folii, trzy pary szortów, worek jutowy, lusterko, trzy świeczki, pięć paczek herbatników. W chatce zawisa milczenie. Słychać tylko głośne mlaskanie Quapacores, pociąganie nosami i od czasu do czasu niekontrolowane westchnięcie Muszelki.

Nadchodzi noc. Quapacores odstępują podróżnikom jedną z chat. Santo i Paco decydują się spać na zewnątrz, nieopodal łodzi. Jaime zostaje pod gołym niebem. Z dżungli wyłaniają się Chochon i Xavier z naręczami palmowych gałęzi. Rzucają je pod nogi krewnego. Jaime bez ociągania zabiera się do wyplatania szałasu. Wbija palmowe gałęzie wokół siebie, przyciąga ich czubki i zręcznie zaplata liście. W kilka minut szałas jest gotowy. Indianin skrywa się w nim i zamyka na głucho.

Noc wypełnia się. Maria Carmen nie może zasnąć. Wierci się, przeklina cicho, spogląda na śpiących Muszelkę i Sandowa, wreszcie podnosi się z posłania. Wychodzi pod księżyc, wlokąc za sobą karłowaty przygarbiony cień. Siada przy ognisku tuż obok Paca, przytula się do chłopca i zaczyna mu śpiewać jakąś rzewną piosenkę. Jaime otwiera oczy. Siedzi w swoim palmowym szałasie oddzielony od całego świata i płacze. Piosenka Marii kłuje go w serce. Sięga pod koszulkę i wydobywa spod niej medalik z wizerunkiem Matki Boskiej. Długo patrzy w smutne oczy Panienki. Tęskni, ale nie wie za czym. To czyni go podobnym do Sandowa.

Mijają godziny. Noc trwa. Maria Carmen śpi przy ognisku przytulona do Paca. Dżungla milczy. Nie odzywają się nawet cykady. Od brzegu Pini-Pini nadchodzi Santo. Zatrzymuje się przy ognisku, przykrywa Marię wełnianym ponczem, dorzuca do ognia kilka gałęzi, odchodzi, pokasłując najciszej jak potrafi. Sandow odprowadza go wzrokiem. Siedzi ukryty w mroku chatki i czeka na najdogodniejszą chwilę. Oczy mu błyszczą od gorączki. Boi się tego, co zamierza zrobić, ale nie może już dłużej czekać. Nie ma siły. Za chwilę bezszelestnie podnosi się z posłania i odbiega w róg chaty. Wspina się na palce, szuka czegoś dłonią pod dachem, za bambusowymi tyczkami kratownicy, wreszcie natrafia na wypleciony z łyka kołczan ze strzałkami. Pojemnik ma kształt niewielkiej tuby. Obok niego wiszą dwie śmiercionośne dmuchawy, ale one nie interesują Sandowa. Mężczyzna szybko zdejmuje wieczko tuby, wysypuje na klepisko strzałki i delikatnie odłamuje od nich groty. Zawija je w szmatkę, potem w kawałek plastikowej folii, chowa do kieszeni, zbiera okaleczone strzałki i umieszcza na powrót w kołczanie. Wraca na miejsce obok Muszelki. Nie wie, że nie był wystarczająco ostrożny. Nie wie, że uważne oczy Marii Carmen nie uroniły tej chwili. Zasypia.

Ranek. Z niebytu wyrzynają się zamglone szarawe kształty. Selwa olbrzymieje po cichu. Jaime wypełza ze swojego palmowego szałasu i idzie w kierunku rzeki. Po drodze zrzuca z siebie ubranie. W chacie i przy ognisku budzą się ludzie. Wszyscy kierują spojrzenia na brzeg Pini-Pini. Pod ich naciskiem Indianin Jaime kuli się jak dziecko. Ale już nie płacze. Myje się dokładnie, wychodzi z wody, idzie do ogniska, naciera się popiołem, zabiera swoją pordzewiałą maczetę i nie wypowiadając ani jednego słowa, rusza w kierunku ściany selwy. Na piersi pobrzękuje mu medalik z Piękną Panienką. Idzie na spotkanie.

(Indianin Jaime nie spotka już nikogo. Nie będzie chciał. Zrozumie to zaraz po zanurzeniu się w oceanie zieloności. Za kilka godzin usiądzie w pustym pniu ceiba, zdejmie medalik z szyi i pobrzękując nim, przywoła węża koralowego. Kwietny wąż da się omamić błyskotką odbijającą złote refleksy i dźwiękiem przypominającym nawoływanie cykad. Zawisną naprzeciw siebie jak dwie istoty pozbawione ciężaru – człowiek i wąż pomalowany w najłagodniejsze kolory świata. Potem człowiek wykona ruch i nim go dokończy, będzie w wężowym bólu, w agonii gwałtownej i bolesnej żegnał się ze wszystkim, co zapamiętał z życia. Nie będzie tego wiele; dotyk matki, pierwszy spazm rozkoszy, smak cukierka podarowanego przez dobrego Padre, oczy obcej kobiety...).

Jej oczy powiodą go w podróż,
Chociaż nie jest jego matką,
Nie jest jego siostrą
I nigdy nie była jego kobietą.

Dotknęła go tylko raz, przypadkiem,
I zamieniła na powrót w chłopca znad rzeki Pini-Pini.
Pani Czarodziejka z szeleszczącego kraju...

MUSZELKA PO RAZ DRUGI

Wiosna dwa tysiące dziesiątego roku. Na dwa lata przed Peru, zaraz po pierwszej wspólnej zimie. Sandow nie jest jeszcze Dżukiem. Będzie nim dopiero za rok, latem. Wtedy pójdą się bić na polanę pod lasem. Ale na razie zaczyna się wiosna. Jest jeszcze świeża i bardzo pomieszana z zimą. Na świtowych polach srebrzy się gruda, górą gadają wrony, wiatr poświstuje chłodem.

Zajeżdżają samochodem nad rzeczkę, otwierają bagażnik. Sandow wyciąga z auta lalkę. Lalka jest słomiana, wypleciona z nieforemnych warkoczy, ubrana w żakardowy kostiumik uzupełniony lakierowanym paskiem, pończochami i bucikami na podwyższonym obcasie. Ma tandetne czarne włosy i płócienną twarz z dorysowanymi kredką ustami. Muszelka pomaga jak może. Chwyta lalkę za nogi, przytrzymuje, dopina klamerki, wpycha słomę za pasek, uwypukla biust.

– Cycki jej oklapły. Poczekaj, Sandow, poprawię. Trzeba jej było założyć biustonosz puszap. Wiesz, co to jest puszap?

– Nie wiem, ale ty na pewno wiesz i to nam na razie... wystarczy.

– Puszap to jest taki biustonosz odmładzający, z rusztowaniem, fiszbinami i gąbką... Jak ktoś nie ma cycków, to zakłada puszap i... już ma cycki. Sprytne, co?

Muszelka jest podenerwowana. Na dłoniach skrzą się kropelki potu. Mówi za dużo, żeby przykryć napięcie. Jego źródło nie jest jeszcze wyraźne, ale ma jakiś związek z dziwną lalką.

– Piękna nam wyszła ta... marzanna. Piękna, prawda?

– To nie marzanna, głupku muszelkowy. Dobrze wiesz, że ta lalka ma na imię inaczej. Sama ją wymyśliłaś, sama ją wyplotłaś ze słomy i naciągnęłaś na nią ten groteskowy kostiumik. A właściwie dlaczego nie ubrałaś jej w dżinsy i koszulkę z Beatlesami? Wtedy nie musiałabyś udawać, że to nie ty. Więc jak to jest właściwie? Kogo my topimy, zimę czy... ciebie?

Muszelka wybucha płaczem. Potrzebuje na to trzech sekund.

Puszcza nogi lalki, szybko zdejmuje dżinsy i zaraz po nich biały T-shirt z Beatlesami. Zostaje tylko w majtkach i biustonoszu. Zaraz zabiera się za lalkę. Ściąga z niej żakardowy kostiumik, rajstopy i buty. Następuje zamiana. Kostiumik jest za duży, babciny, więc Muszelka wpada weń jak w otchłań.

– Masz rację. Ta lalka to ja. Zaraz ją utopimy, a razem z nią utopimy moją pierdoloną, brudną przeszłość. To wszystko, co mnie od ciebie i... od siebie odgradza. Te wszystkie zasrane szczegóły, które sumują się w przepaść między nami. Ponazywajmy je, Sandow. Możesz mi podać torebkę?

Muszelka wyjmuje z torebki flamaster i zawiesza go centymetr nad białym T-shirtem.

– Seks za kasę, dragi, kurewski wyjazd do Bangkoku, marokański książę, wypracowanie o zabiciu ojca, skrobanka, samobójcze myśli, okaleczanie się... Jest coś jeszcze, co ci we mnie przeszkadza, Sandow? Jakiś fragment mojego nieprzemyślanego, głupiego życia? No, zastanów się. Może jest coś jeszcze, co powinnam napisać? Na przykład zadurzenie się w wieku jedenastu lat w pewnym znanym reżyserze... To też było niewłaściwe. Z tego wzięło się później dużo innych niewłaściwości... Więc jak, dopisać coś jeszcze?

Sandow nie odpowiada. Nie wie, co odpowiedzieć. Przestępuje z nogi na nogę, wreszcie odzywa się cicho.

– Sama to sobie wymyśliłaś, tę... lalkę. Mnie się to wydało

ciekawe, trochę... pogańskie. Zresztą, może to dobry pomysł. Może razem z tą lalką coś złego odejdzie z naszego życia...

Muszelka już nie czeka. Siada na lalce okrakiem, pochyla się nad białą koszulką i słowo po słowie, systematycznie, w równych rządkach – opisuje swoje życie.

Wieczór. Idzie rozmowa. Opornie, kaleko, ze schodkami zacięć, zawahań i różnych innych niedoskonałości. W powietrzu zawisa wtedy długie „yyyyy...", po nim milczenie, pociąganie nosem, smarkanie i dużo małych oddechów. Bo Muszelka nie wie, co opowiedzieć, a co zostawić dla siebie. Nie wie (bo niby skąd ma wiedzieć), które słowa otworzą drogę do Sandowa, a które zamkną ją na długo. W głębi duszy liczy, że wyjdzie na swoje. Na jakieś „pół na pół".

– Piłam tę wodę do dwudziestego roku życia. Każdego wieczoru dwie szklanki przed snem. W domu, u koleżanek, na dyskotekach, na święta, w dni powszednie, we własnym łóżku i łóżkach rozmaitych facetów. Piłam, bo tak mi kazałeś. Pamiętam, że zadzwoniłam do ciebie dwudziestego lutego dwa tysiące drugiego, zaraz po trzynastych urodzinach, i po słowach „dzień dobry" powiedziałam bardzo szybko: „ja... ciągle kocham pana, więc proszę mi powiedzieć, co mam zrobić". Byłam pewna, że należy mi się od ciebie jakaś rada. Kazałeś mi wtedy pić dwie szklanki zimnej wody przed snem. Byłeś podenerwowany. Prawie krzyczałeś. Mówiłeś, że jestem jeszcze dzieckiem... Byłam, ale... kochałam cię naprawdę. Odłożyłeś słuchawkę, a potem zmieniłeś numer telefonu...

– A co miałem zrobić? Przecież byłaś dzieckiem. Nie uwierzyłem. Zresztą... nie wiedziałbym chyba, jak się zaopiekować tym twoim... zakochaniem. Sam wtedy potrzebowałem opieki. To było dość... niebezpieczne, to... zadawanie się z tobą. Było w tobie coś zaborczego, niedziecięcego, groźnego. Patrzyłaś tymi wielkimi czarnymi oczami nie jak dziewczynka, ale jak matka samej siebie. Podobałaś mi się. Pamiętasz, kręciliśmy taką scenę przy wielkich kościelnych schodach. Ty umknęłaś gdzieś w przerwie, nie mówiąc nikomu ani słowa. Znalazłem cię w kościele wpatrzoną w obraz Matki Boskiej. Miałaś rozpalone czoło i policzki, szeptałaś coś w kierunku ołtarza. To wyglądało jak modlitwa, ale też jak rozmowa koleżanek. Obydwie miałyście tak samo silne, piekące spojrzenie. Nie wiem, czy wymodliłaś wtedy to, co chciałaś, ale wróciłaś do pracy spokojniejsza.

– To chciałeś mi powiedzieć?

– To właśnie... A co innego?

– Usiadłam ci na kolanach po powrocie z tej modlitwy. Przeglądałeś wtedy scenę na monitorze, pamiętasz?

– Pamiętam.

– A pamiętasz, że miałeś wtedy erekcję?

– Nie pamiętam.

– Zmieniłeś numer telefonu, bo przestraszyłeś się wtedy... siebie. Przestraszyłeś się myśli o mnie, w których nie byłam tylko... dziewczynką z twoich filmów... Tak było.

– Skąd wiesz, że tak było?

– Nie wiem, skąd wiem.

NAUCZYCIEL TAŃCA

Nauczyciel Tańca ma pięćdziesiąt trzy lata, rzadki zarost i nogi wykrzywione od pracy. Wygląda młodo, prawie jak chłopiec. Ma wprawdzie niewielki brzuszek i nieco zmarszczek przy oczach (kurze łapki od figlarnego ich przymrużania), ale mięśnie ciągle twarde jak żelazo. W kręgach tanecznych wiedzą o tym wszyscy. Wiedzą też, że ciągle potrafi podnieść jedną ręką (lewą, jest mańkutem) ciężarek o wadze dwudziestu kilogramów. Nauczyciel Tańca uchodzi za mężczyznę pięknego. Na tę opinię pracują przede wszystkim ciemne pofalowane włosy i rzęsy długie jak u sarny. Z tym wyposażeniem zdobywa kobiety bez trudu. Włącza muzykę – walca wiedeńskiego lub rumbę – i wyćwiczonym krokiem rusza w kierunku kobiety. Ofiara poddaje się od razu. Głupieje. Piękna, mądra, młoda, stara, zmęczona, wypoczęta, księgowa, artystka, żona, siostra czy córka – w jednej sekundzie zamienia się w idiotkę lub kurwę, a często w jedną i drugą naraz. Nie wie, bo niby skąd, że Nauczyciel Tańca jest tylko pośrednikiem między nią a muzyką, że jest beneficjentem ciężkiej pracy kompozytora, który – często w brudzie, smrodzie i rozpaczy – naznacza dźwięki niespełnionymi miłościami. To właśnie te deficyty miłości zaklęte w muzyce rozchylają nogi niezliczonych kochanek NT. I jeszcze słowo o defekcie, żeby dać pełny obraz osoby. Defekt nie jest poważny i nie określa znacząco postępowania mistrza, ale rzetelność opisu wymaga, by o nim wspomnieć: Nauczyciel Tańca ma skromne męskie wyposażenie; niewielkiego, odgiętego w lewo penisa. To uchybienie nie odstręcza jednak kobiet. Rozpulchnione muzyką, znarkotyzowane zapachem jego ciała (mieszanina fahrenheita, ogórkowej wody po goleniu, potu i gumy do żucia) przymykają oczy na ten niedostatek.

Jest późne jesienne popołudnie. Mówiąc dokładnie (choć określenie daty niewiele tu wnosi), jest siódmy listopada dwa tysiące dwunastego roku, dzień, w którym mija równo miesiąc i dwa tygodnie od tajemniczej śmierci Fotografera – najbliższego przyjaciela Nauczyciela Tańca, towarzysza jego zabaw i niekwestionowanego autorytetu moralnego.

Znajdujemy się w pomieszczeniach dawnej fabryki Natana Kohna w Pabianicach, w miejscu wygasłym jako centrum włókiennicze, ożywionym zaś – według nowej mody – jako apartamentowiec i siedziba rozmaitych biur. Zaczyna się lekcja tańca. Dawna hala fabryczna zieje czymś nieprzyjaznym i elektrycznym, jakimś rodzajem metafizycznego chłodu. Wielkie okna pocięte kwadratami szybek wyglądają tak, jakby zbierało im się na wymioty. Właśnie na tle jednego z takich okien staje Nauczyciel Tańca i głośno klaszcze w dłonie.

– Drodzy państwo, szanowni kursanci, kochani przyjaciele, witam was na kolejnej lekcji tańca. Taniec jest pełnią, taniec jest miłością, taniec jest… życiem. Przez taniec można wyrazić wszystko, bo w tańcu zawierają się cały ból i cała radość świata. Taniec to również rodzaj narkotyzującej religii. Upojnej i pełnej oddania. Przyjmijmy więc, że ja jestem apostołem tej szczególnej wiary, wy zaś moim Kościołem. Oddajmy się sobie i… modlitwie. Niech jej rytm odczuje podłoga tej starej żydowskiej fabryki…

Nauczyciel musi przerwać, bo oto z jękiem otwierają się drzwi i do sali wchodzi spóźniona kursantka. Jest bardzo zmieszana. Przestępuje z nogi na nogę, nie wie, co powiedzieć, wreszcie pokazuje wzrokiem na przypiętego do smyczy psa – dużego kremowego labradora.

– Mąż nie przyjechał na czas… Musiałam zabrać ze sobą Mufika.

Mufik opuszcza łeb. Niby słucha, a nie słucha. Coś na tej sali zakłóca jego psią równowagę i poczucie bezpieczeństwa, coś napina wszystkie włókna jego koncentracji. Nagle spogląda w kierunku Nauczyciela Tańca i wciąga nosem powietrze.

Rozpoznaje. Rzuca się przed siebie z wielką energią, uwalnia się ze smyczy, wyskakuje w górę, płynie w powietrzu, opada przednimi łapami prosto na pierś apostoła tanecznej wiary. Uderzenie jest tak potężne, że odrzuca mężczyznę do tyłu niczym plastikową zabawkę. W oczach widać narodziny strachu, a po nich całą sekwencję myśli układających się we wszystkie możliwe rozwiązania. Nie ma jednak pośród nich tego, które właśnie się spełnia. Nauczyciel Tańca ma bowiem zbyt mało wyobraźni, by zobaczyć siebie rozbijającego plecami fabryczne okno, następnie spadającego wraz z labradorem Mufikiem dwa piętra w dół, prosto na stalowe pręty ogrodzenia. Podobnie jak ma zbyt mało wyobraźni, by w przewidywaniu końca tego zdarzenia zobaczyć się przebitego żelazem w czterech równo od siebie oddalonych miejscach. Wszystkich jednakowo śmiertelnych.

PIĘKNY SASZA

Mijają dni. Kalendarz Majów pustoszeje. Niewiele już do skreślania; parę dni, parę nocy. Muszelka wie to na pewno: „Niczego nie będzie. Planeta Nubiria, albo coś podobnie brzmiącego, zderzy się z naszą ziemią, bieguny zamienią się miejscami, powstanie wielka światowa fala tsunami, która zaleje wszystko. Wszystko na całym świecie”.

Ale na razie żyją. Jest druga połowa sierpnia dwa tysiące dwunastego roku. Płyną Dnieprem do Odessy. Ledwo się mieszczą w małej kajutce na statku, choć statek olbrzymi. Woda uderza w żelazo, mewy drą się jak najęte, charczy głośnik z muzyką, Muszelka narzeka.

– To ja już wolę koniec świata. Po co my tam płyniemy, Dżuku?

– Płyniemy, żeby... płynąć. Płynie się.

– Mądrala. Ty to na coś zamienisz, na jakieś zdania do książki albo do czegoś... Ale ja? W tej... dżungli peruwiańskiej to ja... wyczuwałam cel. On gdzieś wisiał w powietrzu. Owszem, był rozmazany i niewyraźny, ale czuło się go. Coś tam opowiadało o sobie i przy okazji... o nas. Jakaś tajemnica próbowała się do nas przedrzeć przez tę roślinność. Aż chciało się nastawiać ucha. A tu? Gówno. Ewidencja, immanencja i... ruskie kurwy na obcasach.

– Znasz znaczenie słów, które wypowiedziałaś?

– Chodzi ci o... immanencję, Dżuku?

– Znów powiedziałaś... Dżuku.

– Powiedziałam. Czasem powiem, jak mnie najdzie ochota na dżukowanie. Nie wolno?

– Wolno.

– Więc chodzi ci o tę pieprzoną immanencję?

– Na przykład.

– To jest coś, co się zawiera w czymś. Tak jak ja się zawieram w tobie. Dobrze?

Sandow wzdycha. Muszelka wzdycha. Układa kosmetyki na pulpiciku pod oknem, patrzy spode łba, odwraca się i zaraz strąca wszystko na podłogę.

– O matko z córką... krem na rozstępy szlag trafił!

– A po co ci krem na rozstępy?

– Nie wiesz? Przecież w ciąży cycki rosną jak oszalałe. Skóra nie daje rady powstrzymać tego naporu mleka, rozpulchnia się, rozszerza i... wtedy właśnie robią się rozstępy.

– Ale ty nie jesteś w ciąży, prawda? Wiedziałbym chyba.

Sandow spogląda na Muszelkę. Ta milczy tajemniczo. Przeciąga.

– Jesteś?

– No nie, nie jestem. Ale jak zajdę? Z tobą to dość szybko się odbywa. Bzykniemy się na tej pryczy i zanim się obejrzę, będę miała cycki jak koza.

Muszelka milknie. Nie wie, co powiedzieć dalej. Sprząta szkło.

– Mieliśmy poczekać na koniec świata, pamiętasz? – odzywa się Sandow.

– No to poczekamy. Dużo już nie zostało. Nie chciałabym doczekać końca świata z... rozstępami na tyłku. A ten twój Mykoła? Po co mu kino na statku?

– Nie wiem. Lubi Dniepr, lubi filmy, więc kupił sobie statek i urządził na nim festiwal filmowy. Stać go na to.

– A my musimy z nim podróżować?

– Nie musimy, ani trochę. Chcemy. Bardzo się cieszyłaś na ten wyjazd. Nie pozwoliłaś, żebym jechał sam.

– Chyba... zwariowałam. Prawdopodobnie miałam silne zaćmienie słońca.

Mykoła Nikitin, aktor, specjalista od ról bohaterów wojennych, dorobił się pieniędzy na drewnie syberyjskim, tartakach i transporcie rzecznym. Wykorzystał chwilę koniunktury i przychylność innych dorobkiewiczów, którzy z łaski wpuścili go między siebie. Szybko się okazało, że jest sprytny i stanowczy. W dwa lata poznał zasady wilków, w dwa kolejne ustanowił swoje własne prawa. Winkrustował w swój krwiożerczy biznes ozdobniki: fundację dla sierot, schronisko dla psów, koncerty dobroczynne i festiwal filmowy na statku, którym właśnie płyną – Sandow, Muszelka, Mykoła, aktorzy, aktoreczki, reżyserzy, pisarze, prawosławni księża, przedsiębiorcy i ekskluzywne kurwy z Kijowa. Płyną, oglądają filmy, piją wódkę, kopulują, ustanawiają zasady dla dookolnego świata. A dookolny świat – odległy. Pół kilometra od jednego brzegu, pół kilometra od drugiego. Jakieś drzewa, jakieś bydlęta, jakieś chaty przysadziste, dymy z kominów, drobiny ludzkie niewyraźne, bez płci, pragnień i nieszczęść – przemijają. Czasem któraś kropka podniesie oczy, przyklei się sercem do niebieskiego stateczku, pośle ku niemu serdeczne życzenia i przeżegna się po swojemu – trzema złożonymi palcami, w odwrotną stronę.

Późne popołudnie. Słońce zaczepia już o dachy nadbrzeżnych chatynek. Jest większe od nich i od krów pasących się na rozlewiskach. Muszelka patrzy na to wszystko z obrzydzeniem. Trzyma się barierki, gotowa w każdej chwili na rzyganie.

– Nie jestem dobrym podróżnikiem. Jestem podróżnikiem… chujowym.

Sandow kręci głową.

– Nie przeklinaj. Tyle razy cię prosiłem… Musisz być wulgarna?

– Jestem prostakiem z blokowiska, zadaję się z żulią i menelstwem. Jak mam mówić?

– Mów zwyczajnie, bez ozdobników. Mnie to wystarczy.

– Ale ja naprawdę jestem… chujowym podróżnikiem. Słowo harcerza. Słabo się zachwycam, nic nie pamiętam, mylą mi się kraje, zachody słońca wywołują we mnie… wymioty. Ja bym chciała na rafę koralową… nurkować z fajką, dotykać te różne rybki i inne kolorowe stworki, pływać z delfinami, opalać się, pić martini z lodem…

Muszelka uśmiecha się do myśli, ale zaraz poważnieje. Wychyla się za barierkę popchnięta kolejną falą mdłości. Rzyga. Sandow podaje jej chusteczkę.

– Ale złocisty paw... Widziałeś, Sandow? Wziął kolor od słońca, a potem, jak już przybliżał się do wody, zabarwił się na zielonkawo. Piękny paw, zupełnie inny niż ten w Oświęcimiu. Kolor pawia bardzo zależy od koloru sąsiedztwa. Nie tylko od treści żołądkowej. To bardzo ważne odkrycie. Co sądzisz, Sandow?

– Sądzę, że zarzygasz cały statek i Mykoła nas zastrzeli.

– Całego nie zarzygam. Mam za mały brzuszek.

Ktoś nadchodzi od rufy. Dzwonią mocne kroki, aż blacha wypuszcza echo i barierki wpadają w metaliczny rezonans. To popycha Muszelkę do kolejnej wyprawy po... odkrycia. Wiesza się na barierce i oddaje Dnieprowi następne kolory ze swojego umęczonego żołądka. Mężczyzna ma jakieś czterdzieści pięć lat, dwa metry wzrostu, szerokie plecy, jasne włosy i jasne oczy. Jest wielki i przystojny, jak na aktora przystało, ale gra w filmach jedynie dla zabawy. Jego główne zajęcie ma związek ze studiami w tajnej akademii wywiadu i szkoleniami, o których wie zaledwie kilkanaście osób w kraju. Podchodzi. W powietrzu zawisa nieskazitelnie biała chusteczka z wyhaftowanym na czerwono monogramem: SB – Sasza Biełanow.

– Proszę. Batystowa. Dotyk batystu... otrzeźwia. Przędza jest bawełniana, ale splot płócienny. To daje tkaninie miękkość i szorstkość naraz. Zadziwiające, prawda?

Muszelka przyjmuje chusteczkę. Wyciera usta, nie spuszczając przybysza z oka. Mężczyzna podoba się jej i... nie podoba. Jest w nim ta sama podwójność, co w podanej przez niego chusteczce. Miękkość i szorstkość w tej samej chwili, jasność i mrok, piękno i brzydota naraz. Muszelkę ciągnie coś do niego i coś ją od niego odstręcza. Te dwie siły działające jednocześnie dają efekt komiczny. Kobieta sztywnieje, a ruchy dłoni uzbrojonej w batyst robią się drewniane i kanciaste. Aż Sandow wybucha śmiechem.

– Piękny, co? Pół świata w nim się kocha, ale on jest niezłomny. Jedyna jego kobieta to... Rosja. Wielka i piękna jak on, Sasza Biełanow, mój druh, moje natchnienie i... nieszczęście. Dopiero przy nim widzę, jaki jestem mały i brzydki.

Muszelka wyciąga drobną dłoń, która zaraz tonie w olbrzymiej dłoni Biełanowa.

– Nie jesteś brzydki, Sandow. Jesteś tak samo piękny jak... pan Biełanow. Tak samo, ale inaczej. A ja jestem Muszelka.

Biełanow uśmiecha się.

– A ja jestem Sasza. Trochę aktor, trochę podróżnik i... typ spod ciemnej gwiazdy. Tak naprawdę, to... boję się kobiet. Ciebie też się boję.

– Nie bój się, nic ci nie zrobię. W najgorszym razie narzygam ci na buty i spodnie. Wyżej nie sięgnę...

*

Wieczór. Kino na statku. Pomieszczenie tonie w miłym jedwabistym półmroku. Na ekranie film o wojnie. Obraz jest zielonkawy, ziarnisty, prawie monochromatyczny. Akurat zapada noc i bohaterowie gubią się w gąszczu podobnych do siebie ulic. Dowódca strzela rakietą w niebo. Ekran rozjaśnia się i w tej samej chwili w smugę wiodącą od projektora uderzają kłęby dymu. Któryś z widzów nie wytrzymuje, kaszle, przeprasza, wstaje. Mykoła Nikitin nie ma pretensji. W końcu to jest kino i każdy ma prawo wstać w dowolnie wybranej przez siebie chwili. On nie wstaje, bo film mu się podoba. Zresztą gra w nim główną rolę, więc nawet nie wypada mu wychodzić. Znów zaciąga się wiśniową cygaretką ze złotym ustnikiem i wydmuchuje dym prosto w strumień światła. Ten, który wyszedł, nie dostanie zaproszenia na kolejny festiwal. Zejdzie ze statku w Odessie i już nie wróci na pokład. Jest tyle innych sposobów powrotu do Kijowa... Mykoła uśmiecha się do siebie. Siedzi w miękkim fotelu we własnym kinie, na własnym statku i ogląda samego siebie w filmie zrobionym za... państwowe pieniądze. Pieniądze tych biedaków z brzegów Dniepru i brzegów wielu innych rosyjskich rzek. Czy to nie cud? Dookoła głowy ma dwanaście głośników przestrzennego dźwięku Dolby Digital, na stoliku butelkę whisky, w ustach wiśniową cygaretkę. Mężczyzna czuje, jak wzbiera w nim fala wzruszenia, radości i dumy. Czuje też, że pozostawienie tych emocji tylko dla siebie byłoby aktem niepojętego egoizmu. Odzywa się do siedzącego obok przyjaciela.

– Rosja to kraj cudów. Tu wszystko jest możliwe. Naprawdę wszystko, Sandow.

Sandow nie odpowiada. Jemu też przeszkadza papierosowy dym. Mykoła to czuje i litościwie gasi cygaretkę. Muszelka oddycha z ulgą.

Noc pogłębia się, po brzegach Dniepru rozlewa się smoła. Odzywają się w niej elektryczne głosy fabryk, nocnych zmian, pociągów jadących skądś dokądś. Gdzieniegdzie roziskrzają się światła osad tak małych, jak małe są sprawy żyjących w nich ludzi. No bo co tam się może dziać wielkiego? Przecież nic i nic, i nic.

Statek płynie rozpalony światłem – głośno i niezłomnie. Wbija się w wodę, tnie Dniepr na dwie połowy, które zaraz zrastają się na nowo. W sali bankietowej gwar, dym i muzyka. Mykoła Nikitin siedzi przy głównym stole, otoczony wianuszkiem adoratorów i najważniejszych gości. Opowiada.

– Znalazłem otuchę w religii. Bycie aktorem to zgoda na wypożyczanie własnego serca cudzym organizmom. Serca i innych organów wewnętrznych, bo wypożyczam również swoje nerki, płuca, ścięgna, żyły – to, co jest akurat potrzebne. Zwykle – cały bolesny komplet. No bo kim jest postać na ekranie? Mną? Na litość, przecież nie! Ja tylko wypożyczam jej swój organizm i noszę ją cierpliwie. Jestem nosicielem wielkiego i często opresyjnego ciężaru, ale w prawdziwą zawartość wyposażają ten byt... inni: scenarzysta, reżyser, na końcu – widz. Czy dostępuję czasem duszy w tych cudzych tożsamościach? Czasem tak. Po tym rozpoznaję, że rola jest dobrze zagrana.

Mykoła wzdycha. Rozlegają się brawa zachwyconych słuchaczy. Muszelka się nudzi. Odciąga Sandowa na bok.

– Wszystko już jadłam, Sandow. Zjadłam to... pretensjonalne popierdywanie Nikitina. Jadłam już kawior pomarańczowy, ten duży, potem czarny, ten trochę mniejszy, jadłam homara, langustę, krewetki i inne rozwielitki, jakieś kraby, mus łososiowy, kapary, tuńczyka nadziewanego tołpygą, konika morskiego, trawę afrykańską i nawet wątróbki z dupy tych gęsi francuskich, co to się je karmi na siłę. Potem popiłam wszystko szampanem i likierem kakaowym, więc mam już w brzuchu materiał na superrzyg. Idę na pokład. Tylko jak ja to zobaczę w nocy? Nie mam pojęcia. A ty masz, Sandow?

Muszelka zaczyna czkać. Paw podchodzi jej do gardła.

– Albo... pójdę do kajuty, spać. Odprowadzisz mnie?

Sandow układa Muszelkę w kajucie. Kobieta zasypia w jednej chwili. Na twarzy wyraz szczęśliwości. Mężczyzna sięga po plecak. Wydobywa z niego niewielki pakunek, foliowe zawiniątko wielkości pudełka od zapałek. Wychodzi.

Idzie korytarzami, schodzi po metalowych stopniach, mija coraz brzydsze metalowe drzwi. Światła coraz mniej. Już tylko ćmią na czerwono żarówki zadrutowane w szklanych bańkach. W tej części statku nie widać bogactwa, tu panują smary, dymy, blachy i stukoty. Narasta pomruk silników. Dźwięk uwyraźnia się i rozdziela na składowe. Już słychać zawory, korbowody i tłoki. Wizgoczą pasy prądnic, syczą zawory bezpieczeństwa. Sandow zwalnia. Nasłuchuje. Ktoś nadchodzi z przeciwka. Odgłos kroków jest donośny, podeszwy wystukują ciężki, równy rytm. Nie może być wątpliwości. Tak potrafi nadchodzić tylko jeden człowiek w świecie, Sasza Biełanow. No, chyba że razem z nim nadchodzi śmierć. Wtedy nie słychać niczego.

Siadają w zakątku maszynowni, w kantorku zespawanym z czterech blach. Na stoliku wódka, ogórki i szklanki. Usmarowany mechanik, starzec prawie, nalewa pod kciuk. Podaje wódkę i zaraz wychodzi. Biełanow wypija, nie czekając na Sandowa. Wbija wzrok w przygarbione plecy odchodzącego.

– Mitrochin, dzieduszka Anton… najlepszy mechanik od diesli na Dnieprze i… najlepszy zabójca. To on nas wiezie do Odessy. Niby Mykoła, a tak naprawdę… on, mechanik Mitrochin i jego silniki. Dobrze to wszystko ułożone, aż chce się żyć. Ty… światowy reżyser, ja prowincjonalny aktor, on mechanik… Każdy na swoim miejscu. No i porządkujemy świat wedle talentów, jakie nam dał Stwórca. Mitrochin... zabija, ja zabijam, a... ty? Zamierzasz dołączyć do towarzystwa płatnych morderców?

– Nie, nie zamierzam.

– No to... chwała Bogu, bo już się przestraszyłem, że zaczniesz odbierać nam chleb. A te... peruwiańskie skarby. Masz je ze sobą? Bez nich nie ruszymy z miejsca.

Sandow wyjmuje z kieszeni foliowe zawiniątko, rozwija je i układa naprzeciwko Biełanowa. W folii leży kilka grotów odłamanych od zatrutych strzałek. Żywica zakrzepła na drewnie wygląda niewinnie, jak bursztyn podniesiony z plaży. Biełanow przesuwa groty palcem, bada, potem gestem przyzywa mechanika. Ten podbiega, gotów służyć jak pies.

– Powiedzcie mi, Antonie Siergiejewiczu, starczy tego?

Mechanik podnosi folię pod nos, wącha strzałki, ogląda, zakłada na nos grube druciane okulary. Nie siada. Kręci głową niezadowolony.

– Iniekcja, zastrzyk. Inaczej nie zadziała. Coś dodam swojego i zrobię zawiesinę. Iglica musi mieć w środku kanalik, żeby przepchnąć płyn do tkanki. Robiliśmy już takie urządzenia w Trudkomunie w Charkowie i... sprawdzały się. Aparaty robiły wprawdzie dość słabe zdjęcia, ale przecież nie o fotografie nam chodziło...

– Starczy, Anton. Więcej nie chcemy wiedzieć. Zrób swoje,

a wspomnienia zostaw wnukom, jeżeli... uda ci się ich doczekać.

Anton aż kuli się w sobie i nieruchomieje jak kawałek drewna. Czeka w tej pozycji przez następną minutę, bowiem Biełanow nalewa wódki sobie i Sandowowi. Wypijają, przegryzają ogórkiem, nic nie mówią. Wreszcie Biełanow podnosi wzrok na zdrewniałego mechanika.

– No co tam jeszcze?

– Towarzysz pułkownik zapomniał...

Biełanow kręci głową poirytowany.

– Niczego nie zapomniałem, Antonie Siergiejewiczu. Niczego.

Wydobywa z kieszeni marynarki tekturowe pudełko przepasane gumką. Otwiera. Oczom Sandowa ukazuje się lśniący, nieznacznie popękany futerał z wytłoczonym głęboko napisem: „Leica". Mężczyźnie zapalają się oczy. Sięga po skarb drżącą dłonią. Lejka jest w bardzo dobrym stanie. Leży w dłoni nienagannie. Sandow przekręca oprawę elmara i wyciąga pięciocentymetrowy obiektyw na całą długość. Na tubusie połyskuje mosiądz przebijający przez chromową mgłę. Wszystko się zgadza, każdy najmniejszy szczegół; pokrętło nastawu czasów, wizjer dalmierza, skala odległości.

– Oryginał – odzywa się Biełanow głosem zwycięzcy. – Najprawdziwszy z prawdziwych. Ale czego się nie robi dla przyjaźni... Przywiozłem ją z Afryki. Właściciel był pilotem, latał u Rommla. Dostał ją w nagrodę za waleczność. Potem zakochał się w Afryce i został. Piękna, przejmująca historia, ale więcej nie mogę powiedzieć. Dałem słowo.

Zabiera aparat z dłoni Sandowa i oddaje go mechanikowi.

– Na jutro, Anton.

Mechanik kiwa psią głową. Nawet nie podnosi wzroku. Odchodzi tyłem, znika w mroku maszynowni jak zjawa z tandetnego filmu. Biełanow odzywa się cicho, a w głosie słychać prawdziwy smutek.

– Zdolny człowiek. Akademik. Fizyk z wykształcenia i... filozof. Dwa fakultety w dwóch moskiewskich uczelniach, na politechnice i uniwersytecie. Ale światopogląd fałszywy... w sam raz na obóz pracy na Kołymie, a potem w Charkowie, w Trudkomunie po Dzierżyńskim.

Biełanow milknie po rosyjsku, tak jak potrafią milknąć poeci – poważnie i z namysłem.

– Odsiedział dwadzieścia lat, zasłużył się krajowi niejednym wynalazkiem, a kiedy podarowano mu wolność, nie przyjął jej. Wyobrażasz sobie, Sandow? Odmówił powrotu do Moskwy, do fizyki, filozofii, żony i czwórki dzieci. Poprosił o pracę na statku, pod pokładem, o trzy posiłki dziennie i zakaz wychodzenia na zewnątrz. Tłumaczył, że nie chce oglądać światła dziennego, bo napatrzył się na jasność na Kołymie i już nie jest jej ciekaw. Teraz interesuje go tylko ciemność, bo bardziej do niego pasuje. I on do niej. Filozoficznie rzecz ujmując, ciemność to jest jego ludzki przydział. Należy mu się w nagrodę za zasługi dla kraju. Dobre na film?

Sandow nie wie. Przez chwilę nie odpowiada.

– Dobre. Nie robi się już takich filmów. W każdym razie... nie słyszałem...

Znów milknie. Nie bardzo wie, co powiedzieć.

– Nie pytasz o nic. Jestem wdzięczny, ale wiem, że zaciągam u ciebie poważny dług. Kiedyś będę musiał go spłacić.

– Nie będziesz musiał. Przywiozłeś mi wiadomości o Padre, o Marii Carmen i... o moim synu. To wystarczy.

– Maria Carmen widziała, jak kradnę strzałki naszym Quapacores znad Pini-Pini. Na pewno ich pamiętasz, rodzina Carlosa i małego Jaime, ulubieńca Padre Polentiniego.

– Nie pamiętam, Sandow.

– W każdym razie... domyśliła się, że wybiorę się z nimi do ciebie. Kazała ci powiedzieć, że jesteś bandytą i że masz ją zabrać z Pilcopaty.

– Kiedyś zabiorę.

– Masz ją zabrać... natychmiast. Tak powiedziała.

Biełanow wybucha śmiechem.

– Dobrze. Zabiorę ją natychmiast. I syna też. Niech wyrośnie na bandytę. Jak jego ojciec.

– Wybierasz się do Peru?

– Nie, nie wybieram się. Drzwi do lasu… zamknięte. Jackie mnie umoczył. Domyślił się, że specjalnie nas spychałem ze szlaku do Paititi. Złoto, złoto… Trudno mu się nie sprzedać. Ułożyłem się z generałem Palaciosem, który wcześniej niż Jackie dostał rysunki od naszego wielebnego. Postanowił sprawdzić ten teren przed nami. Pamiętasz, słyszeliśmy śmigłowce na kilka dni przed odwrotem.

– A Huachipeiros?

– Nie, to nie moja robota, przeceniasz mnie. Norwegowie po prostu nie mieli szczęścia albo… Jackie ich źle nakierował. Ja nas, on ich… My też dostaliśmy przydział do… ciemności, jak Anton Siergiejewicz. Mam na myśli siebie i Jackiego. Ty jesteś aniołem, Sandow.

Znów milkną. Piją wódkę i już nie mają ochoty rozmawiać. Biełanow wstaje bez słowa. Odchodzi swoim metalowym krokiem.

Anton Siergiejewicz stoi nad umywalką i bardzo starannie namydla ręce. Puszcza z kranu wrzątek, szybko podstawia dłonie pod strumień, potem równie szybko je zabiera i zanurza w misce z pokruszonym lodem. Powtarza czynność kilka razy, szczotkuje palce ostrą szczoteczką, potem ogląda je pod światło żarówki. Są czyste. Wyciera dłonie, posypuje talkiem, naciąga cieniutkie gumowe rękawiczki.

Pokój Antona jest wszystkim naraz: jadalnią, kuchnią, sypialnią, ustępem i pracownią alchemiczną. Od żelaznych ścian odrastają wspawane na zawsze blaty, pod nimi walają się pudła z tysiącami potrzebnych drobiazgów. W kącie stoi kozetka, przy niej stołek przykryty gazetą. Akademik Anton Siergiejewicz Mitrochin stawia na niej kolację: słoik solonych śledzi, kawałek świńskiego sadła, cebulę i pajdę chleba. Zje to wszystko dopiero po robocie. Oczekiwanie na tę chwilę ułoży się niebawem w strumień radości czystej i intensywnej. O takim szczęściu marzył przez dwadzieścia lat pobytu w gułagu; o życiu wyraźnym, spełniającym się między prostymi przyczynami i równie prostymi skutkami – między napełnianiem organizmu pożywieniem i… wydalaniem produktów przemiany materii, a mówiąc dosłowniej – między żarciem a sraniem. To wszystko. Niczego mu więcej nie potrzeba. Chce tylko utrzymać się przy życiu w celu doczekania śmierci. „Chuj w dupę filozofom! Sram na nich i to jest mój najlepszy wkład w dorobek ludzkości" – tak kwituje na głos każdą ucieczkę umysłu poza żelazne ściany kajuty.

Siada do roboty. Tej nocy zasłuży na kolację wykonaniem trucizny i uwalniającego ją mechanizmu, które równo za trzydzieści osiem dni zabiją Fotografera.

Zakłada okulary z lupą, zapala maleńki jubilerski palnik i sięga po najmniejszy bezpiecznik wydłubany z radioodbiornika –

szklaną rurkę o przekroju trzech milimetrów. Rozgrzewa końcówki bezpiecznika, zdejmuje blaszane zaślepki, wyciąga drucik. Teraz przecina na skos igłę zdjętą ze strzykawki, szlifuje ostrze na drobniutkim papierze ściernym, zatapia końcówkę w szklanej rurce. Na chwilę spogląda na stołek z gazetowym obrusem, na śledzie, słoninę, cebulę i chleb. Uśmiecha się.

– Tak, chuj w dupę filozofom – mówi cichutko. – Niech żyje sranie i to, co je poprzedza. Niech żyją tłuszcze, białka, węglowodany i cukry oraz ten piękny moment ulgi, który następuje po posadzeniu dupy na kiblu. Życie ma sens. Ma, jak cholera.

Anton przykłada dłoń do czoła, oddaje honor wiszącemu na ścianie portretowi Gorbaczowa, wraca do pracy. Teraz sporządza tłoczek z iglicą. Formuje go z niteczki plastiku, którą rozgrzewa i dopasowuje do przekroju rurki. Na szczycie tłoczka zatapia mikroskopijną sprężynkę wraz z iglicą wycelowaną w sam środek tej ledwo widocznej strzykawki. Na koniec nacina iglicę pilnikiem cienkim jak żyletka i zaczepia o krawędź popychacza wymontowanego z lejki. Teraz nadchodzi czas na sporządzenie trującej zawiesiny. Anton sięga po groty indiańskich strzałek i skalpel. Zeskrobuje z grotów kurarę, wrzuca ją do probówki wiszącej nad spirytusowym palnikiem, wpuszcza pipetą dwie krople metalicznego, połyskliwego płynu. Podgrzewa. Trucizna łączy się z trucizną w mgnieniu oka. Jakby wiedziały, że mają do siebie pasować. Akademik Anton Siergiejewicz Mitrochin ma już wszystkie części urządzenia. Sięga po korpus lejki, by wkleić weń śmiertelną przesyłkę.

Wstaje dzień. Po Dnieprze rozsypuje się mgła. Jest tak zawiesista i klejąca, że kapitan decyduje się przybić do brzegu. Muszelkę budzą statkowe syreny. Sandowa nie ma w kajucie. Kobieta zarzuca na grzbiet szlafroczek, wzuwa różowe łapcie, wybiega z pomieszczenia. Na pokładzie gwarno. Nocne towarzystwo doczekało świtu. Przekrwione oczy artystów wypatrują brzegu w nadziei zobaczenia czegoś, co przypomina życie. Wreszcie brzeg pokazuje się półkoliście. Na sztucznym półwyspie odrastającym od przystani siedzi setka dzieciaków – małych, większych, chłopców i dziewczynek, zarośniętych, zasmarkanych, z ropą zastygłą w kącikach oczu, z brudnymi szlakami po rozpaczach, z nitkami zmarszczek wrastających w suchą skórę o wiele lat za wcześnie. Każde dziecko zaciska wokół ust i nosa foliową torebkę. Torebki nadymają się i klęsną, transportując do płuc otumaniające powietrze. Rudy malec, piegowaty strach na wróble, podnosi do góry rączkę. W patyczkowej dłoni ściska tubkę kleju. Szuka chętnych, a kiedy się zgłaszają, wyciska klej do foliówek. Patrzą na Muszelkę. Wszystkie oczy naraz. Kobieta szuka Sandowa, znajduje, podbiega przerażona.

– Sandow, zabierzmy je do domu...

– Wszystkie?

– No, wszystkie może nie, ale przynajmniej... kilkoro.

– Ile, troje, czworo, dwanaścioro?

– A ile moglibyśmy? Rzucę studia, założę fundację, pójdę do pracy, zarobię jakieś pieniądze, a resztę załatwimy u sponsorów...

– Zwariowałaś.

Muszelka namyśla się. Niedługo. Już ryczy bezgłośnie, już u nosa zawisa glut zakończony łzą. Wciąga go i połyka. Odpowiada.

– Zwariowałam. Chyba tak, na pewno. Chciałam coś powiedzieć i... to mi właśnie przyszło. Wiem, wiem... nie wolno nam. Wiem dobrze. Taki jest świat... a ja tylko gadam. Nic nie robię, tylko siedzę ci na plecach i gadam, gadam, gadam, gadam, gadam, gadam...

Sandow zatyka Muszelce usta. Przyciąga ją do siebie, przytula, nachyla się do ucha.

– To ty masz rację. Ty ją masz. Tylko błagam, nie upatrz sobie kogoś... Zobacz je wszystkie naraz, w całej masie, jako zjawisko, jako... skondensowane nieszczęście. Błagam, nikogo osobno... bo później umrzesz z rozpaczy...

Nie kończy. Odsuwa Muszelkę, spogląda jej w oczy i już wie. Wybrała. Trafiła parą swoich czarnych ślepi na drugą parę. Teraz trzeba tylko sprawić się z tym nieszczęściem; dobić do brzegu, pójść za Muszelką jak po sznurku, podnieść z ziemi odurzone maleństwo i... zabrać na statek.

– Niech ma trochę szczęścia, Sandow. Choćby parę dni. Parę dni szczęścia to dużo więcej niż całe życie bez niego. Nie mam racji? Niech zobaczy, jak można żyć, może z tego narodzi się w niej pragnienie...

– Dziewczynka...

– ...Pragnienie jakiejś odmiany i... zapadnie w jej serduszko bardzo głęboko, na zawsze, stając się takim... światełkiem wskazującym drogę... Tak przecież może być, prawda, Sandow?

– Tak może być, Muszelko dobra, ale będzie inaczej.

– Jak będzie?

Sandow nie odpowiada. Już wie, że najdalej za cztery dni będzie w tym samym miejscu świadkiem najsmutniejszego pożegnania na świecie. Że usłyszy głośny trzask pękającego serca Muszelki i drugi, nieco cichszy, dobiegający z piersi dziewczynki, której imię za chwilę pozna.

Dobijają do przystani. Marynarze rzucają cumy, wysuwają trapy. Obsługa porciku uwija się jak w ukropie, bo rozpoznała już, czyj statek przyjmuje. Na pokład wychodzi Mykoła Nikitin z wiśniową cygaretką w zębach. Światło dnia oślepia go, więc przymyka oczy. Za Mykołą postępują dwaj przyboczni z workami. Zawartość szeleści i skrzypi. Wysypują się na ląd – pijani i otumanieni, wyczerpani rozmowami o odpowiedzialności artystów za wszystko, za los ludzkości w pierwszym rzędzie („Politycy... ci psują świat, my go naprawiamy. Jesteśmy na dwóch krańcach ludzkiego spektrum, a pośrodku jest... społeczeństwo, któremu powinniśmy służyć"). Społeczeństwo, reprezentowane w tym wypadku przez setkę dziecięcych narkomanów, patrzy nieprzytomnymi oczami na wujka Mykołę, który każe otworzyć worki. Przyboczni otwierają. Teraz wujek zanurza w workach ręce aż po łokcie, wydobywa pełne garście cukierków, czekolad, ciastek, gum do żucia i wyrzuca je do góry. Połyskliwy deszcz spada na głowy narkomanów. Dzieci odkładają na chwilę klejowe torebki, sięgają po cukierki, odwijają je ze sreberek, celofanów i kolorowych papierków, wkładają do ust, żują nieśpiesznie, krzywią się w sztucznych uśmiechach. Któryś maluch odzywa się w imieniu całego społeczeństwa: „Spasiba, dziadzia Mykoła, spasiba za kanfietki", sięgają po torebki, wracają do przerwanego snu.

Sandow stara się nadążyć za Muszelką. Za chwilę są na miejscu.

Dziewczynka ma jakieś osiem lat, jest czarnowłosa i czarnooka – jak Muszelka. I jak ona ma wrośnięty w czoło rozśmieszający trójkąt, kępkę króciutkich myszkomikowych włosków. Akurat zajęta jest odwijaniem ze sreberka wielkiej czekoladowej kuli. Idzie jej to opornie, bo na palcach brakuje paznokci. Obgryzione. Podnosi ślepia i bez słowa podaje kulę Muszelce („Tiotia, pamagi Maszeńkie. Maszeńka maleńkaja..."). Ciocia Muszelka obłuskuje czekoladę, nic nie widząc, bo od dłuższej chwili patrzy na Maszeńkę przez słoną wodę. Podaje. Czekoladowa kula ledwo się mieści w ustach, ale wchodzi upchnięta paluchami. Jęzor miele słodycz, przenosi spod policzka pod policzek, aż z Maszy robi się wielkanocny zając. Wtedy wstaje, chwyta Muszelkę za dłoń i... prowadzi na statek. Idą tam po szeleszczącym dywanie z papierków – Muszelka z Muszelką, dziecko z dzieckiem, Myszka Miki z Myszką Miki.

Znów płyną, ale krótko. Tylko dzień i noc. Muszelka uwija się przy Maszeńce; kąpiel, mycie włosów, mycie zębów, znów mycie włosów, obcinanie, gotowanie octu, octowy kompres na głowę, wyczesywanie wszy, zabijanie, wyczesywanie gnid, zabijanie, pranie spodni, koszuli, majtek i skarpetek, kremy na rączki i nóżki, wcieranie, masaż, czyszczenie uszu, czyszczenie nosa, śniadanie (kakao, chałka z masłem i dżemem truskawkowym), drugie śniadanie (czekoladowe kulki z mlekiem i miodem), obiadek (rosół z makaronem, ziemniaki, bitki wołowe w sosie, buraczki), deser (budyń waniliowy z sokiem malinowym), kolacja (kanapki z masłem, żółtym serem, kiełbaską i pomidorem, herbatka z cytrynką). Sandow patrzy na to wszystko z podziwem; na Muszelkę, która dogląda Muszelątka, na cierpliwość, dokładność, nienarzekanie, troskę, tkliwość i serdeczność. Wszystkiego w tej kompozycji jest tyle, ile potrzeba; niczego za dużo, niczego za mało. Muszelka zachowuje się jak stara matka ze starą, wyrozumiałą duszą. Wie, co ma robić, choć nigdy wcześniej tego nie robiła.

– Wszy nie lubią octu. Szczypie je w te wredne dupy, więc wyskakują z włosów jak oparzone. Dziecko nie może jeść jak dorosły. Słodkiego nie za dużo. Już im Nikitin wystarczająco zepsuł zęby tymi swoimi... prezentami. Z miłością też lepiej nie przesadzać, bo dla Maszeńki to nowość. Czule, ale... zdecydowanie.

– Skąd ty to wszystko wiesz, Muszelko?

– Instynkt macierzyński. Odezwał się i wszystko mi... opowiedział.

Instynkt macierzyński wyprowadził Sandowa do innej kajuty. Na tę jedną noc dostał klatkę po marynarzu, który nie wrócił na statek.

Śpią Muszelki. Woda kołysze jak potrafi. Świt otwiera bramy portu w Odessie.

Następny dzień? Sandow nie pamięta wszystkiego. Idą w miasto, najpierw do sklepu z dziecięcą odzieżą. Muszelka stroi Maszeńkę jak księżniczkę; pięć par majtek, pięć par rajstop, pięć par skarpetek, tyle samo sukienek („Zarobię. Spodziewam się dobrego zlecenia. Zdjęcia ślubne, tandeta, ale dobrze zapłacą... a potem fotografuję striptizerów z gołymi dupami"). Do tego kurteczka na jesień, buty na lato, ale i na... zimę („Słyszałam w radiu, że zima w Rosji będzie ciężka").

– To Ukraina, Muszelko, nie Rosja. Jesteśmy w Odessie, na Ukrainie. Z czym ci się kojarzy to miasto? Kojarzy ci się z czymś?

– To jakiś konkurs? Z zakupami dla Maszeńki. Dużo dobrych sklepów.

– Z niczym więcej? Studiujesz tuż obok szkoły filmowej.

– Jakiś film, tak? Wiem! *Odessa nie wierzy łzom*!

– To było o Moskwie.

– To już... nie wiem nic. Jestem debil i tłuk filmowy... Ale ty wiesz za nas... troje. Za siebie, za mnie i za Maszeńkę. To nam wystarczy. O, zobacz, Sandow... sklep Hello Kitty. Sama się w nim czasem ubieram.

Więc dalej: sweterek biały, sweterek różowy ze złotymi nitkami, czapka z dwoma serduszkami i piżamka Hello Kitty. Do tego kapcie z pomponami i buciki sportowe na lekcje gimnastyki („Na pewno pójdzie do szkoły. Już niedługo. Rosja nie zostawi jej na ulicy").

– Jesteśmy na Ukrainie, w Odessie. A ten film, o którym nic nie wiesz, to *Pancernik Potiomkin* Sergieja Eisensteina. Jest w nim taka słynna scena na schodach...

Muszelka wybucha radością.

– To pójdźmy na te schody, Sandow. Będziesz miał tę swoją... scenę, opowiesz nam o tym tak, jak byśmy były twoimi studentkami, a my z Maszeńką będziemy słuchać i bić ci brawo.

– Nie zajmuję się historią filmu. Uczę reżyserii.

– To naucz nas reżyserii, Sandow. Będziemy się starały wszystko zrozumieć. Naprawdę!

Dochodzą na miejsce. Na schodach tłum, ale to nie obchodzi Muszelki. Już się wdrapuje na szeroki ześlizg wiodący równolegle do stopni, już siedzi na tyłku z Maszą na kolanach i… jedzie w dół jak w wesołym miasteczku.

– Ale zajebiste schody! Nie ma drugich takich na świecie! Sandow, słyszysz… te schody od Czang Kaj-szeka to przy naszych schodach… znaczy, tych… odeskich…

– Tylko nie przeklinaj…

– Wcale nie miałam zamiaru. Chciałam powiedzieć, że tu… tyle radości, i że ta radość siedmiokrotnie powiększa te… nasze schody odeskie. Wielkie są! Zajebiste!

Podchodzi milicjant, zatrzymuje, prosi o dokumenty. Sandow płaci dolarami. Siedem razy. Schody odeskie są… zajebiste.

Lądują w McDonaldzie. Nie ma lepszego miejsca na świecie dla dwóch zgłodniałych Myszek Miki. W kąt idą wytyczne o karmieniu dzieci. Powiększony zestaw z frytkami i colą, do tego szejk czekoladowy, ciepłe ciastko z jabłkami i lody z gorącą polewą czekoladową – dla jednej i dla drugiej. Jedzą, smarują się niemiłosiernie. Dwa szczęścia – nieszczęścia. Muszelka z Muszelątkiem – najsilniejszy kondensat radości w świecie. Na koniec bajka w kinie. Maszeńka zasypia na kolanach Muszelki, Muszelka zasypia na ramieniu Sandowa. Noc.

Wracają na statek. Sandow dostaje kabinę po Biełanowie, który musiał zostać w Odessie. Kilka zdań pożegnania. Rozmawiają powściągliwie, po męsku. Według ról.

– Ty masz przydział do jasności, Sandow. Pamiętaj o tym. Nie zabijaj, bo to nie twoja część roboty na... statku. Ty jesteś obywatelem z górnego pokładu, ze światła. Masz patrzeć w niebo. My psujemy, ludzie spod pokładu – Mitrochin, Jackie i ja – ty naprawiasz. Spójrz na mnie... wszystko zgasło. Nawet o syna nie potrafię zadbać. Ty raczej... ożywiaj świat, który mordujemy.

– Staram się, Sasza. Bardzo się staram.

– Staraj się... lepiej, Sandow.

Biełanow podaje pudełko przepasane gumką. Odchodzi swoim nieprzejednanym, metalowym krokiem. W pudełku odpoczywa śmierć – szara lejka Luftwaffe numer trzydzieści dwa tysiące zero siedemdziesiąt dziewięć K.

Muszelka się modli. Klęczy w kabinie naprzeciw postawionej na blacie ikony. Z rozłożonego na pół pudełka wyglądają dwie pary oczu – Marii i jej syna. Ikona wprawdzie prawosławna, wyjęta z wilgotnych dłoni Nikitina, ale poświęcona wodą z rzeki Jordan w Izraelu, więc musi wysłuchać. Nie ma innego wyjścia.

*

– To ja, Panie Boże, Muszelka z Polski. Najpierw ci powiem, kim jestem, a potem ci powiem, o co cię proszę. Jestem... dziwką. Tak, tak, jestem nią, a w każdym razie... byłam. Oddawałam się mężczyznom za pieniądze i to było... przyjemne. Właściwie... nie żałuję tego, co robiłam. Tamto miało swój czas, a teraz ma swój czas co innego. Teraz mam już przy sobie mężczyznę, który objaśnia mi świat uczynkami. Nie mówi, co dla mnie zrobi, tylko robi to i już. Wkurwia się, bo dużo przeszedł, ale ma złote serce. Więc... byłam dziwką, byłam narkomanką, tak jak Maszeńka, wąchałam klej, wciągałam amfę, kokainę i inne proszki. Byłam złą córką, zawodziłam moją mamę, uciekałam z domu, puszczałam się z byle kim. Źle wybierałam. Lgnęłam do egoistów, do sutenerów z kamiennymi sercami, do perwersyjnych starców, których interesowało tylko moje ciało. Nie zaglądali do duszy, bo nie mieli jej czym zobaczyć. Posługiwali się mną jak pieniądzem w swoich małych, brudnych sprawach. Ale teraz, jak już wspominałam... jest inaczej. Teraz mogę się już rozglądać po świecie i wolno mi robić błędy, bo czuję się... bezpieczna. Więcej teraz widzę i więcej rozumiem. Ale najcenniejsza jest... miłość. Jestem kochana i... właściwie nie powinnam się o nic modlić. Więc mógłbyś spytać, o co mi chodzi, ale prawdopodobnie nie spytasz, bo jesteś taktowny i powściągliwy. Czasem aż za bardzo, na przykład w sprawie Auschwitz.

Zasnąłeś na tych parę lat, co? Wstyd ci się przyznać. Zasnąłeś jak zasrany pijak i chrapałeś, aż ziemia się trzęsła. Ale ja dam ci szansę poprawy. Tak, dobrze słyszysz. Proszę cię, Boże, wykorzystaj swoją szansę, nie spieprz sprawy i zaopiekuj się... Maszeńką. Nie przegap tej kruszynki, wyrwij ją ze złego towarzystwa, poprowadź do dobrych ludzi, pokaż światło, zapisz do szkoły i naucz czytać oraz pisać. Potem znajdź jej dom, opiekę, jedzenie, ubranie i podręczniki. Wykształć na jakiejś dobrej uczelni, żeby resztę życia mogła sobie urządzić sama. Spraw też, żeby nie spotykała na swojej drodze drani i żeby... była szczęśliwa. Amen.

Muszelka robi znak krzyża. Żegna się dwa razy, raz po katolicku, a drugi raz odwrotnie, na miejscowy sposób. Tak na wszelki wypadek. Nie jest zadowolona. Spogląda na śpiącą Maszeńkę.

– Słabo się modliłam w twojej sprawie. Nie jestem w tym... rewelacyjna.

Gasi światło, przymyka drzwi kajuty. Sandow chowa się w ostatniej chwili. Nie wie, że jeszcze padnie kilka słów w ciemności – zbyt wstydliwych, żeby je wypowiedzieć w patrzące oczy świętych.

– I daj nam syna, Panie Boże! Drugie amen.

*

Muszelka stoi na pokładzie. Od świtu. Trzyma się kurczowo barierki, wygląda na brzeg i układa w głowie słowa pożegnania. Jeszcze nie wie, co powie, i już wie, że nie powinna była zabierać Maszeńki do Odessy. Nagrodą za dwa dni szczęścia będzie dziesięć lat smutku. To się nie może opłacić nikomu. Podchodzi Sandow.

– Słabo, co?

– Chujowo.

– Nie przeklinaj, tyle razy cię prosiłem…

– Nie przeklinam. Opisuję swój stan. Nie znam lepszego słowa…

Nic się nie stało później. Prawie nic. Maszeńka wysiadła z walizką prezentów. Zaraz dopadła ją torebkowa brać. Spragnione dłonie rozgrzebały i porozrzucały nowy majątek księżniczki. Poleciały w powietrze sukienki, sweterki i buciki. Dziewczynka usiadła na swoim miejscu, nazbierała trochę odwagi i… spojrzała na odpływający statek.

Przyklejone do siebie niewidzialnym klejem,
Oczy do oczu, nosy do nosów i guziki od sweterków
Do innych guzików – zaglądamy sobie pod skórę.
Są tam te wszystkie żyłki i nieszczęścia.
Leżą na swoich miejscach w poczekalni.

Przyjdzie czas, to się poruszą i... coś powiedzą.

Kilka chujowych, nieudanych zdań.

A ja na razie nie żyję.

Szukam słów pocieszenia – znajduję przekleństwa.

Same brzydkie wyrazy: kurwy, dupy i cholery.

Przecież nie tak wyraża się miłość.

Prawdę mówiąc, nie wiem jak, choć wiem, że jakoś inaczej.

MUSZELKA PO RAZ TRZECI

Lato dwa tysiące dziesiątego roku. Dwa i pół roku przed końcem świata, którego nie będzie. Nie będzie, bo już był. Widziało go wiele par oczu, choć nie widziały oczy Muszelki. One spotkały się tylko z jego produktem ubocznym. Z tym, czego koniec świata urządzony w obozie koncentracyjnym w Auschwitz nie zdążył zakopać pod ziemię czy spalić. Albo nie chciał. I wystawił to później w gablotach, żeby straszyć dzieci.

Lipiec kurzy nad polami, skowronki krztuszą się od tego pyłu i fałszują jak najęte. Sandow ciągle jest tylko Sandowem, daleko mu jeszcze do Dżuka. Okrągły rok. Jadą do Popielaw zastanowić się.

– Ale nad czym tu się zastanawiać, Sandow. Jesteś mądry, silny i zdolny. Wymyślasz takie niestworzone rzeczy, że na pewno potrafisz zbudować dla nas schron. Taki schron to dla ciebie… pikuś. Ukryjemy się w nim i przeczekamy. Zgromadzimy zapasy wody, powietrza, jedzenia, mięsa solonego, konserw, paliwa, słodyczy, mleka skondensowanego…

– Widzę, że masz już gotową listę.

– Tak tylko kombinuję na głos. Klimuszko mówił, że jak to wszystko się przekręci, jak te bieguny się zamienią miejscami, to w Polsce zginie najwyżej pięć do dziesięciu procent ludzkości. Nie tak dużo.

– I jak rozumiem, my się mamy zmieścić w tych pozostałych dziewięćdziesięciu procentach.

– No, tak właśnie ma być.

– A jak nie będzie końca świata?

– To schron się i tak do czegoś przyda, a żywność rozdamy biedakom. Nie chcę umierać tak młodo.

– Nie chcesz umierać i… chcesz umierać. Cięłaś się, trułaś… Trudno za tobą nadążyć. Jest coś, czego nie wiem?

– Jest, ale tego… nie ma. Żeby to wyrwało się ze mnie, musisz mi porządnie wpierdolić. Wjebać jak facetowi. Złamać nos, rozwalić łeb, wybić zęby, a potem mnie zgwałcić jak ostatnią kurwę, jak szmatę przydrożną. Wjebałeś tak komuś, Sandow?

– Nie klnij tak, błagam! Co ty jesteś, szewc? Nie lubię się bić, bo wpadam w szał. Połamałem kiedyś żebra człowiekowi, a uderzyłem go tylko raz.

– Czy ten człowiek był kobietą?

– Nie, to był mężczyzna. A drugiego zrzuciłem ze schodów w hotelu. Mało go nie zabiłem wtedy.

– I co, byłbyś gotów to samo zrobić ze mną?

– Nie.

– No to nie pytaj mnie więcej o to, czego nie ma, bo tego nie uda się ze mnie wydostać inaczej niż przez bicie. Musi być ból i musi być krew. Tak musi być i już. Sama nie wiem dlaczego.

Dojeżdżają do Popielaw. Muszelka otwiera szeroko oczy. Mijają kapliczkę stojącą na rozstaju dróg, czworaki z czerwonej cegły, staw z wierzbą pokraczną, niskie murki betonowe. Skręcają w prawo. Pokazuje się dom rozłożysty z facjatą pośrodku, przygnieciony papą jak brzemieniem, wrośnięty w trawę i osty. Z przodu ganek niegdysiejszy, obok dwa wielkie dęby. Wielgachne. Teraz Muszelka kręci głową.

– Zajebiste... I one będą nasze?

– Nasze? To raczej drzewa są właścicielami... Wiesz, ile takich Muszelek już przeżyły?

– A może lepiej wytłumacz mi w Sandowach?

Sandow liczy i liczy. Na koniec ogłasza:

– Co najmniej sześciu.

Muszelka gwiżdże z podziwu.

– A ta rymarnia dziadka i ta kuchnia, w której jadłeś kiełbaski z piernika?

– Z piekarnika.

– Oj, to coś źle zrozumiałam...

– Nie ma już tego. Został tylko fundament.

Sandow pokazuje betonowe podwyższenie porośnięte mchem. Muszelka wzdycha.

– Szkoda. Myślałam, że posiedzę sobie w tym miejscu i zobaczę świat oczami małego... Sandowka...

– Raczej nie zobaczysz.

Idą nad drugi staw. Przedzierają się przez łąkę sięgającą do pasa. Kilka starych jabłoni, kępy poobgryzanych leszczyn, rów, na nim bobrza tama. Woda płynie równo z drogą. Ten fakt nie jest w stanie umknąć Muszelkowym oczom.

– Bobry tu się wprowadziły. Zobacz, jaką wybudowały tamę. Cudo.

Sandow nie podziela tej nowej radości.

– Będziemy je musieli wyprowadzić. Wpieprzają wszystko, co im smakuje.

– A co im smakuje?

– Osika, wierzba, brzoza, drzewa owocowe i ostatecznie leszczyna. Osikę zjadły już całą, wierzby w trakcie jedzenia, a jabłonki poobgryzane dookoła. Pousychają.

Przechodzą przez mostek, pod dachem z jaśminu. Kładą się na łące. Cisza. Tylko świerszcze gadają. Muszelka zaczyna serię maleńkich westchnień. Szykuje jakieś ważne zdania.

– Prawdę mówiąc, to to jest suma podniet. Suma małych impulsów. Mówię o tym biciu w przyszłości, bo ono nastąpi. Ja to wiem. Nie dasz rady oprzeć się temu. To będzie ciekawość pomieszana z podniecającym strachem. Takie dziwne coś... ale bardzo ludzkie. Ja wiem, co znaczy słowo „kultura". Ono zamyka człowieka w poprawności. To znaczy ona, ta kultura... zamyka. A przecież czasem trzeba dopuścić do głosu naturę, żeby się przedarła przez tę układność, przyzwoitość i nienaganność zachowań. To – paradoksalnie przywraca człowiekowi jego ludzki wymiar.

Sandow aż się podnosi z trawy i spogląda z otwartymi ustami na Muszelkę używającą szeleszczących słów.

– Muszelko, ilu ty cudzoziemskich słów użyłaś: układność, przyzwoitość, nienaganność...

– I jeszcze... „paradoksalnie".

– No właśnie.

– Bo ja uczę się, Sandow. Nie jestem taki debil, jak myślisz.

– Nie myślę tak.

– Myślisz, myślisz...

– Nie myślę.

– No dobrze. To teraz opowiem ci o Nauczycielu Tańca. Nadszedł czas. Więc najpierw to były jakieś gnojki z osiedla. Włóczyliśmy się razem, siedzieliśmy na ławkach, piliśmy piwo, łykaliśmy prochy. Wieczorami słuchaliśmy głupiej muzyki, oglądaliśmy porno i powoli wchodziliśmy w seks. To było oczywiście bardzo powierzchowne. Seks był na tym samym poziomie ważności, co chodzenie na koncerty i cięcie się żyletką. A uczucia były osobno. No, były i nie było ich. Takie tam... A potem zrobiłam pierwszy tatuaż, nad kostką u nogi, zaszłam w ciążę z gówniarzem i usunęłam ją. To mnie zamknęło. Coś musiałam znaleźć w sobie, żeby nie widzieć tego... obywatela w moim brzuchu, jakieś zabezpieczenie. I... znalazłam. Sama nie wiem jak. Zamknęłam się na kluczyk jak skarbonka. Nic się do mnie nie dawało rady przedostać. Miałam szesnaście lat i byłam... bezpieczna. Mogłam pić, palić, pieprzyć się, a nawet – gdyby się zdarzyło – zachodzić w następne ciąże. I wtedy poznałam Nauczyciela Tańca. Był starszy ode mnie o trzydzieści lat, czarujący i doświadczony. Miał szkołę tańca, mieszkanie z kominkiem oraz odpowiedź na każde z moich ówczesnych pytań. Więc wyprowadziłam się od mamy i zamieszkałam z nim. Chyba nawet zakochałam się na chwilę. Żyliśmy sobie dość zgodnie. Łaziłam za nim krok w krok i robiłam, co mi kazał. Malowałam się, pozowałam nago do fotografii... Aha, bo on też był fotografem przy okazji i wystawiał mnie do zdjęć swoim kolegom. Oduczyłam się wtedy wstydu. Stałam nago, pokazywałam z detalami swoje siedemnastoletnie ciało, a oni podchodzili, przestawiali mnie, klepali w tyłek, szczypali brodawki, żeby piersi wyglądały bardziej podniecająco. Potem siedzieliśmy na kanapie – ja nago między nimi – jedliśmy pizzę, piliśmy wódkę, znów fotografowaliśmy... Lubiłam ich, najbardziej Fotografera, bo był najmilszy i... najbardziej czuły. Przemawiał do mnie jak do dziecka. Raz pozowałam mu z trochę starszą modelką. Jakieś... dwadzieścia lat. Nauczyciel Tańca gdzieś się zapodział, piliśmy trochę i... nagle oni zaczęli się kochać. Nawet nie zauważyłam, jak to się stało. Gabi najpierw udawała, że go ujeżdża, usiadła mu na kolanach, a potem... rozpięła mu rozporek i usiadła jeszcze raz. Oboje patrzyli na mnie. Ani na chwilę nie spuścili mnie z oka, jakby dedykowali mi tę swoją perwersyjną przyjemność. W trakcie tego pieprzenia wrócił Nauczyciel Tańca i zrobił ze mną to samo co Fotografer z Gabi – posadził na sobie. To był początek mojej podróży na Tajwan. Nie wiedziałam wtedy, że Gabi już tam jeździ, że Fotografer ma z tego procent i że właśnie wciągają mnie w swoją brudną grę. Wszyscy, bo Nauczyciel wiedział o wyjazdach („Jedź, jedź... zmienimy sobie auto"). Ale to się stało trochę później. Na razie uczyłam się tańczyć, pozować, a nawet... robić zdjęcia. Zaprzyjaźniłam się z Gabi. Imponowała mi. Miała własny samochód, mieszkanie i sporo kasy. Zanim się obejrzałam, wylądowałyśmy razem w łóżku. A potem, za parę dni... dołączył do nas Fotografer. Poznałam wtedy naprawdę silny, intensywny, podniecający seks. Szybko się od tego uzależniłam. Ciągnęłam ich do łóżka, na podłogę, na stół i pieprzyłam się z nimi jak oszalała. Nie znałam wcześniej nic równie silnego.

Potem pojawiły się inne dziewczyny, wszystkie tak samo dobrze ustawione jak Gabi. Zaczęły mi opowiadać o Tajwanie. Zrozumiałam, że jeżdżą tam na „układy" z zagranicznymi klientami. Pieprzyć się za kasę. To było bardzo zgrabnie zorganizowane, jak pierwszorzędne biuro podróży. Na górze była szefowa, która miała dostęp do klientów, niżej byli naganiacze w rodzaju Fotografera, a najniżej byłyśmy my, kurwy. Bo zostałam jedną z nich. Wprawdzie na jeden wyjazd, ale jednak. Przed wyjazdem Fotografer dał mi kilka lekcji: „Musisz mieć jakąś swoją specjalność. Coś, czego nie mają inne. To są bogaci klienci, więc jeżeli dasz im coś szczególnego, będą cię znów zamawiać. Nauczymy cię elegancji w poruszaniu się, godności, takiej... arystokratycznej pewności siebie. A w sensie... warsztatowym – bo każdy zawód ma swój warsztat – nauczymy cię diptrota i ruchu dłoni w dwóch płaszczyznach przy... robieniu laski". No i pojechałam. Na Tajwan, do Tajpej na „układ" z marokańskimi klientami, a ze mną pięć dziewcząt, wszystkie młode, wszystkie świeże i ładne. Nie jakieś kurwy z silikonami, botoksem i kwasem hialuronowym w wargach, tylko czyste, gładkie i... ciasne cipki do ruchania. Towar pierwsza klasa. Zamieszkałyśmy w pięciogwiazdkowym hotelu, po dwie w pokoju. Gabi opowiedziała mi, jak to będzie: „Przylecą małym samolotem – książę, jego sekretarz, najbliższy przyjaciel, ochroniarz i dwóch pilotów. Ruchają wszyscy, więc od razu upatrz sobie jakiegoś, zanim książę upatrzy sobie ciebie. Strasznie mu jedzie z mordy i słabo mu staje, więc trzeba się przy nim narobić jak cholera. Lepiej, żeby to był ochroniarz albo pilot... Spotkamy się w ich hotelu, zjemy coś, napijemy się, a potem rozejdziemy się do pokoi. Oni tam mają nieźle najebane w tym Marocco, nie wolno im nawet trzymać się za ręce bez ślubu, żadnego okazywania sobie czułości. Więc staraj się być miła, głaskaj, całuj po rękach... Raz to mi się nawet jeden zryczał na cycki, jak dziecko. Nie mogłam go uspokoić przez jakieś... dwie godziny...". Kiedy weszłyśmy do restauracji, oni już tam siedzieli. Nawet nie spojrzeli na nas, tylko sekretarz się poderwał, pousadzał nas przy stole i zawołał kelnera. Od razu upatrzyłam sobie pilota. Miał jakieś czterdzieści lat i dobrze patrzyło mu z oczu. Zaraz po pierwszym drinku usiadłam przy nim, daleko od księcia, który był rzeczywiście gruby i cuchnący. Potem jadłam, piłam, jadłam, piłam, potem całowałam pilota po rękach i robiłam mu laskę. Potem płakałam do rana. Tyle pamiętam, Sandow.

Muszelka oddycha z ulgą. Opowiedziała i ma to już za sobą. Czeka. Sandow leży z zamkniętymi oczami. Milczy. Muszelka wstaje, odchodzi kilka kroków, przewiesza się przez barierkę mostka, wymiotuje, wraca.

– Jestem światową specjalistką od rzygania.

– Jesteś moją małą Muszelką.

– Jestem dziwką.

– Jesteś Matką Boską.

– Opowiesz mi o końcu świata?

– Kocham cię.

– Nie, to ja kocham ciebie, a ty tylko ładnie mówisz... Jesteś światowym specjalistą od ładnych słówek.

– Będziesz ryczeć?

– Nawet zamierzałam, ale to... zamieniło się w pawia. Nie, nie będę.

Muszelka nie wytrzymuje. Przypada do Sandowa i wybucha głośnym, spazmatycznym płaczem.

– Dobrze, opowiem ci o końcu świata i o tym, jak się przed nim ukryjemy, tak?

Muszelka kiwa głową, ale ma jeszcze coś do powiedzenia.

– A na tym Tajwanie, to poszłam sobie do mauzoleum... Czang Kaj-szeka. Na pewno wiesz, kto to był.

Sandow kiwa głową.

– No i tam prowadzą na górę strasznie długie i strome schody. Chyba najdłuższe na świecie. I kiedy tam wchodziłam, to z każdym stopniem ubywało mi sił, a przybywało smutku. Gdzieś tak w połowie byłam już najsmutniejszą kobietą w Tajpej. A na szczycie, w tej budce z wielkim pomnikiem, to byłam już wzorzec rozpaczy z Sèvres pod Paryżem. A tam stoją żołnierze, do których można podejść, poprawić im mundur, karabin, postawę... Więc ja się do tego zabrałam bardzo poważnie.

Podopinałam im pasy, poprawiłam krawaty, wyprostowałam karabiny, a wszystko... rycząc jak dzieciak z kreskówki. I jeden z tych chłopców nie wytrzymał. Wytresowali go na wszystkie ewentualności, ale nie przewidzieli takiej mnie, więc jemu też zaczęła się trząść broda, a potem po policzkach popłynęły łzy jak grochy. Ja oczywiście nie wiem, w czyjej sprawie on się zryczał – w mojej czy raczej... swojej – ale poczułam wtedy, że i ja, i ten chłopiec jesteśmy częścią tego samego świata. Że jesteśmy solidarni w smutku.

Muszelka zawiesza głos, sprawia się w myślach z tym, co przed chwilą powiedziała, kiwa głową, odzywa się spokojniejsza.

– No to teraz ty, Sandow. Twój koniec świata i sposób na uratowanie nas.

KONIEC ŚWIATA SANDOWA

Sandow nabiera powietrza. Szuka pierwszego słowa, a po nim pierwszego zdania. Nie wie, jak zacząć. Nie wierzy w koniec świata, nie potrafi go sobie wyobrazić, nie ma żadnego planu na ocalenie nikogo. Mimo to zaczyna opowiadać.

– Nie byłem świadkiem końca świata, więc nie potrafię go opisać. Miałem dziadka i ojca, którzy go widzieli, ale ich opis nie był dramatyczny. Skończony świat, taki, któremu odbiera się upoważnienie do istnienia, wygląda bardzo podobnie do świata, który jest. Na przykład tu, obok nas czy w najbliższym dużym mieście – Łodzi. On jest, choć się... skończył. Ludzie ciągle mają swoje sprawy, tylko że w ich powietrzu do oddychania nie ma niczego wartościowego. Bo co tam może być poza mieszaniną rozmaitych smrodów? Oddychamy Umschlagplatzem, Treblinką, Kambodżą, Ruandą, Jedwabnem, a to są głównie gazy gnilne i smród palonych kości. Może od tego tak ciągle rzygasz? Więc ja nie wiem nic na ten temat. Ale mogę ci opowiedzieć o takim końcu, który nie będzie końcem i przed którym bez trudu ukryjemy się w naszym schronie. Chcesz?

– Chcę, chcę. O czymś takim właśnie chciałam usłyszeć.

– To czemu ty, Muszelko, nie chodzisz do kościoła? Tam można o tym usłyszeć.

– Nie chodzę, bo oni tam strasznie... starożytnie mówią. Nie potrafię uwierzyć w te wszystkie... „zdrowaś, pełnaś i alleluja". I ci księża strasznie... chujowo śpiewają, aż zęby bolą...

– Nie przeklinaj.

– Dlaczego? Przecież według ciebie świat się skończył, to komu to przeszkadza?

– Mnie na przykład.

– A ty jesteś, chociaż świata już nie ma?

– Jestem i ty też jesteś.

– No to nic mi się już nie zgadza... ale mów, mów, Sandow. Ja bardzo lubię, jak ty mówisz, bo ty jesteś dużo fajniejszy ksiądz.

– No dobrze, więc przyjmijmy, że ta twoja planeta Nubiria narozrabiała, bieguny się pozamieniały, ogólnoświatowa fala tsunami zalała wszystko, a my chcemy przetrwać.

– Tak właśnie załóżmy. Mnie się podoba takie założenie.

– Żeby przetrwać, potrzebujemy mieć wodę, powietrze, pożywienie i energię elektryczną. Z wodą sprawa jest najprostsza. Kupię dwa wielkie żeliwne zbiorniki, ustawię je na betonowych cokołach, a te zakotwiczę w głębokim, gęsto zbrojonym fundamencie. Zbiorniki będą opasane żeliwnymi obejmami, które też pójdą w beton jako kotwice. Rury doprowadzające wodę też pójdą przez beton, dla bezpieczeństwa. Wysokie ustawienie zbiorników da nam ciśnienie. Wody powinno starczyć na jakieś dwa, trzy lata. W schronie zainstaluję też prostą oczyszczalnię; żwir, węgiel aktywny, piasek, żeby ewentualnie korzystać z tej wody, która nas zaleje. Po wstępnym oczyszczeniu będziemy ją ozonować, to znaczy przepuszczać przez nią powietrze nasycone ozonem.

– O... już razem robimy to schronisko...

– Schron, głupku muszelkowy. Więc zainstaluję taki generator, który będzie działał na zasadzie cichego wyładowania elektrycznego w zmiennym polu wysokiego napięcia. A ponieważ ozon to przecież trójatomowy tlen, to rozłoży nam się do czystego tlenu i poprawi jakość powietrza, którym będziemy oddychali. Do tego zgromadzimy parę tysięcy litrów wody mineralnej w butlach. Więc z wodą to jest sprawa raczej prosta. Teraz powietrze. No cóż, jeżeli nic nie zatruje atmosfery, a naszym problemem będzie powódź, to przez ten beton w cokołach zbiorników puścimy też rury do poboru powietrza. Kilka, żeby po wymuszeniu cyrkulacji mieć dobrą wymianę. I kolejna rura z lustrami jak w peryskopie – do światła dziennego. Żeby nie zwariować. Zresztą na wszelki wypadek będziemy mieć emitery światła dziennego, czyli...

– Wiem, wiem! Pięć tysięcy kelwinów.

– ...I sztucznego...

– Trzy tysiące dwieście! Wiem, znam to z fotografii. Widzisz, Sandow... razem budujemy to schronisko.

– To wszystko będzie napędzane przez baterie słoneczne i rezerwowo – przez małą wiatrownię. Panele i wiatrownię zainstalujemy na szczycie zbiorników, a w schronie będziemy mieć akumulatorownię, w której będziemy gromadzili nadmiar prądu. To się nam przyda na plantacji.

– Plantacji? To my tam będziemy uprawiać rolę?

– Zobaczymy. Zgromadzimy żywność na jakieś dwa, trzy lata. No wiesz, suszone mięso, owoce, konserwy, pieczywo chrupkie, różne rzeczy liofilizowane, czyli odwodnione, dżemy, przetwory.

– Grzybki marynowane, koniecznie. Dużo marynowanych i suszonych. Jakby Wigilia nam wypadła w tym bunkrze... aha, i kapusta kwaszona, żeby pierogi na wigilię. A choinka? Chyba... sztuczna, prawda?

– Muszelko, my mamy tam przetrwać w tym schronie, a nie...

– A nie co? A psychika? Zapomniałeś o psychice, Sandow. Jak ja nie będę miała w tym... podziemiu choinki i tradycji, to się zaraz rozłożę psychicznie, załamię moralnie. I nagrania z kolędami. Będziemy śpiewać kolędy, prawda?

– Naturalnie. Ten twój koniec świata da nam dużo czasu na śpiewanie. To będzie prawdopodobnie nasza główna aktywność.

– A nie seks?

– Niech będzie. Śpiewanie i seks.

– Wiesz co, ten koniec świata coraz bardziej mi się podoba.

– Ale jeszcze nie skończyliśmy budować schronu.

– To budujmy, budujmy...

– Więc... plantacja. Musimy być przygotowani na wytwarzanie żywności, czyli głównie warzyw; sałaty, marchewki, rzodkiewki i przede wszystkim ziemniaków. Ziemię zgromadzimy w oddzielnym, dobrze wentylowanym pomieszczeniu z naświetlarnią słoneczną. Będziemy ją nawozić naturalnie, czyli kompostem z naszych odchodów, próchnicy i rozmaitych odpadków organicznych.

– Będziemy srać na ziemię?

– Nawozić.

– I sikać bezpośrednio... na glebę?

– Nie bezpośrednio, tylko tak jak zawsze, do kibla. To będzie szło do szamba z osadnikiem, do takiej... oczyszczalni biologicznej, do której wsypiemy bakterie w proszku. I tam się będzie robiła ta przemiana w nawóz. Rozumiesz, gamoniu?

– No... trochę rozumiem, a trochę nie. A nie będzie nam tam zimno pod tą ziemią?

– Nie będzie. Zainstalujemy system ogrzewania i chłodzenia z użyciem pomp cieplnych. Opisać to?

– No... jak już musisz...

– Pompa korzysta z różnicy temperatur między dwoma środowiskami. Jedno środowisko, tak zwane dolne źródło ciepła, to nasze grzejniki w schronie. Drugie środowisko to powietrze, woda lub ziemia. W naszej sytuacji najlepsza będzie ziemia. Zrobimy głęboki nawiert, wpuścimy tam pompę, poprowadzimy od niej spiralę z czynnikiem grzejnym, solanką lub glikolem, a na koniec podłączymy to do kompresora i małego komputera sterującego. Trochę prądu i... gotowe. Pod dostatkiem ciepła, chłodu... czego zechcemy.

– Ciepła, ciepła.

– Druga wersja to schron pływający. Taki statek z betonowym, niezatapialnym kadłubem. Ale tego nie zdążymy zbudować...

Muszelka uśmiecha się i kręci głową.

– No przecież tego pierwszego… też. Co ty myślisz, że ja jestem taki całkowity, okrągły debil? My mamy zbudować schron w nas, w naszej miłości i on… będzie dużo solidniejszy niż ten twój, z plantacją sałaty na gównie. Ja mam pod żebrami dużo miejsca, Sandow. Bez trudu zmieścimy się tam z naszym strachem. W tobie też się ukryjemy. To będzie nasz sposób. Oszukamy koniec świata, bo nie będzie wiedział, gdzie nas znaleźć. Dobry plan?

– Najlepszy. Nigdy bym na to nie wpadł.

– Widzisz, a ja wpadłam.

– A jak nie będzie końca świata?

– To i tak ukryjemy się w sobie. Będzie nam cieplej.

TATUATOR

Tatuator ma trzydzieści dziewięć lat. Trudno go opisać, bo przy pozorach wyrazistości jest osobą zadziwiająco nieostrą. Już pierwsze chwile znajomości rozmywają kontury tej postaci, dając obraz kogoś podwójnego – dużego i małego, dorosłego i dziecka. Te dwie umocowane w nim obecności manifestują się naraz, co daje zachowania dziwne i zawstydzające. Mężczyzna jąka się, chodzi drobnymi kroczkami i unika patrzenia w oczy. Schwytany spojrzeniem peszy się, opuszcza głowę i gwałtownie oblewa się rumieńcem. Jego organizm produkuje zbyt dużo testosteronu, więc Tatuator jest łysy i ma owłosione ciało. Dobrze czuje sprężoną w sobie energię, ma pomysły na jej uwolnienie, ale nie ma dość talentów. Mówiąc prościej, jest człowiekiem dość ograniczonym. To zamyka go w kole nieskomplikowanych wyobrażeń i prostych czynności. Jedyną, która wynosi go ponad przeciętność, jest tatuowanie. W nim spełnia liczne niespełnienia z innych sfer. Kopiuje z talentem cudze rysunki, dodaje własne motywy, przenosi je na ciała kobiet, mężczyzn i dzieci. Przy tym operuje maszynką tatuatorską z niezwykłą wprawą. Jego tatuaże są precyzyjne i nienaganne. W obwiedzionych kreskami polach nigdy nie znajdzie się cielistej pustki. To właśnie precyzja określa jego pozycję na rynku. Dzięki niej ma ciągle pełne ręce roboty. Drugą aktywnością Tatuatora jest ćwiczenie mięśni. Chodzi na siłownię, bo rysunki na jego ciele są czymś w rodzaju reklamowej witryny. Muszą wyglądać dobrze. Poza tym siłownia daje upust testosteronowemu napięciu. Tatuator łyka kreatynę i HMB z tauryną, popija elektrolitami, zajada L-karnityną i proteinowymi batonami, kładzie się pod sztangą i... wyciska. To jednak nie wystarcza, więc by do reszty ochronić dziecięcy mózg przed kontuzją wyobraźni, Tatuator wyżywa się seksualnie na swoich klientkach. Lgną do niego jak muchy do miodu. Płacą seksem za rysunki, kolczyki mocowane w językach, pępkach, sutkach i łechtaczkach, chociaż miłość z Tatuatorem nie jest wyrafinowana. Można powiedzieć, że jest mniej kosztowną formą ćwiczenia mięśni. Zresztą i tę aktywność mężczyzna traktuje jako wypełnianie pustki krzyczącej z czeluści jego podwójnej duszy. Kolejność zdarzeń jest taka, że Tatuator wskazuje na kobietę palcem i nie patrząc jej w oczy, oświadcza: „będę cię pierdolił". Potem te same słowa kieruje do kolegów z pracy – sprzątacza i piercera – „będę ją pierdolił". To oznacza, że ich zainteresowanie ofiarą jest już bez znaczenia. Ta kobieta – jeżeli się zgodzi – należy już do niego, a tatuaż jest za półdarmo. (W kwietniu dwa tysiące piątego roku do ciemnego baraku Tatuatora weszła szesnastoletnia Muszelka. Mała, czarna i wystraszona. Chciała sobie założyć kolczyk w pępku i zrobić tatuaż nad kostką. Nic wielkiego. „Będę cię pierdolił" – usłyszała od łysego, barczystego mężczyzny. „Będę ją pierdolił" – usłyszała po raz drugi, kiedy mężczyzna zwrócił się do swoich współpracowników. Nic się później nie stało. Nie było seksu, bo dziecko tak spojrzało w oczy dorosłemu, że ten się zawstydził. Zobaczył w czarnych ślepiach te same przepaście, te same lęki i rozpacze co u siebie. Stracił kochankę, ale znalazł wspólnika dla wszystkich swoich podziemnych strachów. Tylko że słowa już zawisły w powietrzu. Już się narysowały w sferach dokonanych. Muszelka usłyszała i uwierzyła, że wolno tak do niej mówić. Że to coś, co wie o sobie, co jest czarniejsze od jej włosów, oślizgłe i podniecające – daje upoważnienie do najgorszych słów kierowanych pod jej adresem. Za tym aktem przyzwolenia uczynionym w pracowni Tatuatora miały wkrótce pójść następne. Ta chwila je urodziła).

Jest pierwsza połowa kwietnia dwa tysiące dwunastego roku. Wiosna rozlewa się po świecie zawartym między popielawską kapliczką a rowem łączącym dwa stawy. To nie jest wielki świat, ale jego rozmiar całkowicie Sandowowi wystarcza. Mówiąc wyraźniej, inne wiosenne światy ma całkowicie w dupie. Za kilka miesięcy leci do Peru, potem do Kijowa. Ma już wykupione bilety na samolot. Poleci tam z Muszelką, odwiedzi Ławrę Peczerską, by pokazać mnicha bardzo podobnego do niego, żywiczne łzy i wariatkę przepowiadającą przyszłość. To ona przepowiedziała mu kiedyś Muszelkę. I nowe życie. „Ty stanieszsia wsiem w miestie; ubijcam, dawajuszczim żizń, otcom i synam swiatym. No, nie ispugajsia, eto wsio… ty. Prosto, odkroj duszu i… żdi, żdi, żdi". Potem wsiądą na statek Mykoły Nikitina. Będą płynąć, rozprawiać o filmie, miłości i końcu świata.

Ale najpierw kwiecień, wiosna i ceglane zaułki Łodzi – miasta z duszą fabryczną, brudną i zasraną. Tatuator budzi się w kanciapie przyklejonej do tatuatorskiego studia. Jest to piwniczna izba z jednym okienkiem jaśniejącym przy suficie, żółtymi świetlówkami i wiatrakiem mielącym powietrze. W kuchennym kącie stoją torby z odżywkami, walają się opakowania po suplementach, batonach i płynach energetyzujących. Na kilku lepach dogorywają muchy. Ich agonie są głośne i dokuczliwe. Bzyczą, jakby odzierano je ze skóry. Tatuator nie może tego słuchać. Podrywa się z kozetki, chwyta lepy, walczy z nimi, odrywa od sufitu, potem od rąk, otwiera kibel (w rogu, za ścianką ze sklejki) i wrzuca tam klejące taśmy. Ale muchy nie chcą się topić. Pływają po zasranym oczku i krzyczą wniebogłosy. Tatuator nie ma litości. Wlewa do muszli trochę spirytusu i... podpala. Śmiertelne krzyki milkną.

Je śniadanie. Lekka herbata, twarożek, jajecznica z samych białek (żółtka spadają do kibla, prosto na martwe łebki much). Wzrok wisi w powietrzu, przyczepiony do jedynego dostępnego horyzontu – wymalowanej na olejno ściany. Uśmiecha się. To ślad myśli, która nadchodzi niespodziewanie i zaraz przepada, nie nabrawszy ostatecznego kształtu.

Ćwiczy mięśnie. Leży na ławeczce, trzyma sztangę w dość szerokim uchwycie, wyciska żelastwo, robiąc wydech przy każdym wypchnięciu gryfu do góry.

Sporządza napój proteinowy. Cztery łyżki serwatkowego zmikronizowanego białka na kubek letniej wody. Miksuje, wypija, beka. Jest zadowolony z siebie. Pozuje przy lustrze, potem opuszcza slipy i doprowadza się dłonią do wzwodu. Sięga po aparat fotograficzny, kadruje, naciska spust migawki. Błyska flesz.

Kąpie się i onanizuje dwukrotnie. Namydla głowę i goli ją jednorazowym nożykiem.

Sprząta. Wkłada brudne talerze do zlewu, zamiata podłogę, wyciera szmatą blat stołu, składa kołdrę, przykrywa ją kocem, potem kolorową narzutą.

Siada na łóżku, otwiera laptop, wchodzi na stronę rysownika Beardsleya, ogląda rysunki, kreśli w powietrzu niewidoczne linie, wzdycha z zazdrością. Dzwoni budzik. Jest godzina ósma rano. Tatuator wciąga dresowe spodnie i koszulkę z krótkimi rękawami. Idzie do pracy (siedem schodków do góry, korytarzyk w lewo, plastikowe drzwi).

Dzień upływa mu dość szybko. Dwóch klientów z tatuażami do poprawy, przedsiębiorca z kochanką (dwukolorowy tribal nad pośladkami), tłusta krowa z zamówieniem na smoka spływającego z pleców na półdupki, dwie nastolatki z pozwoleniami na piśmie od matek i drobniakami na drobne nakłucia. Nic specjalnego. Żadnej szczególnej emocji. Tego dnia nie pojawia się w baraku nikt godny uwagi. Tatuator kończy pracę, nie wypowiadając ani razu swojego słynnego zdania. Nie jest tym zmartwiony, bo sens tego dnia i tak się wypełni przyjemnością silniejszą niż pierdolenie nastolatek. Tatuator wie o tym dobrze, więc jest spokojny i zrównoważony. Wyłącza prąd, wyciąga igły z maszynki, zakręca pojemniki z tuszem, zdejmuje gumowe rękawiczki, myje dłonie, żegna się ze współpracownikami, wraca do swojej podziemnej kanciapy, starannie zamykając za sobą drzwi.

Z baraku wychodzi o ósmej wieczorem. Trudno go rozpoznać, bo ma na głowie wełnianą czapkę, a na oczach ciemne okulary. Wygląda jak złodziej i tak się zachowuje – nerwowo i niepewnie. Rozgląda się, wsiada do niebieskiego opla, włącza silnik, odjeżdża.

Przejeżdża przez prawie całe miasto, klucząc przy tym, zatrzymując się wiele razy i zawracając. Wreszcie dojeżdża do kwartału ceglanych domków ułożonych jak klocki na planszy. Po ulicach, prześwitach między chatkami i po maleńkich podwórkach porusza się niewiele osób. Prawie wszyscy siedzą w domach, okurzeni elektrycznymi poświatami telewizorów. Przez uchylone okna wydzierają się głośniki, tu i tam wyglądają fabryczne biedne łby, patrząc z obrzydzeniem na świat.

Tatuator zatrzymuje auto. Nie wysiada od razu. Najpierw naciąga na dłonie skórzane rękawiczki, potem spogląda we wszystkie lusterka, na koniec otwiera drzwi. Skrada się zaułkami, idzie przeganiany raz po raz przez zielonkawy cień. Wreszcie latarnie się kończą, a zaczyna się las komórek i ustępów z przymocowanymi do nich podwóreczkami. Starodawny architekt zadbał o każdy szczegół, komórki i ustępy układają się we wzory, a widziane z góry przypominają angielski park. Tatuator zna ten układ na pamięć. Bezgłośnie prześlizguje się przez szczeliny i alejki, płosząc parchate koty, zawszone gołębie i zdychające z głodu psy. Nagle droga kończy się podwóreczkiem obwiedzionym czerwoną komórką. Z lewej i prawej strony, symetrycznie, zieją pustki po drzwiach. Mężczyzna wchodzi do prawej pustki, zapala latarkę, omiata światłem ceglany korytarz. Nikogo nie ma. Schyla się i wygrzebuje ze śmieci metalowy pałąk. Ciągnie. Klapa otwiera się z jękiem. Z głębi ziemi wysiewa się czerwonawe klejące światło. Widać schody wiodące w dół. Po czole Tatuatora spływa pot. Krople odrywają się od mokrej czapki. Schodzi.

Piwnica ma romańskie sklepienie. Wygląda przyjaźnie i zapraszająco. Jakby nie pamiętała umarłego nad nią getta. (Kiedyś znalazła to miejsce maleńka Ryfka Rubin – ruda żydowska gąska. Ukryła się tu przed głodem i strachem. Przez kilka dni uśmiechała się ze szczęścia, potem umarła, a drobne kostki pomieszały się z gównem. Niemcy znaleźli rozsypany szkielecik. Zamietli podeszwami w kąt). Jedynie odrutowane lampy krzyczą czymś nie z tego świata. Wyglądają jak wtrącone tu nieczyste dusze. W powietrzu prawie słychać ich pokutne mantry. Tatuator zapala górne światło – ciąg jarzeniówek umocowanych pod sufitem. Prawie wszystkie mają popsute przerywacze, więc światło nawet przez chwilę nie stoi w miejscu. To jednak nie przeszkadza w odczytywaniu szczegółów, które po kolei wyłaniają się z mroku. Oto pod ścianami ujawniają się stalowe regały z wmontowanymi w nie aluminiowymi boksami. Stal jest nienaganna, narzędziowa, więc nie widać na niej nawet śladu rdzy. Każda aluminiowa szufladka ma wklejoną pośrodku szybkę, przez którą przesiewa się do piwnicy fioletowe, odkażające światło. Powietrze z wolna nasyca się mgłą oddechów Tatuatora. Setki fioletowych smużek zawisają nad posadzką. Tatuator zdejmuje czapkę, otwiera lekarską szafkę, wydobywa ręcznik i starannie wyciera głowę. Potem sięga po biały fartuch. Powoli uspokaja oddech. Kiedy wysuwa pierwszą szufladkę, kilometr od tego miejsca obok jego niebieskiego opla zatrzymuje się stare bmw. Kierowca wyłącza silnik, siedzi przez chwilę, potem sięga po leżące na siedzeniu skórzane rękawiczki.

W szufladce leży na folii skrawek... ludzkiej skóry. Jest dobrze wysuszony, naciągnięty i czysty. Ma kształt prostokąta i rozmiar widokówki – jakieś dziesięć na piętnaście centymetrów. Pochodzi zapewne z przedramienia, bo na skórze złoci się ludzka szczecina. Jednak tym, co zwraca szczególną uwagę, jest... tatuaż. Precyzyjny, wyrafinowany rysunek – miniaturowy koń z krową na grzbiecie, na tej zaś pies dźwigający na grzbiecie koguta. Wszystkie zwierzęta narysowane są bardzo realistycznie i wyraźnie, a ich korpusy wypełnione są światłocieniem. Tatuator uśmiecha się. Sięga po eksponat pincetą, podnosi go delikatnie i ogląda pod światło. Jest wzruszony –

bez dwóch zdań. Oczy mu błyszczą jak w gorączce, a w kącikach olbrzymieją łzy gotowe popłynąć w każdej chwili. Ten tatuaż ucieleśnia wszystkie jego marzenia: o byciu tam, gdzie była ręka ze zwierzętami, rysowaniu tych cudownych rzeczy, pielęgnowaniu skóry nosiciela – dezynfekowaniu, myciu, wcieraniu kremu, i na koniec – o zdejmowaniu rysunku z martwego ciała. Podsuwa płatek skóry pod nos. Wącha. Czuje zapach strachu zdeponowany w tkance. To go podnieca jeszcze bardziej. Odkłada preparat, wyciera rękawiczki i pincetę, przechodzi do kolejnych boksów.

Seans trwa. Tatuator wyjmuje z szuflad następne skrawki skóry. Rozmaite: kwadratowe, prostokątne, eliptyczne, regularne i nieregularne. Zdjęte z przedramion, ramion, pleców, brzuchów, klatek piersiowych, pośladków, ud i łydek. W którejś chwili w kolejnej szufladce ujawnia się preparat podwójny. Sporemu fragmentowi skóry towarzyszy mniejszy, z numerem obozowym. Te dwa fragmenty ludzkiego ciała stanowiły kiedyś komplet. Najpewniej twórca kolekcji zapragnął dodać do eksponatu informację o człowieku, któremu wycięto tkankę; numer obozowy, płeć, wiek, narodowość, kolor oczu i włosów.

„Peter Grohman, numer 12 537, mężczyzna, 19 lat, narodowość żydowska, oczy niebieskie, włosy czarne, pegaz na lewej łopatce, łeb stworzenia skierowany do góry, skrzydła rozłożone do lotu, na grzbiecie pegaza naga kobieta, rysunek ciemnoniebieski, wypełnienie jaśniejsze, rozmiar siedemnaście na czternaście. Zyta Pinkus, numer 18 329, kobieta, 23 lata, narodowość żydowska, oczy brązowe, włosy rude, smok walczący z wężem, skóra z okolic lędźwiowych, rysunek czarno-czerwony, wypełnienie zielono-niebieskie, rozmiar dwadzieścia dwa na osiemnaście. Nata Cohen, numer 114 521, kobieta, 14 lat, narodowość żydowska, oczy czarne, włosy czarne, czerwony kapturek – postać z bajki, skóra z nogi, znad kostki, rysunek niebieski, wypełnienie czerwone, siedem na sześć".

Na zewnątrz, poza piwnicą, zaczyna padać deszcz. Sandow podchodzi do szczytu budynku, schyla się, podnosi klapę. Czyni to bez pośpiechu, jakby był wspólnikiem kolekcjonera skór i szedł na umówione spotkanie. Żadnego widocznego napięcia, żadnego nadliczbowego ruchu. Bezgłośnie opuszcza się w dół. Po drodze sięga do kieszeni po stalową linkę. Zawija ją na rękawiczce. Kiedy dochodzi do sali z eksponatami, zwalnia. Chowa się za załomem ściany.

Tatuator wdycha zapach kolejnego preparatu. Tym razem jest to fragment skóry zdjęty z męskiej piersi. Na rysunku widać parę splecioną w miłosnym uścisku. Kochankowie są prawie nadzy, przysłonięci roślinnym ornamentem, szczęśliwi. Do skrawka skóry przypięty jest agrafką mniejszy tatuaż. Z numerem.

Sandow rozwija linkę i napina ją między dłońmi. Chce zabić.

Jest tego tak pewien, jak mało której rzeczy w życiu. Chce zacisnąć linkę na szyi Tatuatora, odciąć dopływ powietrza, trzymać tamtego w śmiertelnym napięciu jak najdłużej. Żeby się zesrał ze strachu i zmoczył spodnie, zanim ostatecznie pojmie, że to już koniec.

Rusza, ale zaraz staje na nowo. Zatrzymuje go nagły błysk świadomości. Coś, co choć wydaje się należeć do niego, nie pochodzi z tego świata. Jego własna żywa myśl, ale posłana w głąb głowy przez trupa. Przez kogoś, kto rozproszony w powietrzu, spalony i sponiewierany, scala się na ułamki sekund w cudzych jestestwach. Ożywa jako echo. Oto zapis tej chwili: Tatuator podnosi do góry skrawek skóry z numerem, na tkankę pada światło, Sandow spogląda, liczba 123 422 wdziera się w jego głowę, przesiewa atomy pamięci, odnajduje człowieka: „Władysław Romański, mężczyzna, 37 lat, narodowość polska, oczy niebieskie, włosy jasne".

Sandow cofa się w cień. Napięcie nie chce ustąpić. Mężczyzna prawie krzyczy z bólu posłanego do jego tkanek wraz z kwasem mlekowym. Cały jego organizm jest ciągle gotowy do zbrodni, ale mózg odmawia wysłania drugiego sygnału. Jego własny mózg, przemawiający teraz w imieniu więźnia obozu koncentracyjnego Auschwitz-Birkenau, numer sto dwadzieścia trzy tysiące czterysta dwadzieścia dwa – odmawia zabicia Tatuatora.

ARABSKI TATUAŻ

Lipiec dwa tysiące jedenastego roku. Zaraz po deszczowym czerwcu. Dużo zdarzeń. Jedno goni drugie. Sandow nie może nadążyć. Jest niedziela. Przez otwarte okno dochodzą kościelne dźwięki z radia. Msza dla wygodnych i... umierających. Muszelka już od rana chodzi podniecona.

– Dzisiaj jemy na mieście. U Araba. Mój dziadek...

– Wiem, wiem... Twój dziadek Uglul...

– Zaglul.

– Twój dziadek Zaglul mówił, że arabskie jedzenie karmi nie tylko ciało, ale i duszę.

– Tak właśnie mówił.

– To czym nakarmimy dzisiaj nasze dusze?

– Baraniną i czerwoną fasolą. Poza tym... kocham cię.

– Zdolna jesteś. Połączyłaś baraninę z miłością. Uważasz, że to dobra kompozycja?

– Najlepsza, Dżuku. I fasola do tego też pasuje.

Wchodzą do restauracji. Stary Arab gnie się w ukłonach. Muszelka nie czeka. Otwiera torebkę, wyciąga pasek brystolu zapisany arabskimi literami.

– Panie Fadi, co ten napis znaczy?

Fadi zakłada okulary. Podnosi pasek brystolu do oczu, marszczy czoło, namyśla się. Muszelka nie może się doczekać.

– Panie Fadi, to jest coś o miłości. Coś bardzo ważnego. Ja muszę to wiedzieć dokładnie, bo to jest napis na całe życie.

Fadi wzdycha jak mędrzec.

– Tak, to jest o miłości – odpowiada, cedząc słowa. – Nic szczególnie mądrego, taka dość... płaska myśl, że najlepsza miłość to jest miłość odwzajemniona. No, że nie ma nic lepszego na świecie niż kochać i... być kochanym. Dość banalne, panienko.

– Banalne?! Tak pan naprawdę uważa?! A ja uważam całkiem odwrotnie. To jest myśl... genialna. Genialna i prosta. No bo co się może człowiekowi zdarzyć lepszego?

Fadi odpowiada od razu.

– Wolność, spokój wewnętrzny, poczucie bezpieczeństwa, radość z wnuków...

Muszelka przerywa.

– No widzi pan, właśnie przyznał mi pan rację. To wszystko bierze się z odwzajemnionej miłości. No bo skąd, z jakiego innego miejsca? Wielka odwzajemniona miłość potrafi być źródłem dla wszystkiego. Panie Fadi, niech się pan zastanowi...

Fadi nie chce się zastanawiać. Ma siedemdziesiąt osiem lat i już się nazastanawiał.

– No, niech będzie. Panienki racja. A co jemy na obiad?

– Baraninę i ful bilbasal.

– Na ostro, czyścimy duszę?

– Czyścimy, bo się trochę ubrudziła.

Pod wieczór. Słońce już nie pali tak niemiłosiernie. Zatrzymują się pod betonowym okratowanym barakiem. „Robbie tatoo" ogłasza napis w podświetlanej kasecie. Okolica jest ponura; beton, bloki, cegła po fabrykantach. Na murkach siedzi nastoletnie społeczeństwo. Pije piwo, całuje się, spluwa, przeklina. Sandow jest wkurwiony.

– W mieście są jeszcze cztery takie… jebane przybytki. Na chuj ci ten… pierdolony Robbie?!

– Nie przeklinaj, Dżuku. To do ciebie w ogóle nie pasuje.

– Nienawidzę tego gościa. Jest wcieleniem prymitywizmu i braku moralności.

– Oj, Dżuku, to nie jest dzielnica do używania takich słów. A Robbie jest najlepszy w mieście.

– Zabiję go kiedyś.

– O widzisz, „kiedyś" to jest dobre słowo. Najpierw niech zrobi nasz tatuaż, a potem możesz go zabić w każdej chwili.

– Powiedziałaś, nasz?

– No, naturalnie. Chodzi przecież o ciebie i mnie, czyli… o nas. On jest tylko narzędziem. Ma dobrą rękę, doświadczenie i jest… głupi. To też zaleta, bo żadna refleksyjność nie zatrzęsie jego maszynką do tatuowania.

– Za to ty nie jesteś głupia.

– Jestem głupia jak but. Wiem, co mi ten kutas zrobił, ale on jest naprawdę najlepszy.

– Nie przeklinaj.

– Przeklinam, bo to jest dobre miejsce dla takich słów. W domu będę mówiła pięknie. Cieszę się z tego tatuażu. Chcę go czuć na plecach w każdej chwili mojego nowego życia.

– Zabiję go.

– Nikogo nie zabijesz. Nie jesteś do tego zdolny. Masz złote serce i delikatność. To jest prawda o tobie, Dżuku. I o mnie też. Nikogo nie zabijemy. Pogadamy sobie, popłaczemy i znów wystawimy się na bicie. I świat nam chętnie wpieprzy. A jak nam będzie za mało, to ty mi skroisz skórę, a ja ci złamię nos. Wiesz, kim jesteśmy? Jesteśmy małymi zasmarkanymi dziewczynkami w sukienkach w groszki. Wyglądamy jak biedronki.

Schodzą po schodkach, idą korytarzem. Na olejnych ścianach plakaty z dziarami. Czerwone światło od góry, dym, deficyt powietrza. W głębi tli się muzyka – matowa i dudniąca. Ktoś idzie pod prąd. Nie patrzy w oczy. Muszelka chwyta Sandowa za dłoń. Nie jest tak odważna jak słowa, które poszły przodem. Małe palce mokre od potu.

– Trochę się boję.

– Trochę to jest w sam raz.

Wchodzą. Umięśniony Tatuator podnosi głowę, ale nie patrzy na Sandowa. Interesuje go tylko Muszelka. Otwiera usta, by uwolnić słowa. Ale Sandow jest szybszy.

– Tylko nic nie mów, bo będę musiał cię zabić.

Tatuator tężeje. Szybko odnajduje oczy należące do głosu. I wie już, co odpowie. Podpowiada mu to podbrzusze, które właśnie uwolniło mikroskopijny strumyczek moczu.

– Nic nie powiem. Ani jednego niepotrzebnego słowa.

Tatuowanie. Nic szczególnego. Godziny siedzenia na stołku pod naporem niskiego sufitu i dudniących dźwięków muzyki. Ziołowy dym. Kondensator w maszynce iskrzy usypiająco. W kole światła delikatne plecy Muszelki. Igły rozrywają tkankę. Jedna po drugiej, jedna po drugiej. Sandow zasypia. Śni mu się mała Ryfka Rubin – czarnooka drobina z ulicy Ciesielskiej. We śnie jest ciepła jesień tysiąc dziewięćset czterdziestego czwartego roku. Mama Ryfki kołysze się pod ścianą. Nie chce już żyć. Na podłodze leży wychudzony cień. To Natan, ojciec Ryfki, uzdolniony poeta i rysownik. Nie żyje, więc żadne słowo już nie spadnie na papier (zresztą myśli Natana Rubina od dawna nie poruszały się po sferach niebieskich. One węszyły tuż przy ziemi, jak nos głodnego psa – w poszukiwaniu czegoś dla Ryfki, dla żony Hawele i ostatecznie... dla niego samego. Czego bądź – kartoflanych obierek, liścia od kapusty, marchwi, selera czy choćby kości porzuconej przez innego Żyda). Ryfka chce żyć. Nie jest taka, jak jej matka. Wychodzi do sieni, potem do komórki, odnajduje klapę od piwnicy, podnosi ją. Dalej są schodki, cisza, małe okienka na podwórko, powłóczące nogami cienie. Ryfka siada na stopniu, opuszcza na kostki kolorowe podkolanówki, podnosi brodę, poszukuje buzią słonecznego promyka i kiedy go znajduje – uśmiecha się. Jak kiedyś. Odzywa się cichutko: „Ja żyję… Właśnie żyję sobie". Życie trwa przez trzy dni siedzenia na schodkach i dwa leżenia na piwnicznym klepisku.

Sandow budzi się z pamięcią Ryfkowego uśmiechu. Tatuaż skończony. Muszelka ma podkrążone oczy i opatrunek na plecach.

– Mam to na sobie. Jak ubranie z mgły. Teraz już nigdy nie przeminę – wzrusza się.

Tatuator nie wypowiada ani słowa. Pamięta o umowie. W milczeniu przykleja plastry na brzegu opatrunku, potem pomaga Muszelce założyć bluzkę. Żegna się skinieniem głowy.

Kiedy wychodzą z baraku, na miasto opuszcza się już czerwień. Kolory cegieł pogłębiają się. Ściany wyglądają tak, jakby ktoś wpuścił w nie krew.

– Śniła mi się Ryfka Rubin – odzywa się Sandow. – Wydaje mi się, że potrafiłbym odnaleźć tę piwnicę.

– Jaką piwnicę?

– Piwnicę, w której umarła, zanim na dobre zaczęła żyć.

Muszelka jest przestraszona.

– Obudź się, Sandow. My przecież żyjemy. Ja właśnie wydziargałam sobie na plecach ogłoszenie o naszej miłości. Nie chcę, żebyś uciekał ode mnie do trupów.

– Nigdzie nie uciekam. Zasnąłem... w tym baraku i przyszła do mnie Ryfka. Miała na sobie czerwoną sukienkę w groszki i kolorowe podkolanówki. Coś mi chciała powiedzieć.

– Chciała ci powiedzieć, że całe nasze ceglane miasto ma pod sobą drugie miasto, i że mieszkańcy tego podziemnego świata wchodzą czasem przez pomyłkę... do naszych domów. Ta mała po prostu zabłądziła. Może szła załatwić jakieś swoje dziecięce sprawy i ten barak z tatuażem stanął jej na drodze.

Sandow już się nie odzywa. Już daje odejść Ryfce Rubin. Otwiera auto. Odjeżdżają.

Wiejska chata Sandowa. Lato idzie przed siebie. Trzy dni przy arabskich plecach. Tatuaż trzeba myć mydłem, potem suszyć delikatnie i smarować maścią. Muszelka korzysta z okazji. Każe się traktować jak pacjentka w szpitalu. Mycie, suszenie, smarowania, śniadanie do łóżka – zalewajka, ale ta stąd, nie ze Szkoły Filmowej. Boczek, suszone grzyby, zakwas z żytniej mąki, cebula ze skwarkami na okrasę, śmietana do zabielenia. Jedzą, śpią, chorują na tatuaż.

– To wszystko się zawiera w tym napisie – odzywa się mądra Muszelka. – Właśnie to, co robisz – zalewajka z grzybami, herbata, wycieranie mnie papierowym ręcznikiem. Troska bez narzekania. Codzienność. Tysiąc takich codzienności i... już mamy całe życie przeżyte z miłością. A dziesięć tysięcy?

Muszelka przerywa, bo kończą się jej liczby w głowie.

– Słaba ta twoja matematyka, nieuku muszelkowy. Tysiąc takich codzienności to zaledwie trzy lata. A dziesięć tysięcy to w naszym przypadku... liczba niemożliwa. Już za pięć tysięcy będę prawdopodobnie w tej samej piwnicy, co Ryfka Rubin. Albo w jakiejś sąsiedniej. I jedyne, co będę mógł zrobić, to odzywać się w twojej głowie na ułamki sekund.

– Nie mów tak, Dżuku. Umrę, jeżeli ty umrzesz. Umrę z tobą. Razem będziemy się błąkać po tych piwnicach.

Muszelka już ryczy. Zawiesza nieostry wzrok na ścianie. Wiszą tam dwie fotografie – mężczyzny i kobiety. Dwa przedwojenne portrety w ramach. Sandow zabiera się do wyjaśnień. To jest sposób, żeby ocalić poduszkę od wilgoci.

– Dzieci dziadka Jakuba. Ciotka i wujek. Dziadka zdjęcia nie ma. To znaczy jest, ale małe. Dziadek to był ktoś.

– Opowiedz, Dżuku.

Dżuk nie każe długo czekać. Nabiera powietrza w płuca i zaczyna opowiadanie:

*

„Wojna. Druga. Światowa. Cała Polska w ogniu. Ludzie z miasta uciekają na wieś. Dziadek Jakub sprzedaje sklep z wyszynkiem w Łodzi (dostał go od Piłsudskiego, za wcześniejszą wojnę), kupuje konia i wóz, pakuje dobytek, wysyła żonę, dwie córki i młodszego syna do Popielaw, na ojcowiznę. Zabiera starszego syna, Wacka (tego z portretu na ścianie), do Warszawy. Mają zamiar obronić stolicę, ale to się nie udaje. Wracają po dwóch tygodniach. Wkrótce powstaje Armia Krajowa, dziadek zostaje szefem obwodu, a Wacek kończy podziemną szkołę kierowania dywersją. Zostaje porucznikiem. Robią, co mogą. Walczą w lasach spalskich, przejmują zrzuty od Anglików, organizują opór. Wreszcie w jakiejś potyczce Wacek zostaje ciężko ranny, dziadka zabierają do Tomaszowa na gestapo, katują i posyłają do Auschwitz. To pierwsza część opowiadania. Dalej losy dziadka i jego starszego syna przebiegają oddzielnie. Wacek ukrywa się w stodole w Popielawach (znaleziony w śniegu przez leśniczego, opatrzony, dostarczony do lekarza), dziadek walczy o życie w obozie koncentracyjnym Auschwitz-Birkenau.

Stasia, starsza córka. Na portrecie ma dwadzieścia lat, dużo loków na głowie i uśmiech bez uśmiechu. Po aresztowaniu dziadka trafia do szpitala w Piotrkowie. Tam znajomy lekarz operuje jej zdrowy wyrostek, żeby przetrzymać ją w szpitalu jak najdłużej. Coś nie wychodzi, wdaje się zapalenie płuc i Stasia umiera po kilku dniach.

Dziadek Jakub, numer obozowy 123 423 (małe zdjęcie, nie ma go na ścianie – dość pospolita, pogodna twarz, rzadkie włosy, przedziałek równiutki, przez środek głowy, oczy patrzące śmiało, prosto w kamerę). Niemcy traktują go gorzej niż Żyda, bo nie opuszcza wzroku na czas. To jest specjalność żydowska, więc skąd on – Polak, katolik z Popielaw, rymarz, kawaler Krzyża Walecznych – ma to potrafić? Planuje ucieczkę, czeka na okazję, ale ta nie nadchodzi. Na razie żyje, bo Niemcom potrzebne jest jego rzemiosło (jest rymarzem, wyrabia kabury do pistoletów i uprząż dla koni). Wreszcie ktoś ucieka. Więźniowie stają na placu obozowym. Selekcja. Wybierają dwudziestu więźniów, pośród nich dziadka Jakuba. Tych dwudziestu zawiśnie na szubienicy jako przestroga. Żeby już nikt nie uciekał".

Sandow przerywa. Nagle zdaje sobie sprawę, że dla Muszelki wszystkie te żywe sprawy są prawdopodobnie martwe. Że leżą w warstwie o pokolenie głębszej niż warstwa jego pamięci. O półtorej Muszelki głębiej. Wrośnięte w niepamięć, w czarno-białe ilustracje z książki do historii, w dziennik ucznia, w trójkę z plusem na koniec roku szkolnego.

– Dlaczego przerwałeś. Nie przerywaj. To jest bardzo ciekawy film.

– To nie jest film. To moje życie, Muszelko.

– Jak to twoje? Przecież to nie ty stoisz teraz na śniegu pośród tych dwudziestu wybranych. Nie ty drżysz z zimna i przerażenia. Nie na ciebie patrzy kapo i nie tobie przypominają się twarze żony, dzieci, rodziców. Twoje życie, Dżuku? Czy to ty ważysz trzydzieści dziewięć kilo, jesz brukiew z kromką czarnego gliniastego chleba, wydrapujesz sobie wszy spod skóry? To film z aktorami. Wybrano ich na specjalnym castingu z chudzielcami. Właśnie odstawili styropianowe kubki z herbatą, wyszli z ciepłych przyczep i stanęli na czas trwania ujęcia na scenograficznym placu. I śnieg też nie jest tam prawdziwy. Wypuszczają go takie wielkie maszyny z trąbkami. Jest ciepły i przyjemny w dotyku. Widziałam to kiedyś w telewizji. Film, mój Dżuku. Nie możesz o nim myśleć jak o swoim losie, bo nigdy nie ożyje nam nasze życie. Już na zawsze zostaniesz w Popielawach, w Oświęcimiu, w... swoich bliskich. Przecież jesteś reżyserem, masz wielką wyobraźnię. Otul nią te wszystkie straszne sprawy i umieść poza naszym życiem. Tak będzie lepiej dla nas i... dla umarłych.

Sandow spogląda na Muszelkę. Patrzy w czarne głupie oczy i nie ma pojęcia, kiedy tak zmądrzały.

– Dobrze, opowiem ci to jak film. Drugą część, o Władysławie Romańskim. To nie był mój krewny, więc...

– Wiem, wiem...

„Władysław Romański, syn Pawła i Anieli z domu Waszyńska. Mechanik z Sochaczewa. Jego losy splatają się z losami

Jakuba Szewczyka dwukrotnie. Pierwszy raz, kiedy jako młodzieniec zakochuje się w tej samej co on dziewczynie, Żydówce, Helusi Weinberger. Ojciec Helusi, Abram Weinberger, ma kino w Koluszkach. Chłopcy trafiają na seans, Helusia przedziera bilety. Papierek z nadrukiem, białe delikatne palce, dotknięcie, spojrzenie, bilet upada podany niezręcznie – «Oj, przepraszam, ale ze mnie gapa... Chciałam oddać bilet, ale nie spojrzałam, czy pan już gotowy na odbiór». «Nie, to ja przepraszam, panno Helusiu. Zapatrzyłem się na pani oczy». Tyle wystarcza. Kilka dziecinnych zdań. Potem Jakub spotyka się z Helusią ukradkiem, ale rodzina z Popielaw nie chce słyszeć o ożenku. Z odsieczą przybywa Pan Komendant Piłsudski prosto z twierdzy w Magdeburgu. Jakub zamienia Helusię na szablę i awanturę. Nie namyśla się długo. W tysiąc dziewięćset osiemnastym jest już kapralem szwoleżerów.

Władysław Romański nie ma talentu do szabli. Jest mechanikiem kolejowym. Żeni się z Helusią, choć i jego rodzina stawia opór. Młodzi szybko poczynają dziecko. Biorą dwa śluby – pod huppą i w kościele. Robią to na dwóch krańcach Polski, żeby nikt się nie dowiedział. Na pamiątkę tych wydarzeń Władysław robi sobie tatuaż na piersi – parę w miłosnym uścisku. Wkrótce na świat przychodzi Zosia. Kiedy ma szesnaście lat, rodzi się jej siostrzyczka Henia. Dziewczynki spędzają dużo czasu razem. Razem też idą do komory gazowej w Auschwitz-Birkenau. Ich ocalony ojciec Władysław dostaje numer obozowy 123 422. Na apelach staje tuż obok Jakuba z Popielaw, numer 123 423. Nie rozmawiają o Helusi. Aż przychodzi ten dzień. Dzień ucieczki więźnia i selekcji na szubienicę. Kiedy esesman wskazuje na Jakuba, Władysław odzywa się jednym zdaniem: «Chcę pójść zamiast niego». Nikt nie protestuje, więc mechanik kolejowy z Koluszek staje pomiędzy trupami zamiast rymarza z Popielaw. Kogo obchodzi taka zamiana?".

MACEWA

Tatuator ma tatuaż (jeden z wielu) na lewej piersi. Pejzaż z błękitnym niebem. Rysunek i kolor są bardzo dokładne. Ultramaryna wisząca nad polną drogą wygląda jak żywa. Jak zdjęta znad głowy w jakimś dniu lipcowym. Do tego maki polskie i jabłoń z owiniętym wokół pnia wężem. Boga nie ma na tej widokówce, bo akurat zszedł z drogi. Nie ma też Adama i Ewy, bo nie ma jeszcze świata. Na razie jest tylko jego uwodzicielska zapowiedź. Zresztą napis umieszczony na czerwono-niebieskiej wstędze nie pozwala mnożyć wątpliwości: „Świata jeszcze nie ma i może nigdy nie będzie". (Tę niezwykłą sentencję Tatuator wymyślił sam. Pojawiła się w jego głowie jak błysk na niebie, ale poprzedziły ją miesiące namysłów. Kiedy zapisał zdanie na kartce papieru, zachwycił się jego mocą. Fakt, że nieistniejący jeszcze świat pokazał mu się z tak wieloma istniejącymi elementami – niebem, chmurami, ptakami, makami, jabłonią, wężem, drogą – nie zachwiał jego zachwytem. Zresztą żadna sprzeczność nie miała wtedy do niego dostępu. Dopiero uczył się myśleć, więc wykonał rysunek bez refleksji, a następnie dał go do skopiowania koledze z branży. Pojechał do niego aż do Pragi, bowiem w takiej sprawie nie liczy się kilometrów).

Sierpień. Tatuaż Muszelki już wyleczony. Już wisi na plecach, pod pilnym baczeniem niebieskiego kota (kot tylko udaje, że śpi). Sandow jedzie na pole za stawem. Zabiera stamtąd jeden polny kamień. Ani duży, ani mały. Taki – w sam raz. Wieczorem pochyla się nad kamieniem. Przykłada przecinak do drobnej ryski i mocno uderza młotem. Kamień pęka jak zaklęty w macewę, bo taki kształt odrywa się od kamiennej macierzy. Prostokąt z półokrągłym zwieńczeniem.

Połowa roboty już zrobiona. Teraz czas na drugą połowę.

BOBRY SANDOWA

Przedwczoraj. Jest wczesne lato dwa tysiące dziewiątego roku. Sandow szykuje się do jesiennego filmu. To będzie duża rzecz o wojnie, dzieciństwie i niedostatku matczynej miłości. Ale skończy się dobrze, bo tak powinno być. Akurat pisze scenopis w podziadkowym domu. Jesienią wyjedzie na zdjęcia, zimą spotka Muszelkę w szkolnej stołówce i da przystęp zdarzeniom. Te rozbiją w pył prawie wszystko, co zbudował do tej pory. Zrobią to zaskakująco szybko, jakby owo „wszystko" tylko czekało, jakby niepewne siebie i napięte w swej atomowej strukturze wystawiało się na rozbicie. Ale na razie mozoli się przy kolejnych scenach, ujęciach, ustawieniach kamery – odkrywaniu drobin mających ułożyć się w sensy i znaczenia. I układają się, bo Sandow zna swoją robotę.

Koło południa przerywa pracę, wsiada na rower i jedzie do Popielaw. Wyprawy w to miejsce, nieustające powroty, radości i rozpacze mierzą Sandowa z nim samym. (Wychowywał się tu jako dziecko, oddychał gęstym powietrzem wsi, pól i zatęchłej izby, więc razem z nim, z morowym powietrzem, wchłonął wyobraźnię z tych stron. Już na zawsze pomieszała mu w głowie i zapewniła nieszczęśliwe życie aż do końca dni).

Kiedy dojeżdża, rzuca rower i zaraz kładzie się na ziemi. Znów czuje to, co ostatnio. Ziemia podpowiada mu, że powinien tu wrócić. Jak najszybciej. Nie słyszy niczego poza tymi słowami pomieszanymi z ptasią i drzewną ciszą. Cieszy się, mimo że podpowiedź jest w najgorszym gatunku – pstra i cukierkowa jak odpustowe papugi z Łaznowa. Na kilometr bije ludową przyśpiewką, świątkami, łowickimi pasami; całą tą skansenową tandetą, której Sandow tak szczerze nie znosi. Ale w głębi duszy cieszy się z tej rozmowy, zgadza z racjami bijącymi spod trawy, chociaż nie ma pomysłu, jak je urzeczywistnić.

Popielawski dom jest stary. Był kiedyś dworem, ukrywał powstańców, karmił. Teraz jest jedynie nieforemną bryłą nakrytą dachem z papy. Karykaturą siebie samego. Tylko wystawiona przed front facjata przypomina o dobrym pochodzeniu. Reszta to dobudowane byle jak ściany, krzywe okna, plastikowe rynny. Za domem rozciąga się park przecięty rowem. Stoją drzewa – ledwo, ledwo – te, które się ostały, marne świerczki, tuje i graby, bo reszta poszła na chłopskie dachy i komórki. Kradli z zawziętością, chociaż ten dwór nie znał chłopskiej krzywdy. Nie tknęli tylko wielkich dębów, bo powstrzymała ich (na pewno) Perunowa moc. Więc stoją dęby na straży świętych resztek i milczą, choć zbiera im się na płacz. Dalej staw większy, rów z leszczynami, betonowy mostek i staw mniejszy. Obydwa rozlane szeroko. To robota bobrów, które przecięły rów tamą. Na razie ten obrazek cieszy Sandowa, bo wygląda jak pocztówka z kiosku. Kolorowo i przyjemnie. Woda płynie powolutku, wypełnia prawie cały rów, przelewa się przez tamę. Budowla nie jest duża, ale wykonana z wielką inżynierską precyzją, ułożona z warstw kolczastego głogu, trzciny, wierzbowych, osikowych i leszczynowych gałęzi. Ale płynie jakoś zbyt górnie i świątecznie. Wkurwiająco. Więc Sandow znajduje żerdź i jeszcze nie rozumiejąc, dlaczego to czyni, wybija w tamie wyrwę. Wtedy jeszcze nie wie, że właśnie wypowiada wojnę wrogowi upartemu, cierpliwemu i sprytnemu. A w sobie otwiera drogę do mroku okrywającego uśpione instynkty – tropiciela, myśliwego i... zabójcy.

PRZERWANA KSIĄŻKA

Kamień polny przybrał kształt macewy. Tyle zdążył zrobić. Ale Sandow nie jest już kamieniarzem. Teraz jest kimś zupełnie innym. Wzywa Muszelkę na rozmowę. Przyjeżdża Muszelka tramwajem. Wchodzi do mieszkania. Jest blada z przerażenia. Cała się trzęsie.

– Ale co się stało?

– Wracam do naszej książki. A ponieważ piszę tobą, tobą się podpieram, więc ciebie zawiadamiam jako pierwszą, drugą i trzecią osobę w świecie.

– Ale... co się stało?

– Pamiętasz, że przerwałem pisanie na dwa lata?

– Jak mogę nie pamiętać, Sandow? Przez te dwa lata urosłam o jakiś... metr albo dwa. Przez te dwa lata zaszłam w ciążę, urodziłam naszą córeczkę, przestraszyłam się jej i siebie, potem pokochałam nas obydwie z twoją pomocą. Przez te same dwa lata ty odchodziłeś od nas dwanaście razy, zrobiłeś film, w którym zagrałam Czeczenkę, zniszczyłeś czterdzieści bobrzych tam, poszedłeś na terapię i pożegnałeś matkę. Nie wiem, czy w dobrej kolejności wymieniłam tych kilka rzeczy, czy nie obraziłam którejś z nich. No tak, dostałeś jeszcze order od Pana Prezydenta Naszej Ojczyzny, rozwiodłeś się i zrobiłeś habilitację, czyli coś, czego nie rozumiem. Zdaje się też, że zostałeś profesorem i zdobyłeś nagrody w różnych ważnych krajach.

Muszelka milknie. Sprawdza w oczach Sandowa, czy dobrze odpowiedziała. Czy będzie piątka z arytmetyki, geografii i wiersza na pamięć. Ale oczy Sandowa jeszcze tego nie wiedzą.

– Wracam do książki w inny sposób, niż myślisz. Zamierzam wpisać w jej brzuch mniejszą, bardzo smutną książeczkę. Właściwie... muszę. Bez tego nie znajdę nigdy klucza do drzwi, które otworzą we mnie drogę do mnie. I do ciebie, i do moich dwóch córek – starszej i młodszej. Czy rozumiesz, co do ciebie mówię, Muszelko?

– Nie, Sandow. Nie rozumiem. Jestem okrągłym debilem z trójką na świadectwie ze wszystkich ważnych przedmiotów. To nie ja rozpakowałam ci walizkę, to nie ja wysłuchałam twoich trzystu monologów o tym, że mnie właśnie rzucasz, bo nie ma innego wyjścia. Nie ja również płakałam, gotowałam i prałam, nie ja znosiłam twoje paniczne ucieczki na wieś i powroty bez przeprosin. Zgoda, nie rozumiem wielu rzeczy, ale człowiek nie musi rozumieć wszystkiego.

Muszelka milknie po raz drugi. Zbiera siły na najważniejsze pytanie. Opuszcza głowę, dyszy jak jej ulubiony koń ze stajni w Mikołajowie (Malibu, czarny jak włosy Muszelki i delikatny jak ona, i narowisty – też jak ona), podnosi głowę, spogląda w oczy.

– Ale nie opuścisz nas. Zostaniesz z nami, prawda? Ta smutna konieczna książeczka nigdy nas nie rozdzieli. Dalej będziemy podróżować, prawda? Mieliśmy jechać do Namibii, do miasta Opuwo i tam... miałeś mnie uratować bohatersko. A Ryfka Rubin? Co z nią? Nigdy jej już nie spotkamy? To chociaż opowiedz mi, w jaki sposób znajdziemy jej grób na cmentarzu żydowskim w Łodzi. Powiedz, Sandow. Nie bądź egoistą, bo to chujowe zachowanie. Szczególnie w naszych czasach.

– Znów przeklinasz. Nie przeklinaj. To do ciebie zupełnie nie pasuje.

– Ależ pasuje, Sandow. Jak najbardziej do mnie pasuje. Kiedy tak mnie wzywasz na rozmowę jak pętaka, to ja jestem blokowiskowy prostak z czterdziestu metrów kwadratowych. I żulia, i zaszczana brama. Bo przecież muszę jakoś wytrzymać te twoje mądre oczy i niezwykłe plany na przyszłość, w których będę księżniczką oraz królową wszystkich elfów z Popielaw oraz okolicznych wiosek. Więc odpowiedz mi na temat Ryfki Rubin i dlaczego nie zabiłeś Tatuatora, choć obiecałeś mi, że zabijesz. Bardzo mi zależy na tych wszystkich śmierciach z twojej książki, bo razem z nimi obchodzę różne radosne urodziny w moim życiu. Ale to z kolei może być dla ciebie za trudne do zrozumienia. Nie jest?

Sandow uśmiecha się. Już wie, że rozmowa mu się wymyka i że znów nie zaopiekuje się sobą, tylko kimś zupełnie innym.

– Wrócę do tej książki sprzed dwóch lat dokładnie w tym miejscu, w którym ją przerwaliśmy. Obiecuję. I będzie wszystko, co miało być; miasto Opuwo w Namibii, kobiety Himba i Herero, potomek holenderskich Burów, jego Murzyni, jego mądry pies i brzydki syn. Będzie też wyprawa miłosna, stukilometrowa, i historia o tym panu podobnym do Gombrowicza, który tak pięknie umierał.

– A Bora-Bora? Nasza wyprawa na Polinezję i te tańce z kręceniem dupką, co je wygrałam z… Gauguinkami? Czy to też będzie? Nie zapomnisz niczego, Sandowku kochany?

Już płacze. Już sika wodą na kilometr. Glut rodzi się w nosie, więc go wciąga, a potem wysmarkuje na koszulkę Sandowa.

– Nie chcę, żebyś odchodził do tej smutnej książki beze mnie, bo przepadniesz tam w smutkach i o mnie zapomnisz, i o naszej córeczce z niebieskim niebem w oczkach. Zaznacz sobie nas jakoś. Jakąś kreseczką albo naklejką z klejem, żebyś do nas ładnie trafił. Albo dodaj nas do ulubionych na fejsbuku. Dodasz nas do ulubionych, żebyśmy ci się nie zgubiły?

– Nie zgubicie mi się. Znam mapę tej okolicy. To się trzyma przy sercu niemyląco.

– Jest takie słowo, Sandow?

– Ale jakie?

– No, „niemyląco". Jest takie słowo?

– Chyba jest.

– A nie chciałeś powiedzieć „nieomylnie"?

– Nie chciałem.

– No dobrze. To zacznij już tę... pierdoloną książeczkę o smutku. Niech już jej zacznie rosnąć brzuch, niech ma mdłości i zachcianki, niech jej się zrobią rozstępy, wielkie cycki i tłusta dupa. Zacznij już, Sandow. Niech się urodzi jak najszybciej.

Zaznaczam was kreseczką na fejsbuku.
To ona, a to ona. Każda zaznaczona.
Siebie nie zaznaczam, bo nie wiem, jakiej użyć interpunkcji.
Nie jestem jeszcze człowiekiem z kropką na końcu zdania...

TO JA JESTEM SANDOW I TO JEST MÓJ KONIEC ŚWIATA

Dobrze, przyznaję się – to ja jestem Sandow. A Muszelka to Ona. Mamy razem dziecko, mieszkamy gdzieś, żyjemy życie.

Popielawy są. Istnieją naprawdę. Ja też istnieję. Właśnie kończę film o bobrach, których nie ma. Zabiłem je. Teraz zabijam poczucie winy, a raczej wiele poczuć naraz, i uczę się życia prawie od nowa. Niedawno pochowałem matkę. Umarła w dziesięć dni po narodzinach mojej drugiej córki. Mojej i Muszelki.

Miała siedemdziesiąt dziewięć lat. Bardzo ją kochałem. Chcę o tym opowiedzieć. Chcę przyznać się do winy i przeprosić. Niestety, nie mogę złożyć obietnicy poprawy.

PACZKA Z POPIELAW

Najpierw byłem dzieckiem. Najmłodszym synkiem mojej matki, małym słodkim Sandowkiem z loczkami. Kochała mnie chyba bardziej niż Ewę i Włodka. Wyróżniała przy każdej okazji, kosztem tamtych, mniej wyróżnianych. Potem byłem mądralą i szkolnym geniuszem. Bieda była wtedy w Polsce – na wsi i w mieście. Socjalizm na dorobku. Ojciec robił filmy za grosze. Sklejał taśmę acetonem na warczącym stole z NRD. Żyliśmy skromnie, więc kiedy przychodziła paczka z Popielaw, przy stole zbierała się cała rodzina.

Stół, na nim paczka. Kostka z szarożółtego kartonu czterdzieści na czterdzieści. Szachownica ze sznurka. W jednej z kratek koślawy adres: „Wrocław, ulica Komuny Paryskiej ileś tam przez ileś". Babcine niewprawne palce toto naskrobały. Kopiowym ołówkiem pośliniony na czubku. Wszyscy wiemy, co jest w środku. Mąka pszenna i jajka. Duże, dorodne, z pomarańczowymi żółtkami. Nie wszystkie całe. Taka paczka z Popielaw jedzie i jedzie; z poczty pod Bukowem do

Tomaszowa, stamtąd pociągiem do Koluszek, potem przesiadka do drugiego pociągu i tydzień jazdy do Wrocławia. Więc nie wszystkie jajka wytrzymują trudy. Mama robi konkurs.

– Ewcia?

– Pięćdziesiąt dwa całe, osiem potłuczonych. Sześćdziesiąt by było, ale nie będzie.

Ojciec kręci nosem. Nie wierzy w tę matematykę Ewciną.

– No co ty, córuś? Kury słabo niosą. Zima zaraz i wtedy w nich zwalniają te... procesy jajotwórcze. Nie ma tylu jajek. Jest trzydzieści, w tym połowa potłuczonych. Debile na tej poczcie... No, debile po prostu. Rzucają paczkami, marnują ludziom życie. Jak tak można?

– Włodzio?

– Trzydzieści osiem całych, dwa potłuczone.

– Sandulek?

– Nie ma jajek. Sama mąka. Coś się stało. Lisy wykradły dziadkom kury albo złodzieje wykradli. Nie ma jajek, więc nie będzie też makaronu. Nie będzie rosołku...

Sandulek w ryk. Mama bierze się za pocieszanie.

– Są jajka i będzie makaron. Będzie też rosołek. Wybierzemy z mąki skorupki i zaraz ugniotę ciasto.

Oczywiście, są jajka. Czterdzieści całych i osiem potłuczonych przez debili. Rosół z makaronem. Mama je, tata je,

Ewcia je, Włodzio je, Sandulek je. Wszyscy jemy i rośniemy, jak należy. Potem odpoczywamy na tapczanie – syci, szczęśliwi, nakarmieni przez popielawskie kochane kury.

JEDZIE JAJKO PRZEZ POLSKĘ

Jak powstaje jajko w kurze? Komórka jajowa dojrzewa w jajniku. Kiedy osiąga rozmiar żółtka, przepływa do jajowodu. Potem wędruje sobie nieśpiesznie w kierunku kurzej dupy, otaczana po drodze białkiem miękkim i białkiem twardym. W macicy gruczoły skorupkowe otaczają jajo pergaminową błoną i wapienną skorupką. To wszystko.

Teraz wychodzę już z wnętrza kury i staję przed domem pani Karzatki naprzeciwko remizy. Mam pięćdziesiąt sześć lat. Czekam na trzy mendle jaj. Właśnie przerwałem zdjęcia do filmu, bo tak trzeba było. Bo zadzwoniła mama.

– Pan Sandow?

– Tak, to ja.

– Dzwonię ze szpitala, jestem pielęgniarzem. Pańska matka chciała porozmawiać. Chyba powinien pan… przyjechać.

Trzaski, elektryzacja, szumy, wreszcie telefon trafia do małej matczynej dłoni. Krótki oddech, myśl, słowo wykradzione, oddech, myśl, słowo wykradzione, myśl, oddech.

– Sandulek…

– Tak, mamusiu.

– Zabierz... mnie... nie... umiem... umrzeć... w... szpitalu... Sandulek...

– Mamusiu... film, no wiesz, daleko, obowiązki, muszę, powinienem, nikt poza mną nie jest w stanie...

Matka czeka przez dwadzieścia oddechów. Już nie może utrzymać telefonu.

– Wiesz... synku... ja... chyba... nie... umiem... tu... umrzeć... i żyć też... już... nie umiem... boję się... i jednego... i drugiego... pomóż... mi... przyjedź...

Jadę, a ze mną jadą one – prawdziwe, nadziane pomarańczowym życiem, wykarmione pszenicą, trawą, wykąpane w błocie, zasrane – popielawskie jajka. Milczymy po równo, Piotrek, Michał, babcine wnuki i ja – Sandow, kierowca najsmutniejszego auta w Polsce. Nie może być rozmowy, bo jaka może być rozmowa? Przesiadam się. Teraz Piotrek kieruje, a ja czytam Junga. Jung wszystko wie. Również to, co dotyczy mnie i mojej matki. Zna wszystkie przyczyny.

Przyczyny... Jedna była najważniejsza. Jej zgoda na to, by wysłać mnie na wieś. Jej... porzucenie mnie. Porzucony Sandulek. No tak, znałem racje i znam je do dzisiaj. Wszystkie poważne. One tłumaczyły główce, a teraz tłumaczą głowie. I głowa ciągle przytakuje.

– Będziesz najlepszym uczniem w Szkole Podstawowej w Popielawach, Sandulek. Będziesz, prawda?

– Będę, mamusiu.

– Będziesz miał dwa stawy do ślizgania się, do jazdy na łyżwach i hokeja. Cieszysz się, Sandulek?

– Cieszę się, mamusiu.

– Będziesz miał dwa psy, trzy koty, dziewięć królików, krowę i dwa prosiaki. Widzisz, ile zwierząt?

– Widzę, mamusiu.

– Będziesz miał siedmiobabę na indiańskim kole z dymu, dwie złote karety, buty podbite brylantowymi blaszkami, łyżwy z marcepanu, rower napędzany wiatrem słonecznym, telewizor w guziku od palta, konia ze skrzydłami, wiatrak grający muzykę z jęczmienia, skrzypce samograjki z czterech tysięcy kawałków drewna, puchowy piernik na maśle, rodzynki, magnes przyciągający wodę. To dużo, prawda, Sandulek?

– To dużo, mamusiu.

– No i... nam tutaj będzie lżej. Rozumiesz to, prawda?

– Rozumiem, mamusiu.

Popielawy Sandulka. Dużo zdarzeń na wiele książek. Ale właśnie uchwyciłem jedno albo – tak będzie lepiej – ono mnie uchwyciło. W kilka sekund odesłało Junga do jego wieży w Bollingen. Niech tam sobie siedzi starzec przemądrzały.

Mieszkam już u dziadków ponad rok. Mam trzynaście lat. Zima zimna. Na polu gruda, wiatr poświstuje przy ziemi, wrony zagadują głody zimowe. Paplają jak najęte. Jedziemy po kurczaki. Babcia i ja. Do sań przyprzęgnięty piersiasty bachmat, jedyny taki w okolicy. Powozi Cuper. Lejce trzyma w kieszeni razem z wielką dłonią. Żeby nie marzła. Dzwoni dzwonek przy chomącie, szczęka żelazo naszelnika, gra końska śledziona jak woda w studni. Za saniami moje sanki przywiązane do haka. Jadę z Helenką Mierzwianką, starszą ode mnie o dwa lata i wyższą o głowę. Siedzę za nią, trzymam kosz ze słomą na trzydzieści pisklaków z wylęgarni w Ujeździe. Ten kosz nas rozdziela. Gdyby nie on, objąłbym Helenkę w pasie i przytulił się policzkiem do jej wełnianego serdaka. Wtedy poczułbym to wszystko, po co warto być na wsi; zapach rumiankowego mydła, obory, potu i wełny przędzonej przy naftowym świetle. Pewnie zesztywniałbym pod brzuchem na myśl o jej ciepłym oddechu. No, ale to odłożone na później. Na razie... jedziemy. Wreszcie jest szkoła, sala lekcyjna i rozfalowane morze puchu. Pisklaki. Żółte i żółto-czarne. Przywiezione do szkoły z Ujazdu. Babcia wybiera najładniejsze, płaci złotówkami, zakopuje kulki w słomie. Wracamy. Noc opada na pola niczym kruk. Kurczaki jadą jak paniska, w dużych saniach. Teraz już wolno mi przyciskać się do Helenki. Kłuję ją tym swoim patykiem, a ona śmieje się i sięga ręką do tyłu, i ściska ptaszka do bólu. W powietrzu zawisa ciepły, drżący z podniecenia szept.

– Doję dzisiaj krowy… sama. Matula pojechali na Sługocice, do wujenki. Przyjdziesz?

– Przyjdę.

Jak mogłem nie przyjść. Tęsknota codzienna, stanie pod kapliczką, wypatrywanie mamy, kręcenie korbką telefonu, to była jedna strona rzeczy podwójnej. To rosło sobie nad ziemią i dawało się zobaczyć (jak ktoś chciał, a chciała tylko babcia Hania). Ale przecież pod spodem były te wszystkie rzeczy podziemne. Wilgotne i podniecające. W nich spełniały się obietnice.

Noc jeszcze pełniejsza. Wchodzę do obory. Półmrok. Pod stropem wisi latarka na naftę. Knot skręcony, światła mało. Dużo zapachu nafty i obornika, mleka i Helenki, potu i dziecięcego podniecenia. Same podwójności – jak pary narzeczonych. Podchodzę. Ciepła dłoń pod brzuchem. Kilka ruchów przeniesionych z krowiego wymienia. Spazm – mój. Łzy. Też moje. Kocham i już nie wiem kogo.

Dojeżdżamy do Wrocławia cichym samochodem. Gotuję jajka z bratem. Milczymy. Włodek garbaty jak starzec, ja – jego młodszy brat – też stary. Wreszcie jest mama. Leży w maszynerii rurowej, głośnej, elektrycznej, monitorująco-pilnującej. Mała, przerażona, sucha jak wiórek dziewczynka. Walczy o oddechy. O każdy pojedynczy oddech z osobna. Jedna wojna, druga wojna, trzecia wojna… Coś chce powiedzieć, nawet wydaje się, że mówi, ale głos nie chce ożyć. Złości się. Znów kilka wojen, wysiłek nadludzki i... jest pierwsze śmiertelne zdanie.

– To już... koniec... Boję... się... Sandulek... bardzo...

Jeszcze wczoraj żyła mocno. Rozklekotane zastawki trzymały się serca, krew płynęła pod górkę.

– No dobrze. Będę miała drugą wnuczkę. Nauczę ją paru rzeczy... A ty... żyj, Sandulek, żyj, synku. Rozpakuj wreszcie tę swoją walizkę.

Teraz nie mówi o życiu, bo ono w niej ustaje. Ustępuje miejsca czemuś, co przyzywa strach. Więc dziewczynka boi się posłusznie i wstydzi się, że się boi.

Sięgam po jajko. Jak czarodziej zza siedmiu gór i lasów.

– To jest jajko, mamusiu...

Uśmiecha się. Patrzy jak na idiotę. Przecież wie, że to jest jajko. Tak właśnie wygląda jajko, więc to nie może być nic innego.

– Przywiozłem je z Popielaw, od pani Karzatki. Tej, co mieszka naprzeciwko remizy. Kury tam chodzą po podwórku, jedzą pszenicę, skubią pokrzywy, oddychają czystym powietrzem. Więc to jajko ma wielką ożywczą moc. Ono jest sobą, ale i więcej niż sobą. Ono jest twoją młodością i moim dzieciństwem. Jest otwieraniem paczki z Popielaw i liczeniem stłuczek. Jest rosołem, niedzielnym obiadem przy stole, wylegiwaniem się na tapczanie, świąteczną nudą.

Rozbijam skorupkę, solę pięcioma ziarenkami soli (więcej

nie można, złe krążenie, woda zostaje w organizmie, dializy co pięć godzin, w plastikowym worku ani kropli moczu), zanurzam łyżeczkę w jajkowej otchłani, zaczerpuję życia i niosę do maminych drżących ust. Nie chce jeść. Zaciska wargi. Chce już umrzeć, chociaż nie chce. Nie wie. Boi się. Patrzy błagalnie. Łyżka napiera. Po policzkach spływają łzy wielkie jak korale. Maszyna pikająca włącza alarm. Podchodzi pielęgniarka. Wtedy matka otwiera usta. Pokazuje, że jest posłuszna. Rusza buzią jak cielak, przepycha jajko do przełyku. Wreszcie jest sukces – pierwsza łyżeczka w drodze do żołądka. Zaczynam pracę nad drugą łyżeczką. Ale ona, moja córkomatka, nie współpracuje. Już jest pogniewana. Nie będzie jadła. Będzie piła. Więc teraz woda. Dwa łyczki. Więcej nie wolno. Zapada w sen.

Wracamy do filmu. Zawsze się wraca do... filmu. To moja śmiertelna choroba. Ci dwaj obok mnie też chorzy. Piotrek, kiedyś lekarz, teraz już prawie reżyser, i Michał, operator. Byli jeszcze: pradziadek, dziadek, ojciec i siostra, matka tego czarnego, który teraz kieruje smutnym autem. Więc wracamy. Wraca się. Sięgam po Junga. Wyciągam go za kołnierz z kamiennej wieży w Bollingen. Niech mi teraz wszystko tłumaczy.

Dom popielawski przemieniony w obiekt zdjęciowy. Układam się do snu. Nade mną wiszą twarze świętych. Jeszcze jestem daleko od przyznania się. Jeszcze wierzę, że matka ożyje. Wstanie z tego upiornego komputerowego łóżka, wyciągnie z żył te wszystkie rurki z płynami, włoży szlafrok i wyjdzie. Wróci do domu, nakarmi norweskiego kota i polskiego psa. Potem zadzwoni do mnie. Spoglądam na Jezusa i jego Matkę. Filmowe rekwizyty milczą. Nie chcą nic powiedzieć. A jeszcze niedawno gadały jak najęte. Obiecywały piękny film, bez wielkiego bólu, z przyjaciółmi dookoła. Oto przyjaciel dźwiękowiec, Jacek, oto Kaziu z mikrofonem i Tomaszek z kluczami, oto Muszelka z wielkim brzuchem. A tam Małgosia od kostiumów i Danusia, i siostry bliźniaczki scenograficzne. To one powiesiły na ścianach rozgadane oleodruki – Matkę i Syna. A teraz te dwie powieszone rzeczy milczą. To mnie bardzo wkurwia. Krzyczę do rekwizytów jak do świętych. Najpierw do Niej.

– Jesteś matką. Wiesz, co czuje syn.

Milczy.

– Syn czuje ból. Syn... cierpi, rozpacza, skarży się i słania z wysiłku.

Milczy.

– Milczysz. Milczysz! Nie milcz!!!

Milczy.

Nagle odzywa się. W połowie nocy. Mówi głosem cichym i matowym.

– Bądź dobrym synem. Nie krzycz na nas. Jesteśmy tylko

obrazami namalowanymi przez kiepskiego malarza. Wyjmuje się nas z pudeł i zawiesza na ścianach w różnych filmach. Ten twój jest akurat dość chujowy. Bohater jąka się, chodzi przygarbiony i klnie jak szewc. Pewnie nie pamiętasz, ale wisiałyśmy już (my, obrazy) w kilku innych twoich filmach. To była dużo lepsza robota, bo ty byłeś inny. Bardziej ludzki. Pamiętam, że zwracałeś się do ludzi z szacunkiem, chwaliłeś ich za pracę, czasem nawet... uśmiechałeś się.

– Teraz jest inaczej – tłumaczę się obrazowi.

– No tak, wiem, umiera ci matka. Śmierć. To nie jest przyjemne. Ale przecież i w tym można ładnie zagrać. Wzruszająco. Widziałam takie filmy...

– To nie jest film. To jest życie, Matko Boska.

– Ależ... mylisz się. To też jest film. Wystarczy, że się przyznasz przed sobą. Przecież to ty pomieszałeś jedno z drugim. Ty, Sandow. Ciągle jesteś małym Sandulkiem idącym na seans do kina Uśmiech w popielawskiej remizie. Akurat grają *Ubranie prawie nowe* reżysera Haupego. Idziesz, potem wracasz, potem sikasz ze strachu pod figurą świętego Rocha. Czy to nie ty? Czy to nie tobie myli się jedno z drugim?

– Przyznaję się. To ja. To mnie myli się jedno z drugim. I nie wiem już, co jest czym i co po czym następuje. Powiesz mi, co mam teraz zrobić?

– Nic szczególnego. Obudź się rano, dowlecz się do łazienki, wylej siki z butelki, odkręć kran, umyj się, nakremuj twarz kremem nawilżającym, wciągnij na grzbiet jakieś łachy, otwórz scenariusz, napisz na odwrocie kartki kilka scen na ten dzień, bo przecież już ci się wszystko rozpierdoliło, potem wyjdź na plan, przywitaj się z ludźmi, bądź obowiązkowy i pracowity, staraj się zrobić jak najlepszy film, choć to się już pewnie nie uda.

Dzień. Jestem pierwszy na planie. Siedzę na betonowym schodku przed gankiem i czekam. Najpierw przyjeżdża Wojtek, kierownik planu. Duże, porządne chłopisko z sercem na pół kilometra. Wyciąga z kieszeni batonik z orzechami, podaje, stara się nie patrzeć w oczy.

– Jak w szpitalu?

– Chujowo.

Kiwa głową. Daje znak, że zrozumiał. Potem przyjeżdża agregat prądotwórczy, auto z elektrykami, Piotrek, Michał, reszta. Pracujemy. Robimy scenę z Maryjką wpadającą do wody. Bohater siedzi na mostku, wyprawia się ze wspomnieniami w dzieciństwo, przypomina sobie matkę, wzrusza się, potrąca figurkę, ta leci w dół, wpada do stawu, bohater skacze za nią, ratuje jej gipsowe życie. Wcześniej zabiera figurkę z kapliczki, bo brzydka, bo farba złuszczona, bo trzeba Maryjkę odnowić. Wymyślam. Przyklejam do figurki małą kamerę wodoszczelną. Razem wpadają do wody.

*

Znów noc. Szczekają psy. Skarżą się na psi los, ale mój jest bardziej psi. Zaczynam odszczekiwać. Otwieram okno, siadam na parapecie i szczekam jak bardzo smutny pies, potem jak piesek, a na koniec jak psiak (skomlenia i piski). Chce mi się palić, ale nie zapalę. I na to jestem za głupi. Szykuję barłóg pod ścianą z obrazami. Rzucam pościel na materac, rozbieram się, ustawiam butelkę na mocz. Obrazy milczą. Widocznie skończył im się kontrakt na gadanie. Zaczepiam.

– Zrobiłem scenę z tobą, Mateczko. Bohater wyjął cię z kapliczki, postawił na mostku, przypomniał sobie dzieciństwo…

Obraz z kobietą przerywa.

– Wiem. Ten bohater to ty. Matka cię oddała na wieś. To miało być dla twojego dobra. I przecież jest… ostatecznie. Zobacz, jakie rzeczy wymyślasz… Kto tak wymyśla jak ty? Poza tym… mieszkasz w tym wymyślaniu. To twój dom. Nie widzisz, jakie to wygodne? Wszystko tu możesz mieć lepsze – kobiety, przyjaciół, miejsca, zdarzenia, nastroje. To się opłaca, Sandow. Cena nie jest w gruncie rzeczy taka wygórowana; trochę tęsknoty od czasu do czasu, trochę pogubienia, trochę psiego szczekania…

– Może masz rację… Może to się naprawdę opłaca…

– Opłaca się, Sandow. To dobry interes.

Milkniemy oboje. Połykam stilnox, popijam wodą truskawkową. Nim zasnę, muszę się jeszcze pochwalić. Odzywam się z dumą w głosie.

– Nie skarżę się dzisiaj. Wziąłem się w garść.

– Widzę.

– Dobranoc.

– Dobranoc, synku.

Śpię, nie śpię. Psy oddalają się pod las. Szczekają teraz w drzewa. Taka psia conocność. Powoli zaczynam się przyzwyczajać do umierającej matki. Wpuszczam TO w krwiobieg, wstrzymuję oddech w chwilach kłucia serca. I TO przepływa przez zastawki. Jest gęste i kleiste, smuży, ale przelewa się przez płatki serca i wciska w żyły.

Jakoś tak w środku nocy budzi mnie głos ze ściany. Z jednego z obrazów. Poznaję, to syn tej matki. Czegoś chce, ale ja jestem nieprzytomny. Głowę mam ciężką od smoły. Słyszę, ale nie rozumiem. Za cicho mówi. Jakby to on (a nie ja) cierpiał. Albo jakby nie chciał obudzić śpiącej obok mateczki.

– Zadajesz dużo pytań. Nie wiesz, co robić.

– Nie wiem. Nie wie się.

– Przeprowadź ją na drugą stronę. Pójdźcie cichutką drogą...

– Nie potrafię.

– Potrafisz. To twoje synowskie prawo. Widzisz, ona się bardzo boi. Jest maleńka i trzęsie się ze strachu. Jak dziecko. Jak dziewczynka w sukience w kwiatki. Więc weź ją za rękę, wypowiedz uspokajające słowa, przytul i... poprowadź cichutką drogą. TO robi syn.

IDZIEMY Z MATKĄ DO NIEBA

Siedzę obok. Trzymam ją za rękę. Nieludzko delikatna dłoń. Paluszki jak u dziecka. Drobne skurcze. Cała seria drobniutkich, ledwo wyczuwalnych spazmów. Popisuje się. Jeszcze pokazuje, jak igrają w niej iskierki. Maleńkie półsekundowe istnienia. Już nie otwiera oczu. Usta szeroko otwarte, napuchnięty język, w szyi maszyna oddychająca. Nagle ożywa w niej maleńki uśmiech. „Wychodzimy" – mówi.

Więc wychodzimy ze szpitala.

– Zaczekaj. Dokąd się tak śpieszysz?

Czekam. Zsuwa pod szlafrokiem pampersa, potem odkopuje go na trawnik.

– Nie będzie mi już potrzebny. Chodźmy, Sandulek. Teraz już mogę iść.

Idziemy. Stawia stopy dość niezręcznie, bo wyszła z wprawy.

– Idę jak dziecko. Jakbym w ogóle nie umiała chodzić.

– Pięknie idziesz. Naprawdę... bardzo pięknie. Stawiasz stopy jak mały zadzierzysty konik.

– Czyli jak... źrebak. Tak?

– Właśnie. Jak źrebak.

– Ale... trzymaj mnie za rękę na wszelki wypadek. Trzymasz mnie, synku?

– Trzymam cię.

Rozglądamy się, bo oto napływa mgła. Biała, puszysta, prześwietlona. Jest w niej coś znieczulającego, jakaś łagodność nie z tej okolicy. Zaraz zawija się w lejek porywający nas jak dwie krople płynu. Spadamy bez ciężaru. Matka uśmiecha się.

– Nic nie ważę. I nie wiem, gdzie jest początek. Czy to jest tam, dokąd zmierzamy, czy może w odwrotnym kierunku?

Nie wiem. Nie odpowiadam. To nie moja okolica, więc nie znam tutejszych stron świata. Ja tylko odprowadzam moją zmarłą matkę. Na wszelki wypadek nie mówię jej tego, bo nie wiem, czy ona wie.

– Ależ wiem, wiem – odzywa się, jakby usłyszała moje pytanie. – Wiem, że nie żyję, głuptasie. Że umarłam w szpitalu na niewydolność krążeniowo-oddechową. Ale to już za mną. Teraz jestem strasznie ciekawa, dokąd zmierzamy i co jest na końcu tego śmiesznego lejka. Patrzmy uważnie, Sandulek. Nikt nam nie puści tego filmu od początku.

Patrzymy uważnie. Razem widzimy, że świetlisty lejek przepada. Kończy się nagle kropką nie większą niż ziarnko maku, a my – moja matka i ja – zawieramy się w tej kropce. Podobnie jak zawiera się w niej wielka dookolna zieloność. Bo ona teraz następuje.

Przepastność. Bezkres, w którym na naszych oczach wyrastają pejzaże. Moja maleńka matka zaczyna śmiać się w głos.

– Ale to śmieszne, synku. Wymyślam sobie pejzaże i one się stają. Dokładnie tak, jak na obrazkach, które kazałeś mi malować. Widzisz, tam są góry, a tam morze. Popatrz, jakie niebieściutkie... Dość tandetny ten błękit, nie sądzisz? A tam znowu chmury tłuste jak barany i jeziora, i rzeki, i gaje kwietne, i różane ogrody, i łąki wrzosowe przerośnięte lawendą, pola pszeniczne, w nich modraki, kąkole, stokrotki, droga dymiąca do lasu w Popielawach, skowronek nad głową...

Jest zachwycona. Na chwilę puszcza moją dłoń, ale zaraz chwyta na powrót. Nie jest jeszcze gotowa na samodzielność.

– I wóz drabiniasty z parą koni i boża krówka...

Przerywa, bo oto zza łąki, spadającej ku nam łagodnie, ktoś nadchodzi. Wstrzymuje wstrzymany oddech. Nie oddycha teraz podwójnie. Widzi kobietę z mężczyzną i nie od razu umie uwierzyć.

– Ty też to widzisz, Sandulek?

Widzę. Mężczyzna nie jest wysoki. Ma na sobie garnitur z szerokimi klapami i spodnie z mankietami. Idzie śmiało, pobrzękując orderami wiszącymi na piersi. To mój dziadek Jakub. Obok drepcze babcia Hania z niebieskim niebem w oczach. Idą, idą, aż dochodzą. Halinka rzuca się w ramiona matki. Ale nie puszcza mojej dłoni. Stoją tak aż do wieczora. Aż do nacieszenia się. Potem dziadek przytula swoje dziecko. Nie jest powściągliwy. Tym razem czekamy do świtu (babcia w międzyczasie robi jakieś kluski z mąki wytrzęsionej z chmury i popielawskich jajek niebieskich; chodzi o mnie, bo oni tam nie jedzą, a ja przecież głodny, bo z drogi Sandulek, bo z daleka, no i musi przecież wracać).

Rano ruszamy w dalszą drogę. Tym razem dziadek prowadzi. Pokazuje szablą dobytą spod marynarki to to, to tamto. Moja mała matuleńka nie może się nadziwić. Wzdycha i wzdycha z zachwytów.

– Drzewko cytrynowe i pomarańczowe, i figowe, i wzgórza miodowo-mleczne, a tam wodospad z kurzem diamentowym i motyle wielkie jak krowy... Widzisz?

Widzę, ale już mnie męczą te widoki. Widzę też aniołki albinosy z białymi włosami i zadkami pulchnymi jak pączki. Widzę ten cały niebieski nadmiar, tę słodycz gęstą i klejącą, i czuję, że się zaraz zrzygam. Na szczęście nadchodzą ludzie. Cały tłum z moim ojcem i siostrą na przodzie. Z tyłu rodzina i przyjaciele. Podchodzą, stają w kolejce do powitania (matuleńka ciągle nie puszcza mojej dłoni). Witamy się i witamy. Ojciec chce coś powiedzieć. Jakieś ważne słowa. Zabiera się do tego parę razy (zakłada okulary, wyjmuje kartkę z kieszeni, przypomina sobie tekst), ale wzruszenie odbiera mu mowę. Wybucha płaczem. Za to Ewcia jest dzielna. Ona jedna bierze mnie pod opiekę.

– Przepraszam, że sprawiłam ci kłopot tym moim... wylewem. Wiem, że załatwiłeś helikopter u samego Prezydenta Naszej Polski Całej. Gdybym ci mogła wtedy powiedzieć, że to niepotrzebne...

– Nie szkodzi, Ewuś. Zmontowałaś mi tyle pięknych filmów... Ludzie to oglądają do dzisiaj. Nie szkodzi, kochana.

Nagle moja maleńka matka rozluźnia uchwyt. Czuję, jak jej dłoń wysuwa się z mojej dłoni. Nie wiem, co robić. Jestem zdziwiony tą wolnością. Powinienem teraz odwrócić się i wracać do domu. Tylko że ja nie wiem, gdzie on jest. Muszę zapytać. Otwieram usta, ale nie wydostaje się z nich żadne słowo. Tymczasem moja mateńka odchodzi z naszymi bliskimi. Gadają o czymś, śmieją się i podskakują z radości. Kiedy już są na wzniesieniu, matka odwraca się, jakby sobie o mnie przypomniała.

– Dziękuję ci, Sandulek, że mnie tak pięknie przeprowadziłeś na drugą stronę. Dziękuję ci, synku.

Przewijam niebo do przodu. „Fast forward" i dwie strzałki.
Podszewkę należy strzepnąć po odwróceniu.
Chodzi o to, żeby spadły wszystkie zużyte chmury.
„Przeprowadzam". Firma jest niewielka, ale daje dochód.
Mam też pieczątkę we wnętrzu dłoni.
Ślad po przeprowadzonej Matce.

*

Budzę się. Wracam z nieba. Zaglądam do wnętrza dłoni. Nie ma go tam. Nie ma żadnego śladu synowskiej pięknej przysługi. Ten ciężar jeszcze będzie ciążył. Ale przynajmniej znam już drogę.

NAJTRUDNIEJSZA ROZMOWA ŚWIATA

Znów dzień zdjęciowy. Biegam z kamerą, a raczej z aparatem fotograficznym Canon obudowanym rozmaitymi rurkami, uchwytami i rękojeściami. Nie patrzę w lupę, tylko w mały ekran zawieszony nad głową. To odbiera robocie resztkę skupienia. Jestem operatorem, bo tak postanowiłem. Sandow chłopiec, Sandow dzieciak z zabawką cyfrową wyświetlającą świat rzeczywisty, pomniejszony i odwrócony. Obiektyw taki, potem inny. Aktorzy-ludzie wypuszczają z siebie emocje. Gubią się. Nie wiedzą, do kogo należą te nerwy, te wzruszenia, podniecenia i radości. Gotowi przysiąc, że do nich. Gotowi bić się o to. Ale już się trochę boją. Ożywili w sobie cudze tożsamości i teraz zaczynają się obawiać, że te dziwadła zjedzą ich od środka. Wpierdolą im włókna nerwowe, mięśnie gładkie, prążkowane, kiszki, wątrobę i serce. Aktor ma w domu małą córeczkę. Gra u mnie, bo obiecał. Ale nie wie, czy to dobre dla jego córeczki. Musi pić, żeby dać sobie radę z tym pojebanym filmem. Aktorka jeszcze niewiele rozumie. Dopiero kończy szkołę filmową i na razie posłusznie opuszcza się w mrok, a potem wraca samodzielnie. Jeszcze daje radę, ale już powoli zakochuje się w czerni i wraca z otchłani coraz bardziej otumaniona. Uwodzicielska smoła wciąga. Powinienem uchwycić ten moment, zaznaczyć go czerwoną kreską, ale nie mam siły. Na razie tłumaczę coś o domu pod Krakowem. Mówię, że powinna trzymać się zakamarków z niego wywiezionych. Że zapewne ma w kieszeniach sweterka jakieś kolorowe papierki po cukierkach i one, te dziecięce papierki, jej pomogą. Niech nimi szeleści w kieszonce i wystawia je na światło w chwilach strachu. Żeby przypomnieć sobie o małej dziewczynce. O tej połowie, którą nigdy nie powinna przestać być, bo przepadnie. Bo ja, Sandow, nie mogę się nią już opiekować. Mam teraz pod opieką siebie samego opiekującego się matką i to jest zadanie bardzo obciążające. Aktorka kiwa głową. Udaje, że rozumie, chociaż nie rozumie. Nie może rozumieć, bo niby jak? Bo skąd? Z jakiego źródła rozumieniowego?

Znów telefon od brata. Trzeba jechać. Więc wsiadamy do auta i ruszamy w cichą podróż. Od razu płaczę, żeby zdjąć trochę ciężaru z duszy. Muszę zrobić miejsce na spotkanie z matką, wygospodarować milimetr ulgi, więc pozbywam się z organizmu nadmiaru płynów; smarkam, pluję, rzygam i sram w lesie czerwonawą wodą.

*

Szpital pod wieczór. Kilka betonowych kostek. Okna sieją fioletowym odkażającym światłem. Siedzimy w aucie na parkingu, potem otwieramy drzwi, idziemy, kupujemy w automacie plastikowe buty w kulkach po jeden złoty za parę. Piotrek oszczędza. Wyjmuje z kieszeni kulkę z poprzedniego pobytu. Korytarz, winda, czwarte piętro. Oddział Intensywnej Opieki Medycznej. Myję ręce, wkładam fartuch, nie potrafię zawiązać tasiemki, zawiązuję jakoś ledwo, ledwo i koślawo, superchujowo i groteskowo. Upokarzająco. Z dyżurki wychodzi lekarz. Informuje, że chora jest na dializie i prosi, żeby iść czym prędzej. Bo ona umiera i chwila jest ostatnia.

Wchodzę. Trzy rzędy maszyn. Pod jedną z nich leży moja matka. Zamknięta w mieście z rur, z ulicami z żył, z których zabiera się krew, żeby ją za chwilę oddać. Pochylam się nad tą odrobiną życia uwięzioną w małym pomarszczonym człowieku. Patrzę na nią i rozpoznaję siebie całego. Kompletnego. Zamieszkałego w tej odrobinie życia zostawionego na ostatnią chwilę, w tym wietrzyku zabierającym z wewnętrznych dróg polnych resztki kurzu. I już rozumiem, jak to jest z Bogiem, kiedy go akurat nie ma. Bo się zagapił. Bo ma na przykład wielką sraczkę i kuca w niebieskim lesie, zamiast pilnować. Ale i tak nie mam dość siły, żeby się odezwać. A ona tylko patrzy. I czeka. I wreszcie słyszy moje słowa. Najgłupsze słowa, jakie kiedykolwiek wypowiedział syn do umierającej matki.

– Nie bój się. Idź tam. Tylko... błagam... nie bój się. I nie zatrzymuj. I nie oglądaj się za siebie. Oni już... tam na ciebie czekają... tato, Ewa, babcia, dziadek, twoi bracia i siostra... Idzie się. Tak po prostu jest, mamusiu... Więc idź, idź... kochana... Nic ci nie grozi... to jest nagroda za twoje cierpienie i za dobroć.

Biorę jej dłoń. Wtedy moja matka wreszcie mnie zauważa. Jest zawiedziona. Miałem jej pomóc przejść na drugą stronę, ale najwyraźniej... nie potrafię tego należycie zrobić. Zamiast tego wypowiadam jakąś tandetną, sentymentalną wiązankę ze słów. Nie spisuję się. I to kto? Sandulek, jej najmłodszy, ukochany syn. Ten, który dostał wielki złoty order od Pana Prezydenta. Tak, jest zawiedziona i rozczarowana. A jak ma nie być? Chyba nie wie, co zrobić z moją dłonią, bo odsuwa ją na bok. Zbiera kilka małych oddechów, coś mówi. Nie słyszę. Pochylam się. Wreszcie są słowa.

– Jak możesz... mówić takie... głupstwa?...

Odpowiadam skrajnie zrozpaczony. Tłumaczę się.

– Ja... ja... ma... to... ke... ęć... wie... sz... bo... ma... mu... siu...

Wtedy ona powtarza.

– Jak możesz... mówić takie... głupstwa?... Ja... Boję się... bardzo... strasznie... się... boję... zabierz stąd... ratuj...

*

Ciągle żyje. Lekarz robi głupie miny. Wie, że to już trzecie pożegnanie. Odsyła pacjentkę na czwarte piętro. Jedziemy z nią. Zasypia.

Czekam na korytarzu. Godzinę, dwie. Niech się matczysko wyśpi. Jutro wrócę do żywych, na plan mojego dziwnego filmu. Głowa ciąży, mgła i… Jung się wypowiada na mój temat. Znów wie, skąd jestem, do czego przynależę, czego jestem odpryskiem i co w sobie zawieram. Wszystko w sobie zawieram, a teraz najwięcej ludzkiego, tępego zmęczenia. Odrętwienia i omdlałości. Ja też zasypiam. Na krótkie sekundy łaskawej, błogosławionej, przenajświętszej niepamięci.

NA KORYTARZU

Śpię, nie śpię. Trochę odpoczywam. Wiem, gdzie jestem. Jestem w szpitalu, siedzę na korytarzu. A teraz jestem już w Popielawach, przy bobrzej tamie wpasowanej między pochyłą wierzbę i strzelisty jesion. Próbuję sobie przypomnieć ten moment… Jest. Już mam. Jesień, jakieś osiem miesięcy wcześniej, jakiś wrzesień, w kilka dni po rozwodzie. Nic nie wiem o niczym. Chodzę skołowany i przyduszony. Do komunikowania się ze światem używam wielu skomplikowanych, wykwintnych, kamuflujących zdań. Pustka. Z niej się głównie składam, chociaż obok Muszelka. Uciekam od niej do… pustki. Dużo mówię. Często dzwonię do matki. Dowiaduję się, że dobrze się czuje, że kot obejmuje ją łapkami za szyję, i że rezygnuje już z odchudzania suczki Ziutki, bo to nie jest potrzebne ani jej, ani psu. A z rozwodem, to chyba sam wiem najlepiej... Powinienem się trzymać raz podjętych decyzji. Tak robią mężczyźni. I że jeszcze wszystko będzie dobrze.

– Zobaczysz, jeszcze się będziesz umiał cieszyć.

– I zabiorę cię do Wenecji...

– I zabierzesz mnie do Wenecji.

No więc jesień po rozwodzie. Siedzę w Popielawach przy bobrzej tamie. Podziwiam, fotografuję. Nagle wpada mi do głowy pomysł na ratunek. Sięgam po zeszyt i długopis. Piszę pośpiesznie. W pół godziny powstaje szkic filmu. Jeszcze tego samego wieczoru dzwonię w kilka miejsc i dostaję kilka obietnic. Tak. Ten film mnie uratuje. Zabierze mnie z krainy boleści do innej krainy. Też bolesnej, ale lepiej rozpoznanej. Z jakimiś granicami, z jakimś brzegiem, do którego można dotrzeć, i ścianą, pod którą można usiąść i jebnąć w nią łbem. Nie śpię tej wrześniowej nocy. Już o świcie jestem z powrotem tam, u bobrów. Prawie słyszę uderzanie bobrzych ogonów o wodę. Ogłaszają się. Te Popielawy należą teraz do nich, i jeszcze do gminy oraz do dzierżawcy siedzącego w więzieniu. Mam plan. Zrobię film o człowieku, który wraca, a potem sam tu wrócę, odłowię bobry, wywiozę je na koniec Polski, odzyskam Popielawy, rozbiorę tamę na rzece, tak jakbym rozbierał ją w sobie. Popłynie woda oczyszczająca. Znów będę przez chwilę Sandulkiem, a kiedy woda już odpłynie – będę nowym, dorosłym, pogodzonym ze sobą Sandowem. W moim planie wszystko jest proste, więc zaraz przystępuję do jego urzeczywistniania. Jestem człowiekiem czynu, wojownikiem, przedwojennym siłaczem z pocztówek. Zwołuję naradę; stawiają się do bezwarunkowej dyspozycji – Piotrek, Michał, Muszelka, znany aktor, Jacek, Kazio, Wojtek, Fredek, Małgosia, Danusia, brat Włodek, Monika, Grześ, Maniek, siostry scenograficzne, Tomaszek i jeszcze kilka osób. Ale na razie potrzebuję tylko paru ujęć jesiennych, bo scenariusz zaledwie naszkicowany. Paru jesiennych, a potem paru zimowych. Cała reszta na wiosnę. Dzwonię do mamy. Cieszę się przez telefon.

– Robię film. Tak jak moi studenci. Tak, jakbym dopiero zaczynał. Prawie bez pieniędzy, ze szkicem pomysłu, aparatem fotograficznym, z pomocą przyjaciół.

Matczysko się cieszy. Odpowiada dziwnie słabym głosem.

– To dobrze, Sandulek. To bardzo dobrze.

Znów nie śpię w nocy. Stilnox robi co może, ale tym razem nie może wiele. O świcie jadę do Popielaw. Podjeżdżam, zatrzymuję auto, wysiadam. Od razu widzę, że coś jest nie w porządku.

Mgła wprawdzie zaciera kształty, zmiękcza, ale nie jest w stanie ukryć zniszczeń, które dokonały się przez tę noc. Coś wdarło się między drzewa, jakaś maszyna zwalista, żelazna i twarda. Leżą na ziemi odrąbane gałęzie, puszki po piwie, niedopałki papierosów. Idę za śladami wielkich kół. Prowadzą w kierunku stawu. Do tamy. Już wiem, chociaż jeszcze nie widzę. Tamy nie ma. W jej miejscu zieje potworna dziura wyrwana szczękami maszyny. Obok, na skarpie, leży zawartość budowli; zmieszane ze sobą żerdzie, gałęzie, patyki duże, średnie, małe, trzcina, muł, plastikowe worki, butelki, zwały gliny i świeżo nasuniętej ziemi. To, co zabrał nurt, wala się wzdłuż rowu. W skarpie, poniżej niedawnego lustra wody odkrywam wejścia do żeremi. To przy samej tamie nie jest duże. Widać mieszkał tu bóbr pilnujący spokoju, ale... nie upilnował. Wyjmuję aparat z torby, robię zdjęcia. Staw wygląda upiornie. Muł paruje jak w mrocznej baśni, żaby próbują wydobyć się spod kożucha zielonkawej oblepiającej mazi. Całe dno rusza się jak żywe. Liczę wejścia do żeremi – jedno, dwa, trzy, cztery, pięć... Podchodzę bliżej. I tu operował najeźdźca. Podkutym butem, szpadlem i łomem. Sklepienia żeremi są zarwane, budulec rozrzucony dookoła. Fotografuję. Czuję, jak z żył powoli odpływa adrenalina, a wraz z nią podniecenie. W ich miejsce rodzi się żal. I wielkie bolesne wkurwienie. Już wiem; nie będzie filmu, nie będzie ratunku, nie będzie powrotu. Inny ludzki plan wyprzedził moje zamiary. W tym planie nie było rachub górnych i rozrzewniających. W nim chodziło tylko o przegnanie bobrów na inne stawy, by podtapiały inne, niepopielawskie pola. Nawet to rozumiem, ale wkurw nie chce ustąpić. Więc jadę na śledztwo. Szybko odkrywam sprawców. Dzwonię po Williama. Przyjeżdża Anglik z francuską krwią królewską. I on jest wkurwiony, ale nie traci klasy. Wykwintnie tłumaczy chłopom ich winy i możliwe kary. Kiwają głowami, mówią coś o spółce wodnej, o zbiorach i szkodach. Mają swoje proste, ciężkie, chłopskie racje. Ale ja mam swoje. Grożę, że oddam pod sąd. Chodziłem z nimi do szkoły, więc patrzą jak na idiotę. I już nie lubią, chociaż wczoraj lubili.

– No co ty, Sandow... zwariowałeś? Przecież to bobry, a my jesteśmy ludzie. Jak... na policję? A niby jakim prawem?

Nie potrafię wytłumaczyć. I William, choć potrafi wytłumaczyć wszystko – też nie potrafi. Obiecują, że już nigdy więcej, że „za żadne skarby świata"... Tylko żeby ta „gadzina" nie wracała...

Gadzina nie wraca. Siedzi gdzieś poukrywana w przepustach i trzęsie się ze strachu. Ja też trzęsę się ze strachu. Nie mam już celu w życiu. Moja rozchwiana wiara w duży, wyraźny, zasadniczy sens podzieliła się na maleńkie ufności w sensy mikroskopijne. One trzymają mnie jeszcze przy rozumie. Wraz z chłopskim najazdem na bobry wiele z tych mikroskopijnych sensików rozpadło się. Przestało istnieć.

Wracam nad nieobecną tamę. Sięgam po patyk. Rzucam go na dno rowu. Potem sięgam po jeszcze jeden patyk i jeszcze jeden... I już wiem – jestem bobrem, któremu odebrano ojczyznę. Tak, jestem nim. Właśnie zaczynam budować nową tamę.

Buduję. Przez pierwszą godzinę robię to bez namysłu. Chodzi mi przede wszystkim o ulgę i ulga przychodzi, ale to za mało, żeby tama chciała stać i opierać się wodzie. Jej potrzeba spokojnej głowy i bobrzej, precyzyjnej inżynierii. Idę wzdłuż rowu, zbieram wyniesione przez wodę żerdzie, kamienie, trzcinę. Gromadzę budulec w jednym miejscu. Próbuję sobie przypomnieć, jak to szło; najpierw patyki wbite w dno, skośnie, skierowane pod prąd, za nimi kamienie polne (skąd bobry wzięły kamienie?), ułożone za tym patykowym częstokołem, dalej – muł zmieszany z gliną, kolczaste gałązki głogu i tarniny, trzcina, drobne gałązki wierzbowe, leszczynowe i osikowe. Dopiero teraz można sięgać po żerdzie. Buduję, staram się myśleć jak bóbr, brodzę w wodzie, kaleczę palce, marznę, klnę, odnajduję na dnie duszy drobniutkie szkiełka radości.

Słońce pali. Ani śladu wilgoci w powietrzu, a potrzebny jest deszcz. Bez tego staw nie napełni się wodą. Czekam. Strumyk wzbiera nieśpiesznie. Zdjęcia za tydzień, w niedzielę. Tylko wtedy aktor ma czas. Nie zdążę. Nie zdążymy.

W nocy deszcz. Ulewa z burzą. Niebo rozpala się do białości. Tama! Wsiadam do auta, jadę. Wycieraczki jęczą od wysiłku.

Kiedy dojeżdżam, żywioł wchodzi właśnie na najwyższe obroty. Nawet nie muszę zabierać latarki, bo błyskawice zachodzą na siebie i robią mi dzień z nocy. Nie ma liści na drzewach. Wiatr je poprzeganiał. Tamy też nie ma. Poddała się. Woda wali rowem jak oszalała. Żółtawa spieniona breja. Zabiera z budowli ostatnie patyki i kamienie. Znów wiem, że człowiek myśli jak człowiek, nie jak bóbr. I ten głupi człowiek to ja. Właśnie zdejmuje z siebie ubranie (on – ten dureń), wskakuje nago do rowu, próbuje zastąpić drogę wodzie, powstrzymać ją przed płynięciem, a woda płynie, bo musi. I nie chce być uprzejma dla tego śmiesznego pana w średnim wieku. On jej nie powstrzyma, choć jest silny i uparty. Choć stoi w tej wodzie już prawie pięćdziesiąt lat.

Rano wzywam posiłki. Przyjeżdżają siostry scenograficzne, Michał, Piotr i Tomaszek. Budujemy od nowa, tym razem – po ludzku. Na spód idą kamienie ułożone za ostrokołem i oblepione gliną. Na to kładziemy kilka warstw plastikowych worków z ziemią, potem żerdzie skierowane grubszymi końcami w dół strumienia. Woda ciągle spływa z pól. Nasza tama zatrzymuje ją w stawie. Wlewa się do bobrowych dziur, zatapia je bez pośpiechu. Chyba jednak się uda.

Jest niedziela. Kręcimy. Aktor próbuje znaleźć właściwy ton. Nie miał wiele czasu na próby, więc teraz robi głupstwa, szuka drogi, proponuje postać, którą przywiózł z innego planu, od reżysera z serialu. Ale toto nie chce tu pasować, bo nie jest stąd, tylko stamtąd, z krainy łatwości. Więc nie chce się przykleić do naszego gorzkiego powietrza. Jedna próba, druga, trzecia... Wreszcie rodzi się odrobina prawdy. Aktor spogląda mi w oczy; na koniec znajduje w nich akceptację. Oddycha z ulgą. Po południu przychodzi Muszelka. Nic nie mówi, tylko patrzy. I uśmiecha się głupio. Jakby chciała powiedzieć: „ja coś wiem, ale... nie powiem". I kręci przy tym kruczym łebkiem, aż jej podskakuje antenka na bereciku. Już wiem, że będzie rozmowa.

– No co? – pytam.

– No... nic – odpowiada.

– Wiesz coś, co chcesz, żebym wiedział, ale nie powiesz.

Kiwa antenką na bereciku.

– Co?

– Nie powiem.

– Mów, czarny łebku, bo tracę cierpliwość.

– A... to.

Wyciąga rękę z testem ciążowym. W prostokątnym okienku dwie pomarańczowe kreski. Wpala ślepia w moje oczy. Ale ja nie od razu rozumiem.

– Czy to jest?...

– Tak, to jest... test ciążowy, geniuszu.

Już marszczy nos. Będzie ryczeć.

– Nie cieszysz się. Wcale się nie... cieszysz.

– Bo jeszcze nie wiem, co czuję. Jesteś pewna?

Kiwa głową. Jest rozczarowana reakcją ojca jej dziecka, choć dziecko jest dopiero kuleczką stu komórek próbującą przykleić się do ścianki macicy.

– Jak to sprawdziłaś?

– Nasikałam na ten pasek.

– Skąd go masz?

– Kupiłam w aptece.

– W jakiejś porządnej czy tu, na wsi?

Patrzy z dezaprobatą. Znów sięga do kieszeni. Tym razem wydobywa całą garść pasków, jakieś dwadzieścia sztuk.

– Osiemnaście pasków z sześciu aptek. Na wszystkie sikałam.

– I co?

– Osiemnaście razy pozytywnie. Mamy dziecko.

Przyciągam ją. Ciągle nie wiem, co czuję, ale przytulam matkę mojej Blastocysty z kosmatymi wypustkami.

Wieczorem kupujemy dziesięć kolejnych testów. Wszystkie mówią to samo. Będziemy ojcem i matką.

KORYTARZ PO RAZ DRUGI

Budzę się na korytarzu. Wielkie pomieszanie światów. „Spokojnie, spokojnie"... – mówię mojej zdezorientowanej głowie. Zaglądam do sali z komputerowymi łóżkami. Mama śpi.

Przypominam sobie – jestem w szpitalu, we Wrocławiu. To bycie tutaj dzieje się naprawdę, nie jest napisane. Zresztą nawet nie umiałbym napisać takiego filmu. A gdybym jednak umiał, to co wtedy? Czy mój napisany bohater poradziłby sobie lepiej przy łóżku matki niż ja? Nie wiem. Nie chcę przypuszczać.

Za drzwiami jakieś poruszenie. Wchodzi... Krzyś. Mój aktor z przeszłych filmów. Przyjechał z Warszawy. Ciągle jesteśmy tylko częściowo pojednani. Brakuje jednego słowa: „przepraszam". To ja powinienem je wypowiedzieć. Krzyś myje swoje duże, piękne, uwodzicielskie dłonie. Stoi przy umywalce, zasłaniając cały świat wielkimi mocarnymi plecami. Nagle plecy zaczynają drżeć, poruszone płaczem. I już jest Krzyś małą dziewczynką w sukience w kropki. Maleńką zasmarkaną biedronką w plastikowych butkach z kulki. Za złotówkę.

Idzie do mojej mamy, bo ją sobie przygarnął po śmierci swojej. Siada, i wtedy Halinka się budzi. Poznaje swojego przybranego synka, chce się ucieszyć, ale chyba nie ma siły. Przestraszone niebieskie oczy. Dużo mikroskopijnych, zbyt krótkich oddechów. Krzyś nie wie, że już umierała. Teraz znów zabiera się do tej roboty. Maszyna zaczyna pikać coraz głośniej, a potem nawet strzelać i iskrzyć. Wpadam w panikę, biegnę po lekarkę, ale ona już wisi nad Halinką. I już wie. Trzeba intubować. Tłumaczy się przestraszona.

– Ja rozmawiałam z chorą... ja pytałam, udusi się w ciągu

godziny, jeżeli jej nie zaintubujemy... respirator, rura do tchawicy, powietrze do oddychania, ona mówiła, żeby... w razie czego... żeby zaintubować.

– Ale czy to jest... czy to może być... odwracalne?

Nie odpowiada. Tylko patrzy wymownie. Czeka. Spoglądam na starszego brata. Kiwa głową. Znów wszystko wraca do mnie. Ja muszę wypowiedzieć słowa. Najmłodszy syn, jej kochany Sandulek. Więc wypowiadam.

– Proszę mamę zaintubować.

Wypraszają nas. Przyjeżdża ekipa z respiratorem. Teraz on będzie oddychał za moją matkę. Usypiają maleństwo. Dużo płynów do żył. Całe morze znieczuleń. A potem wpychają rurę do gardła i naciskają elektryczne guziki. Rusza maszyna ssąco-tłocząca. A my? Nic tu po nas. Więc wychodzimy jak zbite psiaki, szeleszcząc foliowymi torebkami po całym korytarzu.

Wracam w nocy. Mama śpi elektrycznie. Maszynowo i pompowo. To cud, że ciągle żyje. W sercu ma dwie sztuczne zastawki, pod skórą rozrusznik, w nosie sondę prowadzącą do żołądka, w przełyku rurę od respiratora, w małych dłoniach wenflony z rurkami do kroplówek, w pęcherzu cewnik połączony z plastikowym workiem. Śpiąca królewna w pałacu z igieł. Patrzę na worek. Wzbiera żółtym płynem. To piękny widok. Siedzę i tylko patrzę, i nie mogę się napatrzeć.

Wychodzę na korytarz. Próbuję zrobić porządek z myślami. Układam je w pewnych odległościach od siebie, z odstępami, żeby nie wpadały na siebie jak głupie. Więc jestem teraz w szpitalu. Siedzę na korytarzu przygnieciony wielkim poczuciem winy. Nie zdałem egzaminu. W chwili próby nie wypowiedziałem właściwych słów. Teraz staram się je znaleźć, choć to już nikomu niepotrzebne. Może tylko mnie, żebym lepiej wypadł przed sobą. Matka śpi. Jutro pojadę do Popielaw, do swojego filmowego domu. Może odezwą się do mnie święte obrazy? Właściwie bardzo na to liczę. Przygotuję sobie jakąś ładną przemowę. Będę w niej wzruszającym bohaterem z sercem z ciasteczek. Dobrym, dbającym Sandulkiem, który zawsze potrafi znaleźć właściwe słowa. Na razie ciągle jeszcze jestem tu i szukam w pamięci fragmentu sprzed miesięcy, żeby dokleić do niego dalszy ciąg historii z bobrami. O tym teraz chcę myśleć na szpitalnym korytarzu.

ŻYCIE WSCHODZĄCE

Blastocysta w Muszelce właśnie wkopuje się w śluzówkę macicy, w endometrium, i zaczyna zasysanie tłuszczów, białek oraz cukrów. Jeszcze nie ma koloru oczu, włosów ani pary odstających uszu, ale już ma projekt na nie. Będą takie właśnie, jakie będą, i to już wiadomo, choć mojego dziecka nie da się jeszcze zobaczyć gołym okiem (bo jest zbyt małe).

Jesienne zdjęcia za mną. Co się sfotografowało? Coś. Na razie nie wiem co, bo patrzę głównie na brzuch Muszelki. A w nim drobinka gimnastykuje się i powiększa. Jestem obywatelem spoza brzucha, z przestrzeni otwartej i nieogarniętej, więc – jako taki – nic nie widzę. A tam zapewne uciera się już ziarno przyszłych zachwytów („popatrz, tatusiu... jaki piękny świat"...) i przyszłych projektów od–do. Wszystkich możliwych. Od zera do nieskończoności.

Muszelka rzyga przepisowo („jestem światową specjalistką od rzygania"). I jęczy: to za słodkie, to za kwaśne, tamto zbyt mdłe i gorzkie. Nie przeklina. Jej mowa jest teraz wykwintna i salonowa („dziecko wszystko słyszy"). Nie przeszkadza jej fakt, że dziecko mieści się na razie na czubku igły (i że na ten rozległy plac mogłoby zaprosić jeszcze parę koleżanek oraz kolegów). I załatwia ubranka z drugiej ręki („są dużo, dużo tańsze, na przykład ten pajacyk za trzy złocisze"). W mieszkaniu wydziela magazyn na sweterki, pajacyki, majtki, kombinezony. Na rzeczy tak małe, że ojciec przyszłego dziecka prawie nie zdejmuje okularów. I zachwyca się (ona – ta Muszelka).

– Zobacz, Sandow... czy to nie słodkie? Tu misie, a tu kaczorki, a tam... pieski i koniki pony. Różowe, zielone, niebieskie i białe jak śnieg. O, i jednorożec na majtkach, a na pajacyku „Hello Kitty". Jak ona będzie w tym ślicznie wyglądać...

– Skąd wiesz, że... ona? Może on?

– Dziewczynka, dziewczynka…

– Ale… skąd to wiesz? Bo może ja chcę… syna? To się w ogóle nie liczy?

– Liczy się, ale to jest dziewczynka. Ja to po prostu, normalnie… czuję. Wszystkimi wypustkami mojego jestestwa.

– Czym? Jak ty zadziwiająco mówisz.

– No widzisz. Jeszcze nieraz cię zadziwimy – ja i moja córka.

I już mam powód do udręki. Chłopak to jest chłopak. Chłopak to przede wszystkim – ja. Niech mnie zadziwia syn. Dość już mam bab dookoła. Tak mówię do siebie, bo brzuch z ziarenkiem w środku i tak nie słucha.

Jadę do Popielaw posłuchać świata. Tego spoza brzucha i spoza miasta Łodzi. Jesień podchodzi już pod zimę, powietrze nastraja się na nowe częstotliwości. Słychać w nich głosy przysłane z daleka; gwizd pociągu od stacji w Łaznowie, szczekania najmniejszych przyziemnych burków, wiatr wpuszczony między grające gałęzie wierzb, lip i grabów. Idę, a gruda chrzęści pod nogami. Odzywa się srebrzyście. Pejzaż znajomy, ale czegoś mi brakuje. Tak, to pewne. Odczuwam w tym wrośniętym w żebra pejzażu jakiś deficyt, jakiś brak znaczący. Nie ma w nim czegoś, co powinno być – wyraźnie i bezsprzecznie. Definitywnie. Staję, przeglądam w pamięci filmy dziecięce, sandulkowo-babcine i sandulkowo-dziadkowe. Tu dąb szypułkowy, tam aleja z grabów, jeszcze lipa raz, lipa dwa, kasztan, drugi i trzeci, znów dąb i teraz wielka topola... Dziura. Prześwit. Jezu... nie ma jej. Nie ma wielkiej topoli. Gdzie jest?! Biegnę w tę pustkę, w tę topolową nieobecność, a ekran już wyświetla tamte wierne obrazy. Oto topolowy wieczór, czterdzieści pięć lat temu. Sto tysięcy ciekawskich kropek nad głową Helenki. Ale ja poznaję inny nieboskłon, oddany mi na tę noc bezwarunkowo. Poznaję dłońmi, oczami, podbrzuszem. Ona leży na kocu z ubrań. Jej nagie ciało bieleje i świeci. Helenka. Moja Helenka. Biel zaprawiona odrobiną niebieskości. Biel nocna. Wszystko, czego dotykam – szyja, ramiona, piersi, brzuch, wnętrza ud – zakwita gęsią skórką. Milczę. Nawet nie układam w głowie słów, bo nie znam jeszcze żadnego na taką okazję. Gwiazdy lecą dziesiątkami. Dłoń Helenki jest szorstka i przyjemna. I wie, co robić. Jeszcze trochę milczenia i jeszcze trochę, wreszcie Helenka odzywa się:

– Już zawsze tak będzie. Nawet jak wyjedziesz. Nikomu nie oddam tego miejsca pod topolą.

Wzruszam się. Po ogrodzie zaczynają już krążyć latarki naftowe, słychać babcine nawoływania, ale Helenka nie kończy miłosnej roboty. Przeciąga. Mam zapamiętać na zawsze. Za chwilę czuję omdlewającą słodycz pod brzuchem, zapach migdałów, piołunu i malin.

A teraz jest październik jakieś czterdzieści pięć lat później. Stoję nad rowem łączącym dwa stawy – mały i duży, w okaleczonej topografii, w niepełnej, okradzionej przyrodzie. Patrzę na topolę i nie mogę uwierzyć. Wielkie majestatyczne drzewo leży na skos rowu. Upadając, zabrało ze sobą sporo mniejszych drzew, ale dzikie bzy i głogi nie miały mnie w pamięci. Mnie i Helenki. Więc mam to raczej w dupie. Wkurwienie, jakie na mnie spada, dotyczy tylko tego jednego, wielkiego drzewnego egzemplarza – tejwłaśnietopoli powalonej przez bobry. Bo to ich robota. Wróciły – gniewnie i głośno. To ich wojenny okrzyk. A raczej „jego", jakiegoś oszalałego z nienawiści olbrzyma – dowódcy. Samca alfa. Cięcie, miejsce, w którym przełamała się topola, wypada jakiś metr nad ziemią. Widać wrośnięty w skarpę mocarny pień, przy nim potężne korzenie, okrywę z grubej kory, dalej pomarańczowe łyko i biały miąższ drzewny obrobiony na kształt ołówka. Dookoła kupki wiórów oznaczone bobrzymi odchodami – wizytówka z zamaszystym, pogardliwym podpisem. Wkurw narasta. Nie wiem, co robić. Przywróciłem bobrom tamę. Znów mają miasto podwodne, korytarze do znikania, nory do miłości i setki bardzo smacznych drzewek. Co więc znaczy ten najeźdźczy komunikat? Czym krzyczy? Wypowiedzeniem wojny? Tak, to jest uderzenie w sam środek mojego serca. Ogłuszający strzał w ryja, bo przecież ta wielka topola do niczego nie jest im potrzebna. Zabicie topoli jest ogłoszeniem o powrocie – stanowczym i niebudzącym wątpliwości. Takim, który nie zniesie sprzeciwu czy nawet najmniejszego komentarza strwożonego adresata. Bo jedno pośród tych niepewności jest pewne – to ja, Sandow, jestem adresatem tego ogłoszenia. Więc przyjmuję je do wiadomości. I już biegnę nad drugi rów, i już jestem tylko w majtkach, i już stoję pośrodku rowu, a naprzeciwko ona, wielka, dobrze zbudowana bobroludzka tama.

To dookoła – trzy hektary lichej ziemi, stary dom, stare drzewa – to moja Ojczyzna. Stąd pochodzę, więc... albo one, albo ja. Nie mam wyjścia. Rzucam się na tamę jak desperat, wyciągam największe żerdzie, odsłaniam miejsca dla wody i ona, woda, zaraz korzysta z zaproszenia. Strumyczek zamienia się w strumień, ten powiększa się, olbrzymieje, zwiększa moc napierającą. Pomagam. Znajduję między żerdziami worek z ziemią, dziurawię go na wylot, wpuszczam wodę w sam środek konstrukcji. Nie oszczędzam rąk. Zimno znieczula mnie całego. Tylko w głowie gorączka. Nic z przemyślności, precyzji czy planu powziętego najpośpieszniej. Czyste emocje. I nienawiść. Tama chwieje się, wreszcie wybucha i zwala się na idiotę z siłą górskiego wodospadu. Wszystkim, co niesie: mułem, trzciną, kamieniami, workami z ziemią, a nawet żabami i kaczym gównem. Idiota upada na wznak, topi się przez chwilę, krztusi, parska, ale zaraz wydobywa się z kipieli, chwyta gałąź i z jej pomocą wychodzi na ląd.

Ten idiota to ja. Ja – teraz patrzę z dumą na dzieło zniszczenia. Miesiąc wcześniej, o świcie złodziejskim, we mgle po kolana, stali tu (szeroki obiektyw, jakieś 16 milimetrów, widzę ich od dołu, w przerysowaniu, w bobrzej perspektywie) obywatele ze wsi. Chłopi zachmurzeni, z czołami stalowymi, pomarszczonymi od namysłów, jak by tu dobrze i skutecznie wygnać gadzinę w świat. Żeby przepadła, żeby wyzdychała na wieki wieków amen. Teraz ja tu stoję, ociekając wodą, krwią z ran walecznych i kaczym gównem (oraz gównem dwóch czapli siwych). I podoba mi się to stanie. To mi się w nim mianowicie podoba, że odkrywam poprawę wzroku, słuchu i węchu. Oto odradza się we mnie ciemny, uśpiony instynkt. Zwierzęcieję, a może właśnie uludzczam się w jakimś szalonym, dzikim przyśpieszeniu. Wciągam powietrze nosem i od razu czuję zapach piżma oraz salicylu, obok niego zaś delikatniejsze nuty bobrowego stroju. To znaczy, że ten drzewołom, ten zębodrwal i alfacwaniak, zdążył już oznaczyć mój teren jako swój. Niedoczekanie! Teraz ja, pięćdziesięciosześcioletni ojciec dwóch córek, kawaler dwóch orderów, profesordrhab. od filmu, udaję się w pobliże największego z bobrzych żeremi, tam wydobywam z gaci przyrząd do oznaczania i celując w sam środek chałupy bobra – zostawiam swój zapach na jego suficie. A potem znajduję kolejne dachy i zostawiam kolejne wizytówki.

Wracam do domu. Muszelka nie może uwierzyć.

– Nasikałeś im na dachy? Sandow, jak ci nie wstyd? Przecież to im pogorszy komfort mieszkania… w tych ich… podwodnych domkach. A jak przyjdą na świat ich dzieci, te małe puszyste boberki z ząbkami, to jak one się tam będą czuły? Wyobrażasz sobie? Od urodzenia zasikane przez człowieka.

– Nie przyjdą tam na świat, bo do tego nie dopuszczę. Wtrącę się w ich życie seksualne tak stanowczo, że porzucą myśl o prokreacji oraz ścinaniu drzew, naprawianiu żeremi, gromadzeniu zapasów i budowaniu tamy. O wszystkim.

– Tamę przecież... mają. Zbudowaliśmy. Nie powiesz chyba...

Spuszczam łeb. Trochę mi wstyd, ale mówię prawdę.

– Nie mają tamy. Rozwaliłem.

– Całą? Ze wszystkim?

– Całą.

Muszelka zaniemówiła. Kręci głową, posyła jakieś myśli w głąb czarnego łebka, wdaje się w dyskusje z wewnętrznymi racjami, rozstrzyga, wreszcie wypuszcza rezultat na zewnątrz. Kształt wywodu jest imponujący.

– Ty jesteś Sandow, a one są one. Każdy ma swoje powody. Pośród twoich powodów jesteśmy my, czyli ja i ona (pokazuje na brzuch), więc twoje powody są ważniejsze.

Oddycham z ulgą. Rozumiem, że mam upoważnienie. Zresztą gdybym go nie miał, to i tak bym miał. Ale łatwiej jest walczyć ze wstążką przypiętą do zakutego łba. Więc przypinam i już jadę z powrotem na pole walki.

*

Noc księżycowa. Dojeżdżam. Z daleka słyszę szum strumienia. Woda spada z dużej wysokości. Moje wyczulone zwierzęce ucho przyjmuje tę informację z niepokojem. Biegnę. Staję jak wryty. Bobry przyjęły wyzwanie. Odnowiona tama ma już metr wysokości. Dranie są tuż-tuż, bo od stawu płyną porzucone wierzbowe gałęzie. Wszystkie świeżo ścięte. Rozbieram się, zakładam na głowę lampkę czołową, zanurzam ręce pod wodę. Tym razem pracuję metodycznie. Najpierw sprawdzam warstwy. Nie ma zaskoczeń. Przepis jest powtórzony kropka w kropkę. Bobrowy jebany przekładaniec. Zaczynam od żerdzi największych. Zdejmuję warstwę po warstwie. Resztę robi woda; wypłukuje muł, trzcinę i drobniejsze gałązki. W godzinę jestem po robocie. Znowu moje na wierzchu.

ŻYCIE SCHODZĄCE

Budzę się na korytarzu. Podchodzi pielęgniarka, patrzy w oczy, coś chce powiedzieć, ale rezygnuje. Odchodzi, wraca.

– Niech pan jedzie do domu. Ona będzie teraz spała. Długo. Niech pan jedzie odpocząć...

Jadę do domu z filmu (tego z gadającymi obrazami na ścianie). Od życia schodzącego do tego drugiego życia. Jedno w dół, drugie w górę. Wkurwia mnie ta symetria. Liczę w głowie, dodaję dni do dni. Wychodzi mi, że dziecko przyjdzie na świat w okolicach pogrzebu. Że przez jakiś czas będę w tej samej aptece kupował pampersy w dwóch rozmiarach – najmniejszym (córka) i największym (matka). Układam rozmowę z panią magister.

– S (Sandow): Dzień dobry.

– PM (pani magister): Dzień dobry.

– S: Czy są pampersy dla niemowlaków dwa do pięciu kilogramów?

– PM: Są.

– S: To poproszę paczkę.

– PM: Coś jeszcze?

– S: Czy są pampersy dla dorosłych?

– PM: Są.

– S: To poproszę paczkę.

– PM: Jaki rozmiar?

– S: A jakie są rozmiary?

– PM: Small, medium i large.

– S: Poproszę… small.

– PM: Proszę bardzo.

– S: Dziękuję.

Taki dialog jest możliwy, więc uczę się na pamięć.

Dojeżdżam w środku nocy. Stróż pilnuje rekwizytów, statywów, monitorów. Wita się ze mną.

– Jak matula?

– Żyje. Śpi.

– To dobrze. Niech śpi. Sen jest najlepszy na chorobę. Ty się też prześpij parę godzin, bo jutro chyba zdjęcia?

– Tak, jutro... to znaczy dzisiaj... kręcimy.

Kładę się. Rytuał ten sam; wojskowy materac na podłogę, prześcieradło, kołdra, poduszka, butelka na mocz, stilnox. I znów mi się chce palić jak cholera. Ale nie zapalę. Jestem na to za głupi. Nie zadbam już nigdy o siebie.

– No i jak? – zwracam się z pytaniem do ściennych mądrali. Nie odpowiadają. Nasłuchują ze wstrzymanymi oddechami.

NOGA ZA NOGĄ

Film postępuje do przodu. Lezie, wlecze się noga za nogą. Ale i tak ledwo nadążam. Skreślam stare sceny, wpisuję nowe, nie tłumaczę się nikomu.

Mama śpi.

Jadę tam, trzymam za pergaminową dłoń, wracam. Już nie wyprawiam się po jajka do pani Karzatki, bo zbyt wiele znaczą. Przyjdzie czas, to jeszcze kogoś nakarmią. Na razie zdejmuję z kur nadludzką misję. Powoli stają się znów zwykłymi wyrobniczkami z podwórka. Dziobią pszenicę jak pszenicę, skubią trawkę jak trawkę, gdaczą, łażą, rozgrzebują piach, kurzą kurzym kurzem. Czasem któraś przypomni sobie górny trud znoszenia jaj szpitalnych, zadrze łebek w zamyśleniu i wypuści spod powieki szczerozłotą łzę. Popielawskie kury heroiczne.

PRZYKLEJAM

Przyklejam tamto do tego. Nie myślę o kompozycji. Niech sama myśli o sobie. Wracam do rozebranej tamy. Po październiku jest listopad. Już mam wodery (wysokie rybackie kalosze z szelkami), kilka latarek, pręt zbrojeniowy do walki z żeremiami. Jestem dobrze wyposażonym zawodowym niszczycielem. Nie pozwalam bobrom się osiedlić. Gaszę w zarodku każdą próbę odbudowania chałup, gromadzę wiedzę, owijam drzewa siatką ogrodzeniową, oświetlam, zawieszam lampki z bateriami słonecznymi. Ale próbują. Noc w noc. Więc przyjeżdżam też nocami, skradam się z kamieniem, chcę złapać na gorącym uczynku. Na darmo. Wczuwają się i wmyślają w mój rytm. Zmieniam więc system, łamię go, nicuję. I to nie pomaga. Za każdym razem czeka na mnie kawałek nowej tamy, spiętrzona woda i wiele martwych drzewek. Na brzegu przybywa budulca. Na wszelki wypadek gromadzę go dość daleko od stawu. Mam już wielką górę gałęzi. Na początku grudnia, kiedy lód na dobre ścina potok – zwalniają.

Tracą siły. Z każdym dniem ubywa gałęzi na tamie i woda... opada. Wreszcie, któregoś dnia, strumienie – ten przed i ten za tamą – zrównują się. Z dwóch uporów ten mój, ludzki, okazuje się silniejszy. Bo to one zrezygnowały, odpuściły, poddały się.

Ogłaszam zwycięstwo. Upojony nim dzwonię do mateczki. Słyszę słaby głos. Nadrabia tonem, temperaturą rozmowy. Chwali się krzyżówką w „Przekroju". Sześć poziomo i dziewięć pionowo. Ale trzyma coś na końcu języka. Coś czekającego w kolejce. Wreszcie to wypowiada.

– Zrobiłam testament, Sandulek. Taki przepisowy, u notariusza. Chatka pójdzie dla wnuków, na trzy. A jak się urodzi to... czwarte, to jakoś dopiszemy...

– Przecież nie umierasz.

– Ale nie chce mi się już żyć. I jeść mi się nie chce, i wstawać, i kłaść się spać. Schodzę w dół. Czuję to. A ty trzymaj się swoich planów. Nie rezygnuj, synku.

Nie ma dla mnie więcej słów. Nic dla przeciwwagi, dla wyprowadzenia rozmowy na zero. Żeby obojgu nam się opłacało. Milczymy. Tym razem nie wyjdę na swoje. W słuchawce słyszę tykanie jej zastawki. Siedemdziesiąt pięć elektrycznych impulsów na minutę.

– To wszystko, mamusiu?

– Tak, to wszystko, Sandow.

CIEPŁA ZIMA W POPIELAWACH

Jest ciepła zima. Ani śladu śniegu. Tylko poranki skrzą się szre-nią ponocną. Woda w stawie zamarza, ale lodowy nabłonek utrzymuje się ledwie przez chwilę. Mimo to – cisza. Żadnego ruchu w wodzie. Na wszelki wypadek likwiduję bobrom spiżar-nię wielką górę gałęzi spławionych w okolice głównego domu. Wyprzedzam możliwe zdarzenia, ale w głębi serca czuję, że stworzenia odpuściły. Więc oddycham coraz bardziej swobod-nie i chodzę, i obserwuję. I rozpoznaję w okolicach przepony drobne ukłucia, mogące oznaczać – tak, tak – nawrót nie cał-kiem utraconej zdolności do... cieszenia się. Dławię je, by nie wystawiały się na widok zbyt nachalnie. To jest przecież tylko zima i tylko przyroda, i tylko Kraj Ojczysty Popielawski. Nic więcej. Więc niech nie wariują. Uwolniony od codziennej i co-nocnej mordęgi z bobrami zaczynam też widzieć inne stworze-nia. Dwie czaple siwe, kaczki, lisy, bażanty, a nawet wydrę i ła-siczkę. Nad drzewami zaś jastrzębie, kruki, sójki, w gałęziach sporo rozwrzeszczanej drobnicy. Żyje toto krzykliwie i bez wi-docznego wysiłku. Odwrotnie niż ja. Więc patrzę. Może czegoś się nauczę.

Małe rośnie w brzuchu Muszelki. Jedziemy razem na USG. Dostrzegam kształt ludzki niewielki, coś jak główka, nóżki i rączki, ale maleńkie to jak okruszek, pięć centymetrów albo sześć. Na wszelki wypadek zachwycam się urodą okruszka i chwalę przeczucia Muszelki co do płci, bo to przecież: „włosy czarne, do pasa i rzęsy długie" i Bóg wie co jeszcze.

– No dziewczynka, ani chybi.

– Muszelko, ty znasz „ani chybi"? – dziwię się.

– A znam, znam. I dużo więcej znam określeń, których jeszcze przed chwilą nie znałam. Matka musi się przygotować na przyjście dziecka na wielu... płaszczyznach aktywności.

Zamieram, zachwycam się.

– To i „płaszczyznę aktywności" też znasz...

Już czuje, że się nabijam. Prycha, ofukuje, wyprasza. Wszystko naraz.

– Nie nabijaj się, Sandow. Noszę to twoje dziecko w wylęgarni i już mi nogi puchną. Ono waży chyba ze sto kilo.

– Jakieś trzydzieści pięć gramów.

– Tak mało? To dziwne, bardzo dziwne... A ty jedź już lepiej na tę swoją wiochę, wieśniaku. Zobacz, czy woda ładnie płynie i czy ci nie wróciły te szkodniki zębate.

Jadę. Z daleka wszystko wygląda jak należy. Żadnych deficytów w pejzażu drzewnym. Stoją dęby (tych żaden bóbr nie ruszy), lipy, graby i kasztany. Ale woda szumi jakoś podejrzanie. Jakby spadała z wysokości. Brzmi tamowo i połyskliwie. Chujowo – prawdę powiedziawszy. Biegnę, w rowie wszystko jak należy, żadnego spiętrzenia, żadnych zmian. Ale w stawie woda za wysoka. O dużo za wysoka. Zaglądam pod mostek (od strony rowu), a tam wodospad górski, kipiel i zastawa tak misternie wypleciona jak koszyk wiklinowy z cepelii. Aż gwiżdżę z podziwu, chociaż wkurw rozgrzewa mnie do czerwoności. Głupie – mądre bobry! Więc tylko przycupnęły na chwilę gdzieś za krzakiem, wyczekały, obmierzyły, zaprojektowały, uradziły, przegadały i... z powrotem do roboty. Tym razem przed mostkiem (od strony stawu), w miejscu najwęższym i najlepiej usytuowanym. Systematycznie, cierpliwie, konsekwentnie. Bez emocjonalnych porywów, z ustabilizowaną adrenaliną i wszystkimi innymi parametrami ich skutecznych organizmów – wróciły.

Wciągam wodery na ubranie, wskakuję do wody. Zimno jak cholera. Rozbieram tamę, ucząc się tego nowego przekładańca; składniki niby takie same, ale mocniej ze sobą spojone, skotłowane i zbite. Woda wali w dół rowu, buzuje, dudni pod mostkiem. Na dnie odkrywam wielkie kamienie, głazy dla siłaczy. Ale przecież to ja jestem Sandow, więc napieram, przesuwam, poszerzam ujście stawu. Teraz będzie im trudniej. Wymyślam też nową taktykę wojenną. Bo wojna trwa. W tej nowej taktyce pojawia się myśl o... fizycznej likwidacji wroga. O eksterminacji. Na razie jest to myśl nieznaczna, mgielna, ledwo zarysowana, ale przecież jest. Co gorsza, wraz z nią wcale nie pojawia się ta druga, niezbędna, myśl o przyszłym możliwym poczuciu winy. Nie notuję jej obecności. Raczej odczuwam napór smoły, ciemnego jaskiniowego podniecenia. Na szczęście i ono jest (na razie) mikroskopijne, równe myśli, która je wytworzyła.

W dziadkowej chatce (pięć kilometrów od Popielaw) wyrabiam wnyki. Konstrukcja najprostsza z prostych – drut z oczkiem do zadzierzgnięcia. Jeszcze nie mam pomysłu, gdzie, kiedy i jak to umocować, ale same nogi mi polazły do komórki, same ręce sięgnęły po drut i kombinerki, same palce wyplotły. Sięgam pamięcią, najdalej jak mogę; nie, w rodzinie nie było myśliwych. Jeno chłopo-rzemieślnicy i filmo-wyrobnicy. Pika więc we mnie coś przedwiecznego, więc idę za tym, bo „to" może wie lepiej, jak mam ustanowić mój porządek na mojej ziemi.

Przyjeżdża Muszelka autopierdkiem. Będzie patrzyła, jak poluję. Jedziemy nad staw. Woda znów szumi, pod mostkiem zawiązek tamy, nowa robota do zrobienia. Na szczęście nie nabudowały za wiele, ale i tak muszę wskakiwać do zimnicy. Słońce pali jak we wrześniu, więc Muszelka rozkłada koc. Patrzy na myśliwego-destruktora, zamyśla się.

– A czy ty, Dżuczku, czasem tego nie lubisz? Bo mam takie podejrzenie.

– Nie lubię – ucinam.

– Ale czy aby na pewno?

Namyślam się. No… kto wie? Może rzeczywiście trochę to lubię. Może w tej pogoni za bobrami, w uczeniu się ich rzemiosła, obyczaju, przemyślności, w tym zanurzeniu się w bobrzy konkret i szczegół, odnajduję jakieś drobne wytchnienia? Od tego, tamtego i owego. Od depresji, bo może pora dać nazwę tej mazi lepliwej.

– A może ty masz rację, Kruczołebku? Zdaje się, że… masz. Tylko jakoś niełatwo mi się do tego przyznać.

– Jasne. Już ja cię znam. Ty wolisz być depresją kliniczną. Chodzącym bólem wszechświata. Tobie w ogóle trudno się przyznać do czegokolwiek. Dobrze, że chociaż do ojcostwa się przyznajesz.

– To jeszcze nie takie pewne. Przyjrzę się sprawie później. Może jakieś badania DNA?

– Badaj sobie, badaj.

Słońce zachodzi na zachodzie. Chowa się za linią grabów, pobłyskuje, dotyka horyzontu. Cień spada na Muszelkę. Zimno. Wychodzę z wody. Nagle chmura nasuwa się nad łąkę. Z góry lecą białe kropki. Śnieg.

– Widzisz, Sandow, pani zima nam się kłania.

– Widzę. Pani zima zimna.

– No i co ty na to?

– Nic.

ZIMNA ZIMA W POPIELAWACH

Idzie zima. Zimno nawet nie takie zimne, ale śnieg przeszkadza w wyprawach. Staw zamarza. Teraz bobry nie budują, ale... wpierdalają. Na szczęście metabolizm w nich zwalnia, więc nie pustoszą krajobrazu. Kupuję towot (taki smar do smarowania) i smaruję pnie drzew. Najbardziej mi zależy na jabłoniach, bo to i tamto widziały; papierówka, złota reneta, antonówka. Druga i trzecia papierówka już nieżywe, już w świętej mieszkają pamięci. Otulam też drzewka drucianą siatką i dokupuję lampki do świecenia w nocy. Niestety, świecą mikro, jak zamrożone świętojańskie robaczki, więc ustawiam je w parach, blisko siebie, by imitowały lisie (psie, kunie, borsucze) ślepia. Może się bobrza gadzina przestraszy.

Przyjeżdża aktor. Kręcimy. Czarna Muszelka odgrywa Czeczenkę. Ledwo rusza kamera, już się robi mroczna, zamglona i groźna. To w niej, co się zamienia w coś innego – ciągle się daje przywołać. Choć od filmu z dziewczynką minęły już lata.

Dwa dni zdjęć. Śnieg wali. Za chwilę Nowy Rok.

Jedziemy na sylwestra. Już nie pamiętam, co to takiego, ale jest rozkaz, więc jedziemy w świat zaśnieżony. Do pensjonatu na Mazurach. Matuś to rozumieją.

– Jedź, Sandulek, i spotkaj się tam z ludźmi. Upij się, tańcz, wystrzel sztuczne ognie. Ja nie będę spała i pomyślę o tobie w godzinie przejścia.

Więc się upijam, chociaż nie piję, i tańczę, chociaż nie tańczę. A potem odpalam sztuczne ognie i wyłuskuję z powietrza matczyne przysłane myśli. Ogrzewają w noc zimną.

Od rana – kulig leśny. Muszelka znajduje psiaka. W stajni, pośród koni. Spoglądają sobie w oczy i... nieszczęście gotowe. Już wiem, jak to pójdzie, ale zadaję pytania. Niech zawisną w powietrzu.

– Kto go będzie karmił?

– No... ja.

– Kto będzie wychodził na spacer?

– Też ja.

– A potem?

– Kiedy?

– Jak już Muszelczątko wyjdzie z ciebie na świat?

– No, Sandow, jakoś damy radę... Raz ty, a raz ja. Raz dziecko, a raz pies...

Taka ta matematyka Muszelkowa – niby pół na pół, ale trochę nierówno. Więc jedziemy w noc do stajni z wilczkiem, płacimy za kłopot cztery stówy i wracamy. Pełne auto radości.

No tak. Nawet chodzi, nawet sprząta, dogląda, uczy rozumu, wynosi kupy, rzuca patyki. A Lajka (jak ten aparat fotograficzny) rośnie i krnąbrnieje, i wyprowadza kota na szafki kuchenne. Kot w desperacji sika z góry kocim moczem. Katastrofa wisi w powietrzu. Na szczęście w bobrzym kraju uspokojenie. Żadnej nowej dewastacji ani pokazu siły. Na wszelki wypadek uczę się z internetu myśliwskich podchodów. I narzędzia zbrodni oglądam. Dużo tego. Rozmaitość. Parę rzeczy mi się podoba, ale trudne w (przyszłej) robocie. Myślę, jak zahartować sprężyny, żeby nabrały takiej mocy jak na traperskich filmach z jutuba. Do Ameryki po to przecież nie pojadę...

Idą białe dni. Lajka przybliża się do rozumu i jej pani też. Ale z kotem coraz gorzej. Już nawet nie rządzi w pasie pod sufitem, już nie króluje na szafkach, raczej leży, niż się porusza, słabo je i prawie się nie odzywa. Zdycha. Więc idą narady telefoniczne, lekarstwa, kocie lewatywy do zadka. W takie dni zima wycofuje się w odwilże i brudy zasmarkane. Aż raz Muszelka budzi się z krzykiem w nocy. Myślę, że tu chodzi o kota, ale nie – tu chodzi o bobry.

– Sandow, bobry w Popielawach! Bobry wyszły z dziur!

Jedziemy – cała trójka psioludzka i Muszelcząto w zawiązku. Latarki, kije, ciepłe majtki i szaliki. Podchodzimy, skradamy się trapersko, ale nic, spokojnie. Księżyc sobie świeci srebrzyście, woda już trochę płynie na pospółkę z krą, Lajka biega z nosem przy śniegobłocie (ufajdana po kolana). Spokój przenajświętszy. Siadam więc na mostku, prześwietlam wodę i wtedy, nagle, nieoczekiwanie – jeGO zauważam. Wypływa sobie (bo nie mnie przecież, do cholery!) spod mostka – majestatycznie, nieśpiesznie, ostentacyjnie, malowniczo, pretensjonalnie, perfekcyjnie, demonstracyjnie i... wkurwiająco. ON, samiec alfa, panisko, mój prześladowca i dręczyciel – bóbr europejski. Jebany *Castor fiber* we własnej osobie. Jest olbrzymi i piękny. Olśniewający i dumny. Perfekcyjny i mocny. Wyjątkowy. Tak sobie płynie jak gdyby nigdy nic; jakby nie było mnie, mojej kobiety w ciąży i mojego psa. Jakby nas wszystkich ktoś wpierdolił albo ujął w literacki nawias. Krzyczę do Muszli, żeby świeciła, a sam szukam kamienia wielkoluda. Jest, znajduję. Tymczasem Lajka połapuje się w naszym podnieceniu, lokalizuje jego źródło i... bez namysłu wskakuje do wody. Bóbr otwiera szeroko oczy. Nie może uwierzyć. Cofa się odrobinę, ale nie ucieka. Jest przecież u siebie. On tylko patrzy szczerze ubawiony na to coś niewodnego z groteskowym cienkim ogonem. Wskakuję i ja, tak jak stoję, wyciągam psiaka za kark, a potem (z góry) celuję kamieniem. Ale bóbr na powrót pod mostkiem. Czekamy więc – on tam, a ja z kobietą i psem na górze. Wreszcie rusza, ale już nie tak górnie i dekoracyjnie. Wygląda to raczej na ucieczkę. Na pospolite spierdalanie (już, już się powściągam). Celuję więc kamieniem, ale noc, ale ciemność, chociaż księżyc świeci. Rzucam. Dostał. Albo nie. Odpłynął. Wracamy. Muszelka nie może się uspokoić.

– Ale przygoda sensacyjna! Prawdziwe kino akcji... Schwarzenegger z Van Damme'em i Segalem. A Lajka, jaka bohaterska! Jak Szarik i pies Cywil, i komisarz Rex do kwadratu. Już ten bóbr nie wróci. Oj, nie wróci nigdy.

– Albo wróci zaraz. Żeby odzyskać autorytet w stadzie.

– Tak, tak. Akurat. Nigdy już nie wróci. To było bliskie spotkanie trzydziestego stopnia. On zobaczył, jaki jesteś wielki, i pewnie trzęsie się teraz ze strachu w jakiejś bobrzej norze. Ciekawe, gdzie on trzyma ten swój strój bobrowy. Wiesz?

– Wiem, ale nie powiem.

– Dlaczego?

– Bo to obrzydliwe.

– Nie mów, nie mów. Przeczytam sobie w internecie. Piękna noc...

– Bo co?

– Bo stanąłeś tak dzielnie w naszej... obronie.

– No co ty, Muszelko. Przecież to ja byłem agresorem.

– No... może i tak, ale to ty miałeś rację. I nie mów już nic więcej. Pomilczmy, dobrze?

Milczymy. Znów Muszelkowe na wierzchu.

Do mateńki nie zajeżdżam. Za daleka droga. I jeszcze coś takiego w rozmowach, co powstrzymuje, zamiast przyciągać. Jakiś chłód w życzeniach na nową drogę życia, jakaś powściągliwość nieznana. Planujemy lato blisko siebie. Ma być tak jak zawsze; ja ją zabieram na wieś, doglądam, ona gotuje niezwykłości, warzy sery z okolicznych mlek, przyozdabia szczypiorkiem, czasem siada na huśtawce i narzeka cudnie. Właściwie na wszystko. Na każdą zepsutą komórkę w sobie. Przyjeżdżają ciotki z miasta Łodzi: w telewizji seriale, krzyżówka z „Przekroju", reklamówka z lekarstwami. W nocy wstawanie, bo nogi same chodzą, zamiast leżeć spokojnie. Matka z dorosłym synem, który nie dorasta. Bo tak szczególnie ułożony, tak obsadzony w tym filmie o miłości przesadzonej. Patrzę na tę prawdę i już planuję nowe usprawiedliwienia. Dla siebie i dla kobiet z mojej przeszłości. Żeby te, w których JEJ nie znalazłem – wybaczyły. Sandulek wiecznie niewielki, synek spragniony przytulenia. Uciekinier ze świata dorosłych.

Bobry milczą jak zaklęte. Teraz to już naprawdę koniec. Temu wielkiemu pękło bobrze serce, więc zabrał rodzinę na inne rowy. Już widzę ten pochód: łby poopuszczane, noga za nogą, rozciapaną drogą, z ogonami przy ziemi – idą bobry w nieznane kraje. Trochę rozpytuję, ale ostrożnie, bo coraz mniej mam tu miłośników mojej nieprzylegającej osoby. Nie, nikt drań每 nie widział. Zresztą, nawet jak wiedzą, nie powiedzą. Sam nie wiem, po co pytam.

– A po co pytasz? Poszły, to ich nie szukaj, bo jeszcze znajdziesz. Potrzebne ci to?

– Nie, niepotrzebne.

– No widzisz, Sandow. Nie pyta się o biedę.

Spokojnie tu teraz, okolica cicha, Boże przedmieście wyłożone mchem. Nawet jak się ze swoim życiem trochę wypierdolisz, to nie skręcisz karku. Bez obawy. Można jechać nawet do… Indii.

INDIAŃSKI PTAK CZARNOPIÓRY

Więc jedziemy z Muszelką, bo przychodzi zapotrzebowanie na moją prześwietną osobę. Jest festiwal z ichnimi i moimi filmami. Pokazują toto w Bollywood, w samym centrum indiańskich biznesów filmowych. W pałacach otoczonych wojskiem i turbanami, na dywanach, na ekranach, w złotach i szafranach. Moich osiem filmów do dekoracji. Jedziemy jednym, potem drugim i trzecim samolotem. Jakoś to nawet idzie bez wielkich przeszkód, choć niech tylko maszyna kiwnie skrzydełkiem, zadrży nieznacznie lub – co nie daj Boże – podskoczy na niebnym wyboju, już się Muszla drze jak opętana. Już nie żyje czterokrotnie, już układa poematy na tabliczkę na urnie (będziemy ją palić, tylko nie wiem kto, bo ja przecież też w tym samolocie), już rozporządza majątkiem osobistym i płacze na własnym pogrzebie, wzruszona młodością i niewinnością prochów. Tylko przed przemowami się powstrzymuje. To zrobi Sandow, bo on mądry i nawykły do przemów (nijak nie pojmuje, że ja też w tym samolocie, więc proch obok prochu i urna obok urny). Wreszcie są Indie, a z nimi Indianie z tym cudnym chaosem nie do powstrzymania. Mnie dają do hotelu całego ze złota, a Muszlę do hołoty, do basenu mniej marmurowego. Ale nie z nią takie sztuki. Wczepia się Muszelka w walizki i przyrasta do mnie jak trzecia i czwarta ręka. U niej lądujemy, bo jej hotel bliżej. Instalujemy się w pokoju, włączamy wiatraki. Sen.

Festiwal idzie po indiańsku. Dostajemy opiekuna od spraw najtrudniejszych. Kida z aparatem na zębach. Dzieciak jest chudy jak patyczek. Nosi garnitur na trzech Kidów i komórkę, która przechyla go w prawo (za ciężka dla Kida). Mieszka w ubraniu jak w namiocie, ma numery telefonów i dużo dobrej woli. Ale nie ma znajomości. Nikogo na górze, żadnego trzeciego zastępcy dyrektora biura. Więc błądzimy od rana do nocy, spóźniamy się i nie wiemy nic. Aż wybucha wiadomość o moim geniuszu i już jest wszystko, co nam się należy – spotkania, wywiady, przyjęcia na plaży. Muszelka obżera się bez umiaru, a potem wracamy nad rynsztokiem smrodliwym. Wojsko dookoła. I stoją grille z zapachami. Biedota napędza wonny dym przed nosy filmowców. I patrzy, patrzy zalękniona.

Dzień czwarty i piąty. Wyprawy tuktukiem, małpy, słonie, wodospad. Tu i tam rozpoznają już Muszelkę, robią zdjęcia komórkami. Ambasador zaprasza na kolację. Pełna karta możliwości – to, tamto i owo, i restauracja jak z obrazka. Ale Muszelki to nie rusza. Ona chce pomidorową. Dość ma tych „patyczków z mięskami" i naleśników rozmaitych. Ona będzie jadła jak u mamy. „A ja poproszę pomidorową!". Konsternacja, ruch kelnersko-kuchenny, wreszcie przynoszą biedazupkę czerwoną. Je, siorbie uśmiechnięta. Już się nabyła w towarzystwie. Jeszcze tylko mi pokaże, jak się targować ze sprzedawcami.

– Bo ty, Sandow, masz serce z cukru. Jak dziecko w supermarkecie. Kupujesz za tyle, ile ci powiedzą. Jak tak można?! Ja byłam w Egipcie i wiem, jak targować. Pierwsze prawo jest takie, że ty rządzisz na targu. I żadnych uczuć, żadnych emocji zakupowych. Coś ci się podoba, ale nie za bardzo. Dotykasz rzeczy, jakby ich nie było, patrzysz, nie zwracając na nic uwagi. Jesteś ponad zakupami, ponad straganami i... ponad głowami. Właściwie nie wiesz, po co tu jesteś.

– To po co ja tu właściwie jestem?

– No co ty, nie wiesz?

– Teraz już nie bardzo.

– No jak to? Żeby prezentów nakupować... Dla twojej mamy sari, dla mojej różne przyprawy w woreczkach, no... dużo różnych pięknych rzeczy.

Jedziemy na targ za miasto. Muszelka robi zdjęcie za zdjęciem. I zaraz mamy biedę nie z tej ziemi. Te ze zdjęć ciągną na swoje stoiska. Więc zaczyna Muszelka swój pokaz mediacji. Ale coś nie wychodzi, Egipt nie działa, ani żadna wyższa sztuka. Już ma na nogach i rękach sto bransoletek, a na szyi siedem naszyjników i sari na grzbiecie, a na tym sari jeszcze jedno sari. Zaraz miękkość przyrodzona zastępuje twardość egipską. Cukrowe serce topi się w temperaturze trzydziestu stopni Celsjusza. Sięgam do kieszeni po kilo banknotów. Nie ma wyjścia.

Ale wygrywa w namiocie z Tybetu. Tu nie musi pleść głupstw niestworzonych. Skupiony naród patrzy w jej egipskie oczy i widzi, co trzeba, i daje dobrą cenę na wszystkie skarby świata. A potem piją słoną lemoniadę z limetką i cieszą się razem – skośnoocy z Kruczołebkiem. Międzynarodowa przyjaźń i współpraca. Koczłowieczeństwo.

– Widzisz, pokazałam ci, jak targować? Tak właśnie trzeba. Dzięki temu zaoszczędzimy dużo pieniędzy, prawda?

– Prawda, prawda, ptaku głuptaku czarnopióry.

Wracamy przez Frankfurty. Europa zjednoczona w śniegu. Nic nie lata ani wte, ani wewte. Śnieg, śniegiem, o śniegu. Na lotnisku jemy batoniki. Ukrywamy zapasy w kieszeniach (ja swoje, a Muszelka swoje). Nie damy się oszwabić Niemcom. Batoniki nam się należą jak psu miska. Potrójny przydział lotniskowy. Dostajemy też pokój w Novotelu srelu. I szczoteczki niemieckie, i pasty do zębów. Na drugi dzień dojeżdżamy do Polski.

Rano dzwonię do mamy. Cieszy się, ale znów – powściągliwie. Jakby kończyła się w niej jakaś bateria ciesząca. Słyszę coraz wyraźniej, że oszczędza energię, dawkuje po troszku. I jakieś słowa trzyma w niedopowiedzeniu.

– Jak tam zastawki? Pracują, jak należy?

– Nie mają wyboru. Podpisałam z tobą kontrakt, synuś... do dziewięćdziesiątki.

– Jeszcze dyszka z okładem. Jakoś to wytrzymasz. Zmienimy ci rozrusznik...

Nie śmieje się, kaszle, łapie oddech poświstujący. Coś jej gra w gardle, jakaś orkiestra przedszpitalna. Jakbym słyszał ogłoszenie o końcu świata. Mróz przechodzi mi przez serce, potem przez głowę i krystalizuje się w postaci kłującej igły na samym środku czaszki. Czekam na odpowiedź i ta przychodzi zaraz. Jest dokładnie taka, jakiej się spodziewałem.

– Wiesz, Sandulek, chyba będziemy musieli podpisać... drobny aneks. Parę latek urwać z umowy. U mnie z tym życiem jednak... nie najlepiej. Nieżycie byłoby dla mnie lepsze. Ty jesteś mądry, to zrozumiesz. Każde nieżycie byłoby lepsze dla twojej matki. I to z Bogiem, i to bez niego. Bo ciężko przejść przez dzień, a jeszcze ciężej... przez noc. Więc nawet, jak tam nie ma niczego, to i tak lepsze to od tego, co mam... tu, teraz. Więc... zwolnij mnie, synku, z tej naszej umowy, bo mi ona ciąży. Bo zobowiązuje.

Słyszę, że płacze. Że prosi nie na żarty. Więc uderzam w wysoki niebieski bęben.

– Po pierwsze, umowa to umowa, po drugie, jesteś kozak, jakich mało. I wzór dzielności z Sèvres pod Paryżem. Trzymają cię tam w gablocie i pokazują palcami wycieczkom ze szkół. Po trzecie, lekarze się nad tobą tyle namęczyli... i baterie masz w sobie za ciężkie tysiące. Całą elektrownię. Po czwarte, księża się do ciebie modlą jak do panienki z obrazu, a wielki aktor przyjeżdża z Warszawy po mądrości. Więc jak może TAM nic nie być, kiedy ty TU jesteś najlepszym dowodem, że jednak jest. Chcesz aneksu do umowy? To tak, jakbyś chciała im zabrać... kościółek w Łaznowie i świętego Rocha z psem. Potrzebują dowodów na istnienie, a ty im ich dostarczasz.

– A tobie... czego dostarczam? Udręki, nic więcej.

– No to podręcz mnie jeszcze trochę. Jakoś wytrzymam.

– Rok.

– Osiem.

– Dwa.

– Siedem.

– No dobrze, niech będzie. Ale i tak potrzebny jest aneks.

– To napiszę jutro.

– A co tam słychać w brzuchu?

– Serduszko twojej wnuczki.

SERCA DWA

Serduszko bije. Akurat jesteśmy u lekarza i przychodzi pora na film. Muszelka wędruje pod lupę. Doktor coś gada, naciska guziki, wreszcie włącza telewizor. Czary-mary i za chwilę coś się trzepocze na ekranie, coś połyka wodę z tlenem, nurkuje, łypie na mnie okiem. Teraz czarodziej włącza głośnik. W telewizorze – podobno – serce; tu przedsionek, tam komora, zastawka mitralna i aortalna. Osobisty film przyrodniczy. Ja poruszony, z gębą otwartą jak gamoń. Ależ muzyka! A koliberek na tym ekranie macha skrzydełkami jak najęty, jakby chciał pobić rekord – sto czterdzieści uderzeń na minutę.

Cieszę się i smucę. Nie umiem być tylko z tym serduszkiem. Bo przecież daleko, za lasami i górami, w maleńkiej izbie, bije serce babci koliberka. Na razie bezpiecznie, na baterię, siedemdziesiąt pięć uderzeń na minutę. Ale być może w tej samej chwili, w tych samych czterech minutach, zużyty dysk zastawki zaczyna zwalniać. Babcia akurat siedzi przy krzyżówce, osiemnaście poziomo; kot norweski wskakuje na stół, ociera się o policzek, nie mruczy, bo nie potrafi. Całkowita atrofia kociości na poziomie dźwiękowym (co dotyczy również słowa „miau", prychania i picia mleka, żadne mleko nie wchodzi w grę, nawet ze wsi, pięć centymetrów śmietany, nawet od krów popielawskich). Podnosi babcia głowę, zdejmuje okulary, zagląda w głąb siebie, płynie z rozrzedzoną krwią aż do zastawki, ogląda skrzepliny i wygięty zawias dysku. I już zna koniec tego początku – schodzenie z góry z zadyszką, z deficytem tlenu, bólem i płucami pełnymi wody. W domu lub w szpitalu. Lepiej w domu. Nie będzie wakacji, będzie ratowanie. Teraz trzeba tylko nawymyślać dużo bajek. Jedna dla Włodka, druga dla kotka, trzecia dla Sandulka. I bać się jakoś po cichutku, żeby nie wystraszyć innych. Szczególnie Sandulka, bo taki wrażliwy… Testament zrobiony, domek podzielony, kot zostanie u Włodka, pierścionki dla wnuczek, suczka wreszcie schudnie, urna obok Romka, Ewa piętro niżej. Tak, niech spalą („na szczęście im to powiedziałam w żartach"). Przy takim grobie bez trumny mniej się człowiek smuci, wyobraźnia działa inaczej, pomniejszająco, jakoś tak – krasnoludkowo.

– A, to ty, Sandulek… I jak tam, udało się rozpoznać płeć mojej wnuczki?

– Słyszę, że ty już rozpoznałaś.

– No, wnusia, wnusia… takie rzeczy się czuje, synek. A ja… u mnie wszystko w najlepszym porządku…

– Właśnie miałem zapytać.

– To już nie musisz. Krzyżówkę mam nową.

– Zastawka ci szeleści jak świerszcz. Usypiająco.

– Bo ja… usypiam właśnie.

PORZĄDKI

Porządkuję wątki. Wątków wielkie porządki. Bo nadchodzi wiosna. O niej teraz zaczynam pisać. Więc mamy koniec zimy w Popielawach i całym dookolnym świecie. Po spotkaniu z królem bobrów mamy też spokój w pejzażu. Nic z niego nie ubywa, komplet drzew, komplet krzewów i zadowalające, zbalansowane nasycenie fauny wodno-lądowej. Chodzi głównie o wypracowany kamieniem deficyt (ucieczkowy) w populacji *Castor fiber*. Lajka już u brata, bo trzeba było kota przeprowadzić na powrót na podłogę. Potem odkażanie, odsmradzanie, witaminy na porost sierści i porost kociej psychicznej równowagi. Dużo roboty. Zdjęcia jesienne i zimowe zmontowane. Coś się z nich wyłania, jakiś zarys horyzontów, za którymi – może – film. Ale to jeszcze nic pewnego. Zbieram grosze na zdjęcia, które przede mną, w kwietniu i maju (mamy schyłek lutego). Ale filmowcy z ważnej instytucji odrzucają mój scenariusz. Czytam nazwiska i nikogo nie znam, może jednego trochę, ale gęba stoi za nazwiskiem zawistna. A reszta? Filmowcy bez filmów, jakieś ktosie przykorytkowe. Moja Polska mała.

Muszelcząteko brzęczy serduszkiem srebrzyście. Słychać to nawet przez brzuch. Już ma jakieś pięć miesięcy i coś jakby ptaszka między nogami, ale lekarz nie daje głowy.

Przechodzi luty, przechodzi marzec. Ustalam kolory na ściany filmowe, gubię się w przepaściach magazynów z rekwizytami. Tu wybieram to, tam wybieram tamto. Widzę, że zmierza to w kierunku rekonstrukcji, przywoływania świata, który był. Biały kredens na ścianę, pojemniki na sól, cukier, mąkę, kaszę. Wodniarka, na niej wiadro z wodą, obok półeczka na emaliowany garnuszek, w kącie koza z fajerkami i rurą wbitą w komin. No i one na koniec, święte obrazy do gadania. Ale na razie milczą.

Malujemy. Kolory wychodzą brudne i nieprzyjemne. Odstręczające. Jeszcze nie wiem, że opowiadam nimi o moich barwach wewnętrznych, że to nie ściany tak mroczą, ale wyściółka izby wmalowanej między żebra (w której właśnie przygasa światło). To idzie ku mnie od Wrocławia. Od matki rodzicielki.

Nastrajam się. Zbijam drabinę z jesionowych drążków, przystawiam do szczytu chałupy, wspinam się do drzwi wiszących w powietrzu. Żyje tam sobie zimna sypialnia. Ktoś ukradł korytarz, drewniany podest, trzy schodki, komórki, rymarnię dziadka Jakuba i stojącą pod nią izbę. Całe skrzydło rzemieślnicze. To wszystko przepadło, poszło na opał, na wsad do kanonki i na kilka rozmów zimowych przy samogonie. Ale sypialnia została.

Wchodzę. Drzwi skrzypią jak wtedy. Z prawej szafa trójdzielna z lustrem, na szafie przetak, w nim woskowe lalki i gwiazdki z papieru. Skarby z choinki babci Haneczki. Najmniejsza lala ma dziurę w brzuchu. Ale i tak ją kocham, bo ma też sukienkę w kwiatki i oczy niebieskie jak modraki. Przez dziurę zaglądam do innych zabawek, do innych domów z choinkami. Spotykam też ludzi od czasu do czasu. Aż wreszcie trafiam na moją ulicę; narożna kamienica, drzwi numer jedenaście, korytarz, duży pokój, mama, tata, siostra, brat. Tylko Sandulka tam nie ma, bo on ma lepsze gwiazdki z papieru. Całe popielawskie niebo babci Haneczki. Ale to tylko fragment sypialni. Są jeszcze inne ściany – z oknami i bez nich, są dwa łóżka przytulone do siebie, nad nimi Józef i Maria z Dzieciątkiem. Nad wszystkimi głowami wisi zimny sufit. Książka do czytania. Kładę się na jednym z łóżek i... już jestem dzieckiem. Zimna sypialnia to czyni. W nagrodę przychodzi do mnie nauczycielka Elka (polski i historia w szkole podstawowej). Na razie ma piętnaście lat (ja dziesięć), rudą głowę, sprężysty zadek i piersi, których można już dotykać. Nauczycielką będzie w przyszłości, ale już teraz potrafi ładnie objaśniać. Ja zaś choruję z gorączką i dreszczami. Leżę w łóżku obłożony butelkami z gorącą wodą. W izbie pode mną wielkie zgromadzenie; jest babcia, jest dziadek i lekarz jest z Rokicin oraz wujostwo z Tomaszowa (z nimi ruda Elka). Zostawiają nas samych w sypialni. Elce zimno, więc wślizguje się pod kołdrę, ale zaraz jej gorąco, więc zdejmuje sukienkę, rajstopy, sweterek, koszulkę. Ujmuje delikatnie moją dłoń i kładzie sobie na brzuchu. Stąd zaczynamy wędrówkę nauczycielską.

– Więc to jest brzuch człowieka, w nim pępek... ta dziurka, w której trzymasz teraz palec, wyżej jest klatka piersiowa... moje piersi będą większe, ale widzisz, już teraz ledwo mieszczą się w dłoni. A to są sutki, dotknij ich, czujesz, jak twardnieją? To się nazywa podniecenie... dostaję też od tego gęsiej skórki na całym ciele. Żeby ci to dobrze objaśnić, muszę zdjąć koszulkę. Widzisz? Cała szyja w gęsiej skórce...

Nic nie widzę, bo ciemno, bo pot zalewa oczy. Tymczasem Elka zsuwa majtki i zaraz wraca do objaśnień.

– Tu mamy wzgórek łonowy, już porośnięty. Ta szparka... możesz włożyć palec... jest taka wilgotna, bo mi się chce ruchać, ale jeszcze poczekam ze dwa lata. Na razie możesz sobie poruszać palcem albo nawet siurkiem... jak ci zesztywnieje.

Sięga ręką, sprawdza, nachyla się nad moją twarzą. Czuję jej ciepły podniecony oddech.

– Ja rozłożę nogi, a ty połóż się na mnie. Niczego się nie bój, to cię nie zaboli... a nawet będzie... przyjemnie i... słodko.

Kładę się na niej, napieram ptaszkiem, czuję, że wnikam w Elczyną szparkę i że pierwszy raz jestem w środku innego człowieka. I jest tak, jak obiecywała nauczycielka. Słodko. Ale przyjemność nie trwa długo. Kroki na schodach, popłoch, powrót do osobnych łóżek. Śpimy jak dzieci.

BYŁO, JAK BYŁO

Cały kwiecień w filmie. Po drodze święta. Mama już śpi w elektrycznym łóżku. Wciskam zająca za oparcie. Stoję, patrzę na te wszystkie nieszczęścia pozbierane w jedno. Dzień, noc, drugi dzień. W sąsiedniej izbie leży dziadek stuletni. Za niego też oddycha maszyna. Zestaw rurek ten sam, co u mojego biedactwa. Przeziera zza nich żółtawa pergaminowa twarz. Skóra sucha i cieniutka. Wydaje się, że zdjętą z człowieka porwałby szpitalny przeciąg. Ten organizm dobrze oddaje wodę. Żółty pękaty worek ledwo wisi przy posadzce. Jest wkurwiająco ciężki i pewny siebie. Nadęty jak bania. Do tego żółć nienaganna; chromowa, niskosłoneczna i vangoghowa. Ideał. No i złośliwie odbija się w kaflach, co podwaja moją zazdrość. Patrzę na dziadzia nienawistnie. Nawet myślę przez chwilę, żeby rąbnąć siki. Tak po prostu odłączyć rurkę, schować pod fartuch jednorazowy, przenieść ukradkiem do mamy i podwiesić pod jej łóżkiem. Taką mam myśl, słowo honoru, i ledwo potrafię się powstrzymać. Nie wiem, o co chodzi. Może o to, żeby jeszcze raz – dumnie, w garniturze, z orderem na piersi – stanąć z matką w magazynie pełnym ludzkich wewnętrznych organów. Leżą sobie na półkach zdrowiutkie serca, wątroby i nerki, wylegują się śledziony, żołądki oraz woreczki żółciowe. A moja mateńka patrzy na to z wyższością, uśmiecha się i mówi: „Nie, Sandow, mnie to niepotrzebne. Po co, synek? Miałam już swoje serce i zestaw innych organów. Przeżyłam z nimi moje życie. Było, jakie było, raz lepsze, raz gorsze. Nie, dziękuję, nie skorzystam, kochany...".

Tak myślę, stojąc przy dziadku, i nagle widzę, że... patrzy na mnie zdziwiony. Wbija we mnie dwa mętne guziki, dwoje gasnących ślepi, jakby przeczytał mój złodziejski zamiar (i chciał jakoś zapobiec?). Zdziwienie jest tym większe, że dziadek w śpiączce chemicznej, nie do wybudzenia, do odejścia raczej w pamięć świętą, więc nie powinien gapić się na mnie tak przyciskająco. Ale się gapi. I nagle zdaję sobie sprawę, że właśnie jestem świadkiem wybudzenia. Coś sobie zaplanował doktor, patrząc w ważne księgi, ale dziadzio nie znał tego planu, więc – czary-mary – i znów jest żywy. Tylko – co to?! Jakaś rura w gardle, jakiś świat suchy, piekący i bolesny. A przecież był już tam, rozmawiał z tatą, mamą, nie czuł ciężaru... A teraz wrócił do tych wszystkich rur i przewodów i znów wie, że żyje. I czeka go kolejne podejście do umierania, bo tamto było nieważne i tylko na niby. Próba generalna tych wszystkich pretensjonalnych tekstów. „Nie!!! – krzyczą guziki niebieskawe (jeszcze śmiertelniej przerażone niż ostatnim razem). Chuja! Pierdolę! Jebać to!". I już ręce patykowe ciągną za tę rurę nieludzką, wbitą na siłę w płuca. Stoję wmurowany w kafelki, jakiś ruch dookoła, ktoś mnie przesuwa z miejsca na miejsce, syreny strażackie, karetki pogotowia, a on patrzy i patrzy, i patrzy. Patrzy na mnie. A ja się uśmiecham, bo się cieszę, że nie mam żadnego jebanego obowiązku, żeby mu powiedzieć, że to – niestety – p r a w d a. Bo – na szczęście – to nie ja jestem jego synem.

Dopiero już w drodze, razem z nocą, spada na mnie straszna myśl; że ONA też się może tak nagle obudzić. Już pięknie przeprowadzona na drugą stronę, już spokojna, bezbolesna, głęboko oddychająca – może nagle otworzyć oczy. I pierwszym, co zobaczy, będzie sieć plastikowo-pajęcza. A jeżeli, nie daj Boże, ja wtedy będę stał naprzeciwko jej przebudzenia? Nie, błagam, nie!

Pisk hamulców. Stoję przy szosie. Rzygam. Tym razem ja, nie Muszelka. Ten nowy strach jest większy od poprzednich, choć ustaliłem, że to niemożliwe. Czy potrafię się powiesić? Zabrać sznur, zarzucić na drzewo, włożyć głowę, skoczyć? Bo co zrobię, jeżeli się obudzi?! Jestem Sandulkiem, najmłodszym synkiem, ale to przecież dla mnie zadanie – odpowiedzieć na pytanie obudzonej przez pomyłkę matki. Już zawsze tak będzie. Panika. Przeglądam w pamięci kościoły i kapliczki przydrożne. I zaraz zaczynam modlitwę o nieprzebudzenie.

Najpierw w Lututowie. Jest noc, kościół zamknięty, więc się dowiaduję, gdzie mieszka kościelny. Ten, na szczęście, mieszka blisko, jest starym kawalerem i nie może spać w nocy. Pukam, otwiera, patrzy spod nawisłych powiek. Nic nie rozumie i coś rozumie. Akurat czyści klucze drobniutkim papierem ściernym (osiemsetka), ściera z nich rdzawą patynę, woskuje, poleruje szmatką. Na stole akordeon.

– Pomodlić się, żeby się matka nie obudziła? Dziwna intencja, bardzo dziwna. Ale nie będę pytał. Człowiek wystawia do modlitwy duszę i sumienie, Pan Bóg ma to jak na dłoni, więc rozpozna, co potrzeba. A ja... gram na akordeonie. Weltmeister, sto dwadzieścia basów. Zagrać do modlitwy?

Klęczę na kamiennej posadzce. Matka Syna biała, piękna, alabastrowa. Nic z tandet przydrożnych. I patrzy w oczy przenikliwie. Podobnie spogląda na mnie kościelny. Jakby mnie pamiętał. Jakby wiedział o mnie coś, czego ja sam nie wiem. Kładzie akordeon na kolana, rozpina paski.

Druga w nocy w kościele w Lututowie. Miasto milczy uśpione. Tylko słowik zakochany w okołokościelnej akustyce sprawdza dźwięki; te wszystkie pogłosy i odbicia. Rozchodzą się trele badawcze, igrają z dzwonnicą, wpadają na transept, ślizgają się po obłościach apsydy, aż wreszcie wyczerpane lądują na kominie. W środku brzęczy akordeon. Krzywa muzyka nie przeszkadza świętym. Niejedno już słyszeli. Ja modlę się o nieprzebudzenie.

Idzie to dość słabo, jak po grudzie, bo Mateczka śpiąca i dość wkurwiona (chodzi chyba jednak o akordeon). Krzywi się, a potem nawet odwraca tyłem do kościoła. Więc milknę, bo widzę, że nic tu nie załatwię. Wychodzimy z kościelnym trochę przygarbieni. Aż nagle harmonista coś sobie przypomina. Przychodzi to coś z patrzenia w moją cierpiącą gębę.

– Nie było tu pana trzynaście lat temu?

– Byłem, ale w innej sprawie.

– Pamiętam, wtedy chodziło o odwrotność.

– Tak. O przebudzenie siostry.

– I co, udało się?

– Nie. Ksiądz mnie przepędził na cztery wiatry, bo jego zdaniem modliłem się bez skupienia. To było widać.

– No tak, skupienie jest ważne. Ale jeszcze ważniejsze, żeby święta chciała słuchać.

– Nie chciała. Tak jak dzisiaj.

– A wie pan, ja zdaje się wiem dlaczego.

Przystaję zdziwiony, patrzę w pooraną twarz harmonisty i nic a nic nie rozumiem.

– Wie pan?

– Chyba... wiem. Jeżeli znał pan Antosię Muchównę...

– Nie znałem.

– Znał pan. Taka staruszka z miasta pod Paryżem. To było w tysiąc dziewięćset osiemdziesiątym trzecim.

Zaglądam w pamięć. Od razu odkrywam, że kościelny ma rację. Tak, znałem ją, Antosię Muchównę z miasta pod Paryżem. Więc wracam tam na chwilę, bo to teraz ważne w sprawie mojej matki. Wchodzę w czas przeszły niechętnie, bowiem przypomina winę wielką, jak Chrystus z Rio lub ze Świebodzina. Biorę to w cudzysłów, żeby teraz, w chwili opowiadania, zabrzmiało jak fikcja literacka, choć nią wcale nie jest.

„Antosia, osiemdziesiąt siedem lat, gołąbek pomarszczony. Ślepa i prawie głucha. Mieszka w maleńkiej izbie na przedmieściach Tours, w cieniu wielkiej katedry. Ustęp i umywalkę ma na korytarzu, w izbie zaś – łóżko, stół, kredens i wiele kącików modlitewnych. Trafiła tu z Lututowa w Polsce, ale nie pamięta szczegółów. Wyleciały z głowy. W każdym razie była wojna pierwsza lub druga, praca na wsi, praca w mieście, fabryka chemiczna z oparami rtęci i wzrok coraz gorszy. Miała wracać do Polski. Zabierała się do tego kilka razy, gromadziła mająteczek, ale przepadał w kieszeniach różnych ciemnych typów.

Jest osiemdziesiąty trzeci, trafiam do Antosi ze szkolnym kolegą (Najwyższa Szkoła Filmowa Świata). Coś robimy, jakiś film o życiu, a Antosia jest naszą bohaterką. Oprowadza po katedrze jak zawodowa przewodniczka. Zna tu każdy kącik, stąpa pewniej niż niejeden widzący, dotyka opuszkami palców i wszystko, co dotknięte, wydaje z siebie szept wdzięczności. Te kamienie to jej prawdziwa ojczyzna. Ale wie też o tej biednej, starej polskiej krainie. Słyszała, że tam wojna i Ruscy gnębią Polaków. Więc prosi, żeby zabrać paczkę do Lututowa. Do krewnych.

Idziemy razem do supermarketu. Pomarańcze, czekolady, makaron, mąka, cukier i jeszcze olej i zapałki, bo przecież wojna prawdziwa. Fundatorka wyjmuje z kieszeni kilka banknotów, rozwija chusteczkę, dokłada kilka monet, kasjerka kiwa głową. Potem pakujemy skarby i… do Polski.

Znajdujemy rodzinę w Lututowie. Rodzina ma piekarnię, dużo cukru, mąki i oleju. Wie coś o Antosi, że pomieszane w głowie, że dogadać się z nią trudno, bo ślepa i listów nie pisze. A nawet jak pisała, to i tak niewiele tam było rozumu; litery polskie i francuskie całkiem pomieszane. No, wariatka po prostu ta ich francuska Antosia. Pieniądze dostali. Cztery razy. Bratanek pojechał do Francji. Z tego piekarnia i inne pożytki. A czy teraz też są jakieś pieniądze? Bo te pomarańcze to im niepotrzebne. Cukier wezmą.

Siedzimy z kolegą w Lututowie na rowie. Wpierdalamy czekolady i kręcimy głowami. Niby duże te nasze zakute łby, ale to, co przed chwilą – jakoś nie chce się w nich zmieścić. Potem on wsiada do autobusu, a ja idę do kościoła. Bo obiecałem Antosi, że pozdrowię Panienkę Najświętszą. Ale nie dochodzę. Sraczka mnie łapie od tych czekolad i pomarańczy francuskich. Szukam miejsca na ulgę, zapominam o obietnicach danych wariatce".

Kościelny z Lututowa kiwa starą głową. Tak, on wie, pamięta. Był wtedy w piekarni u Muchów w tysiąc dziewięćset osiemdziesiątym trzecim. Słyszał, jak mówię o zadaniu przywiezionym z Francji, pamięta głos roztrzęsiony, widział paczkę i nawet poczęstował się czekoladką. A potem widział mnie raz jeszcze, kiedy źle się spisywałem w drugiej ważnej sprawie. Twarz starsza, ale oczy te same. Więc może trzeba po prostu dotrzymać słowa, pozdrowić Panienkę od ślepej Antosi i wtedy zaczną się wreszcie chody u świętej.

Tak robię. Wracam do kościoła. Alabastrowa odwraca się na powrót twarzą do ludzkości. Patrzy na mnie, ale nie wiem, co myśli o moich wszystkich zuchwałych prośbach, w tym o tej jednej, najważniejszej (może tylko przy niej trzeba było pozostać?).

Już czwarta nad ranem. Jadę dalej z planem modlitewnym sporządzonym w sprawie snu mateczki. Niech już śpi tak zawsze. Niech się nie obudzi. Tym razem dojeżdżam na cmentarz w Łaznowie. Leżą bliscy dookoła: Szewczyki, Sońty, Piekarscy, Gniewisze. Dziadek z babcią Haneczką przy głównej alei. Za wielkie zasługi dla małej Ojczyzny. Dla Ojczyzny nie całkiem wdzięcznej. Dziadek za ordery i krzyże walecznych, babcia przy okazji. Cmentarzyk mały, mgła wisi nad grobami, ale już się podnosi. Przeciągają się pomniki, ziewają marmury, piaskowce i lastryka. Zimno im jeszcze, ale słuchają. Niech gada, jak już przejechał tyle drogi. Więc gadam, gadam, gadam.

Na koniec kapliczka popielawska. Przy niej staję o piątej trzydzieści. Słowika mam do towarzystwa (przyleciał za mną z Lututowa?). Śle ku nam (ja i Maryjka) swoje popisy. Przeszkadza w rozmowie, jak tylko może. Przedrzeźnia, zaciera, zamazuje frazę. Drze się, jakby pomylił świt ze zmierzchem. Może zresztą pomylił. Pochylam się, znajduję kamień, rzucam w kierunku krzywej topoli i... zapominam, z czym tu przyjechałem. Zasypiam pod tują przykryty zmęczeniem. Takiego znajduje mnie stróż filmowego domu. Zanosi do łóżka pod obrazami.

– Zasnąłeś pod kapliczką.

– Zasnąłem.

– Modliłeś się do gipsowej figurki?

– Modliłem.

– A w czym ona lepsza od nas?

– Spać, obrazy zazdrosne! Spać, kurwa, bo was poodwracam twarzami do ściany!

Obrazy wiszą twarzami do ściany.

Poodwracane.

Ten z czarnym czołem podobny do mnie.

Namalowany.

Zmarszczki ściągnięte jak rzemienie.

Kamienne.

Jak baty na zady koni gospodarskich.

Codzienne.

Solą spalone ma rany na skórze.

Dokoła.

Kto wierzy w ojca ten we mnie.

Tak woła.

Ale zmęczeni po trudzie śpią ludzie.

Pod słońcem.

On wzywa Ojca a przy nim Matka.

Do końca.

PRZEBUDZENIE

A jednak się obudziła. Nie chciała być uprzejma.

Przebudzenie. Pierwszy jest przy niej starszy syn. Potem my jedziemy, ekipa w smutnym aucie. Matka już na innym oddziale. Tam, na tym poprzednim, ratuje się ludzi, a ona przecież uratowana. Oddycha i patrzy, i widzi. Więc ją przewożą tu, w gorsze miejsce, choć mówią, że w lepsze. Ale i ona, i my wiemy, że to krok w dół. Mniej monitorów pilnujących, mniej rurek plastikowych i elektryczności. Na pierwszy rzut oka wygląda to może bardziej po ludzku, ale straszy czymś nowym – rutyną bezduszności. Zawodowa ta cała obsługa; odsysanie flegmy, przewracanie na bok, zastrzyk w to, zastrzyk w tamto, narkotyk, tlenu więcej, tlenu mniej, płyn do serca, płyn do brzucha, zmiana worka, zmiana pampersa. Ludzkie roboty mechaniczne od podtrzymywania funkcji życiowych. W zielonych fartuchach uspokajających.

Moja mała matka nie patrzy mi w oczy. Są wnuki, jest starszy brat, coś tam sobie gadają spojrzeniami, ale mnie mateczka omija. Nie chce się spotkać niebieskie w niebieskie. Jakby próbowała oddalić pytanie, bo to – raz zadane – zawiśnie w szpitalnym morowym powietrzu. I żaden spirytus do dezynfekcji tego nie usunie. Ona to wie, więc dokonuje cudów, puszcza źrenice w trajektorie niemożliwe, aż w którejś chwili natyka się jednak na moje ogłupiałe oczy. Bo nie da się tego ominąć. Na szczęście nie znajduję w nich żadnego wyroku, więc nawet coś jak uśmiech wykwita wokół rury oddychającej, na spalonych od odkażania ustach. Odpowiadam czymś podobnym, jakimś grymasem przymilnym. Jestem jednak bezgranicznie zdezorientowany i boję się tak samo śmiertelnie jak ona. Niech już będzie ten koniec świata. Niech na ziemię spadnie wielki kamień. Niech się odwrócą bieguny. Z tym wszystkim sobie jakoś poradzę. Tylko niech mnie matka o nic nie zapyta, kiedy znów się weźmie za umieranie. Dobrze, Mateczko?

UCZĘ MATKĘ MÓWIĆ

Już niedaleko do końca tej wewnętrznej, winkrustowanej książczynki. Intruza literackiego. Nawet myślę, żeby to zrobić w innym kolorze. Kilkadziesiąt zielonych stron (jak szpitalne fartuchy) albo kilkadziesiąt czerwonych (jak krew), albo kilkadziesiąt niebieskich (jak niebo, do którego zaprowadzę matkę). Więc już niedaleko. Kilka małych stron.

Jest maj. Film po zdjęciach. Instalujemy się z montażownią w domku w Rokicinach. Muszelczątko pływa pod skórą. Czasem przystanie, zamyśli się, napnie matczyny brzuch jak bęben.

Idę na terapię. Definitywnie. Muszelka nie przyjmuje żadnych argumentów.

– Chcesz zwariować albo nawet umrzeć ze smutku? A co ja zrobię z dzieckiem bez ciebie? Leczysz świat, a sam popadłeś w chorobę. Masz niedotlenienie radości, całkowity zanik zgody na własną osobę oraz wielonarządowe poczucie winy.

Ma rację, więc idę na tę zasraną terapię. Pani P. patrzy na mnie badawczo. Nie wiem, od czego zacząć, więc wcale nie zaczynam. Wreszcie ktoś, coś, raz ona, raz ja i... po trochu do przodu, choć głównie na boki, w dzieciństwa i rozmaite przygody peryferyjne. Nie ma rozpoznania. Prawdopodobnie histeria z nadmiaru wyobraźni (moja wstępna diagnoza pomniejszająca). Ale to nic pewnego. Chyba nieuleczalne, choć może, może... Wracam we wtorek, a na razie uczę matkę mówić.

Robią jej dziurę w szyi i tam idzie rura. Uwolnione usta próbują coś mówić, ale to na nic. Nie ma narzędzi gadających.

Przebite i zranione. Więc kupuję tabliczkę dla dzieci (starszy brat kupuje) z dużą ilością plastikowych kolorowych literek. Matczysko chce się bawić, ale ręce nieposłuszne. Nie mają siły na takie ciężary. Wymyślam zatem bezręczną metodę. Pokazuję literki po kolei, jak pierwszakowi, i pierwszak podchwytuje ochoczo. I już leci pierwsze ważne słowo: „odessać". Piotrek do pielęgniarki, ta do chorej, my na korytarz. To działa. A potem przychodzą kolejne słowa: „krem", „piżama", „lody", „Lulu?" (kot norweski) i o wnuczkę jest pytanie starszą, i o młodszą, która nadchodzi.

Pani P. działa. Idziemy kroczek po kroczku, kreseczka po kreseczce. Milimetroterapia na papierze z duszy ludzkiej. Ona pod oknem, ja pod ścianą, po krawędzi dachu leci samolot. Pod ręką mam chusteczki do smarkania. To na wypadek nagłego wzruszenia. Coś bleblam poetycko, pod kontrolą polonistyczną. Styl, fraza, melodia.

– Moja matka zamienia się w moją córkę – oświadczam.

– Czy mógłby pan to rozwinąć?

– Co rozwinąć?

– Tę myśl.

Milknę. Zastanawiam się, jak rozwinąć tę myśl. Diagnoza jest pewna, tylko jak to powiedzieć drugiemu człowiekowi?

– Cofa się do pampersów, do nauki mówienia i karmienia z butelki. Przewijam ją, myję stopy ułożone szpotawo, jak u niechoda kilkumiesięcznego. I patrzy, jakby dopiero rozpoznawała świat. Może zagląda spod (znad) powiek do tamtego świata?

– Może zagląda. Kto wie...

Nie mogę uwierzyć. Pani P. przystaje na moją pretensjonalną retorykę. Widać zakłada, że i w niej może się odbić opowieść o mnie. Bo mną jest zainteresowana, swoim pacjentem dziwacznym. Ale chusteczki ciągle daleko. Nie sięgnę po nie – przysięgam i dotrzymuję słowa. To przychodzi później, kiedy już jadę autem do domu. Skowyt i wytrysk słonej wody nie do powstrzymania. Przychodzi też ulga. Siedem milimetrów ulgi. Niedużo, ale zawsze.

EGZAMIN Z ODDYCHANIA

O Muszelczątku na samym początku. Jest prawie czerwiec czy może nawet – już jest czerwiec, i wiem, że to będzie o b y w a t e l k a. Wiem, wiemy, wiecie – audycja telewizyjna to obwieściła. Ultrasonograficznie i niezawodnie. A więc dziewczynka. Brzuch Muszelki jak dynia wielki i ciągle rośnie.

Jeżdżę do Popielaw, rozglądam się, cisza. Pejzaż uspokaja się po wiosennych napaściach. Czarny dzięcioł (lekarz drzew) wsiada na jesion rosnący przy tamie. Podejmuje terapię i po tygodniu nie ma robaków, nie ma kory na pniu, nie ma też jesionu. Nic już z tego drzewka nie wyniknie. Nawet oparcie dla bobrzej tamy, bo bobrzej tamy tu nie dopuszczę. Kładę się na kładce, strumyk szemrze i w serce kłują drobniutkie szkiełka. Dopuszczam spokój do siebie. Nie, to jeszcze nie jest sukces, ale coś się zdarza. Może kiedyś to rozmnożę i zaznam – na przykład – jednego dnia spokoju. Zuchwałość tej myśli poraża mnie. Leżę na wznak, patrzę na niebo prześwitujące między listkami wierzby, jestem nastrojony ekologicznie i proprzyrodniczo, ale mało we mnie wiary w ostateczny sukces. Mam zadaną nową opiekę nad nową córką i starą opiekę nad starą matką. Do tego kilka innych opiek, z których żadna nie uwzględnia potrzeb mojej łysej osoby. Liczę na to, że przetrwam. To jest na razie poziom moich marzeń. „Na razie – niech przetrwam" – powtarzam na głos, by usłyszeć, jak to brzmi. Brzmi tak sobie. Raczej mało wiarygodnie. Prawdę mówiąc – chujowo. „Zapewne źle oddycham" – tak myślę – bo od oddechu wszystko zależy. Najważniejszy jest ten pierwszy, inicjujący haust powietrza. Źle go nabierzesz, krzywo łykniesz lub poślesz nie w tę część organizmu, co potrzeba, i już nie ma szczęścia w życiu ani kariery, ani nawet pospolitego zdrowia. Biedne Muszelczątko jeszcze przed tym zadaniem. Na razie łyka wodę, przepuszcza przez płuca i kiszki i ani myśli wyrywać się do ludzkiego powietrza.

*

Egzamin z oddychania. Dowiaduję się, że można mateczkę podłączyć do takiej maszyny, która pozwoli na domowe odejście ze świata. Przy bliskich. Trzeba tylko zdać egzamin. Na razie dają jej dużo tlenu, ale jak się uda i matuś zdadzą ten egzamin (odzwyczajania od powietrza) – kochane państwo opiekuńcze pożyczy maszynę, pośle dzieci i wnuki do szkoły respiratorowej, da telefony do najbliższych lekarzy i pielęgniarek. Niby wszystko to samo – przewijanie, mycie, odsysanie flegmy, zmiany opatrunków – ale jednak całkiem co innego. Mówię o tym matce (znów jestem w szpitalu, jeżdżę tam i tu, od brzucha do serca, od organu ludzkiego do organu), a ona uśmiecha się z wdzięcznością. Tak, bardzo chce, marzy o tym i tęskni. Ona zda ten egzamin, to pewne. I nieważne, ile ma być tlenu w tym powietrzu domowym, niech nawet będzie bardzo mało, ale ona da radę. A ten egzamin to niech będzie zaraz, najlepiej dzisiaj, za chwilę, teraz. Tłumaczę, że na to trzeba się umówić, że komisja, przedstawiciel, fundacja i terminy. Zapada się matczysko w siebie, w strach przed śmiercią na obczyźnie, w zielonym kraju respiratorowym. Więc ruszam na wyprawę po egzaminatorów. W kilka dni załatwiam tę straszną komisję, ale nie chcę być przy próbie. Na to nie mam siły. Jest starszy brat. Niech on to załatwi. Niech założy na źrenice szkła znieczulające i przyjmie spojrzenie matki. A może Dobry Pan Bóg sprawi, że egzamin wyjdzie śpiewająco i pojedzie matuś umierać do raju... Na to liczę i jak tchórz uciekam na wieś. Tam oddaję się wyrzutom sumienia. To tylko mogę zrobić w dniach egzaminu. Dzięki temu nie umrę razem z matką, kiedy przyjdzie dzień odejścia. Bo – powiedzmy – stoję przy tej komisji, patrzę na monitory, cyfry i pokrętła, widzę, jak przykręcają jej tlen, a ona... zaczyna się dusić. I za chwilę już wie, że jest dwója na świadectwie – z oddychania. Reszta przedmiotów nawet w porządku; nauka mowy – trzy z plusem, odkasływanie flegmy – trzy ledwo, ledwo, oddawanie moczu – trzy na szynach, zwilżanie warg – słaba czwórka (za dużo wody, o kilka kropel na dobę), fajdanie w pampersa – dwójka z plusem, słowem – da się zdać do następnej klasy szpitalnej. Tylko z tym oddychaniem jakoś do kitu, więc nie ma mowy o promocji ucznia. Uczeń to wie, więc podnosi rękę błagalnie, żeby już odkręcić to tlenowe pokrętło na powrót. Wystarczy. Niech już będzie, jak ma być – bez maszyny na kółkach i siedzenia w domu przy oknie z norweskim kotem na kolanach. A potem spogląda na mnie przepraszająco. Tak by było, gdyby tak było – ze mną jako członkiem Najwyższej Komisji Tlenowej. Zapewne nie stałoby się ze mną nic widocznego. Może bym nawet wiedział, co powiedzieć. Podziękowań by tam było najwięcej; dla członków komisji, lekarzy i pielęgniarek, ode mnie i od matki, a potem przeprosin za fatygę, za przyjazd ze świata do osoby tak nieprzygotowanej. Matczysko kiwałoby głową i próbowało wycisnąć z poparzonych ust jakiś uśmiech. No i oczywiście – umarłoby wtedy we mnie miejsce na moją mniejszą córkę. Więc na szczęście – tam jest brat, a ja jestem tu, na wsi, w popielawskim kraju. Taka zamiana to o c a l e n i e.

Dzwoni starszy brat. Nie zdała. To – niestety – nie było możliwe. Komisja cudna, mądra i kompetentna. Szczególnie pan przewodniczący. Uroczy człowiek: „Nie, nic nie szkodzi, oczywiście rozumiemy, każdy w takiej sytuacji łapie się jakiejś nadziei, szczególnie rodzina, słaby wynik, bardzo słaby, nie, drugiego egzaminu nie będzie, sytuacja się na pewno nie poprawi, raczej... pogorszy".

Nie pytam o spojrzenie matki. Bratu drży głos. Milknie, oddycha głośno do słuchawki. Nacierpiał się do syta.

Więc co teraz? Leży tam sama i nie ma siły odgryźć sobie języka. Znam ją, więc widzę te wszystkie śmiertelne pomysły. Ale na wszystkie – za słaba.

Dzwonię do Katowic, do skalpelowego pana Boga. Ni stąd, ni zowąd. Taki mi pomysł przychodzi do głowy. Nie, nie znam go i nie mam polecenia. Nawet nie szukam. Po prostu dzwonię do sekretariatu i proszę o możliwość rozmowy. Pan Bóg oddzwania. Dobry człowiek z nazwiskiem chlebowym. Jak zboże. Jak manna na pustyni. Pyta o szczegóły. Nie znam ich dokładnie, więc łączę pana Boga-człowieka z matczyną lekarką, też dość świętą. Rozmawiają sobie i w tej rozmowie dobry pan Bóg-człowiek z Katowic postanawia zobaczyć chorą osobiście. Więc zaraz jadę do matczyska, żeby wyszeptać w uszy upragnione słowa (o nadziei) i umyć nogi, i wytrzeć mokrą szmatką.

Znów leży gdzie indziej. Niby wyżej, a niżej. Przybliża się, traci wiarę i odzyskuje najżarliwiej. Przy łóżku wisi różaniec. Od kochanego księdza Maćka. Ukrzyżowany gdzieś się zapodział. Patrzę i widzę, że ona jest przedłużeniem koralików. Tak zwyczajnie, w bladym świetle żarówek, bez zwracania na siebie uwagi – moja Matka wisi na krzyżu w brakującym miejscu.

PRZEDOSTATNIA WIADOMOŚĆ

Moja matuś namaszczona. Maciek o to zadbał. Dzieciak z jasną duszą, chłopiec z zaraźliwym śmiechem, ksiądz Maciek od spraw codziennych. Z wiarą tak nadaną, jak się dostaje imię od rodziców, i z Panem Jezusem za pazuchą. Dzwonię, przyjeżdża pod szpital, przebiera się w co tam trzeba, idzie. A potem wraca – trzysta kilometrów.

– Namaściłem Halinkę. To ją wzmocni, panie Sandow.

– Dziękuję, Maciek.

– To ja dziękuję... panie Sandow.

– Ale za co?

– Za to, że do mnie zwrócił się pan w tej sprawie. To prawdziwy zaszczyt.

No, taki już jest ten Maciek szczególny, ksiądz – nie ksiądz.

Robota księżowska wykonana w samą porę, bo oto przychodzi kolejna wiadomość. Przedostatnia. Piotrek dzwoni tym razem. Udręczony dodatek do koralików, brakująca część różańca, moja matka – leży na stole operacyjnym. Niedrożność jelit. Raczej nie przeżyje. Wsiadam w auto najsmutniejsze. Już się nie zatrzymuję przed kościołem w Lututowie. Nie ma po co. Chyba zaczynam rozumieć, że ta droga to... też droga. Coś się w tym spełnia, jakiś sens zakryty. A że tracę przy tym moją maleńką, wciśniętą do kieszeni wiarę... Tracę, to prawda. Może już straciłem. Ten Pan B. z obrazka zatkniętego za ramę większego obrazu nie jest wyrozumiały. Wkurwia go małość mojej matki. Chce ją wynieść do wielkości. To ciężka i smutna robota, no i efekt uboczny (ja z moją rozśmieszającą wiarą) dość gówniany. Będzie się musiał Maciek narobić...

Jednak przeżywa. Zostawiają ją we śnie chemicznym. Jaka ulga. No i przenoszą ją na kolejny odcinek szpitalny, znów wyżej – niżej. W miejsce, skąd przyjdzie ostatnia wiadomość.

Muszelka o krok od porodu, moja matka trzy ćwierci do śmierci, ja mijam się z diabłem na centymetry. Wybucham, tak jak wybucha bomba. Trochę w tym zasług pani P. Rozmawiamy, a ja z uporem nie sięgam po chusteczki. Już jestem kilka razy o krok od pudełka z dziurką, już prawie wyciągam rękę, ale ostatecznie… cofam ją.

– Czy czuje pan gniew?

– Czuję.

– Czy jakoś go pan wyraża?

– Nie, chyba nie. Jeszcze więcej niż gniewu jest we mnie poczucia winy.

– Poczucia winy?

– Tak.

– Za co?

– Za to, że ja robię film, a ona umiera. Za to, że nie mam pewności, czy zrobiłem wszystko, żeby ją uratować. Do tego wkurwia mnie ta straszna symetria: matka odchodzi, córka przychodzi, jedna kończy oddychanie, druga je zaczyna. Zmierzają ku sobie. To jest tak idealnie zakomponowane, tak nienaganne (znam się dobrze na kompozycji, uczę tego w szkole), że musi w tym tkwić jakiś sens, jakaś upiorna dedykacja. Tylko że ja nie potrafię tej dedykacji odczytać.

– A może tam nie ma niczego do odczytania?

– Może… nie ma. Lepiej, żeby nie było.

– Niewyrażony gniew zamienia się w poczucie winy. Wie pan o tym?

– Nie, nie wiedziałem.

*

Nie wiedziałem. Nie wiem. Chusteczki jeszcze daleko, ale jadę do Muszelki, siadam naprzeciwko i wtedy – wreszcie – wybucham. Wszystko, co zebrane przez lata i miesiące, cały ten smolisty, pierdolony nadmiar, te śmieci spod żeber, powściągnięcia, poprawności, niedopowiedzenia, samookaleczenia, te nieudane rozmowy z odchodzącą matką, wszystko to znajduje sobie drogi ujścia z mojego przeciążonego organizmu. Nie opiszę tego, bo nie potrafię. Uspokajam się dopiero na myśl, że Muszelczątko w brzuchu TO słyszy. Ten wielki wybuch, po którym się narodzi.

NARODZINY

Jeden z ostatnich wyjazdów do szpitala. Na spotkanie z dobrym człowiekiem z Katowic. Przyjeżdża, choć już raczej nie ma po co. Ale obejrzy chorą. Ogląda. Przeprasza, że nie może pomóc. Wracam na wyścigi.

Noc. Muszelka się budzi cała zlana potem. Wszystko ma pod ręką – numery telefonów, pytania, zdania, które trzeba wypowiedzieć. Ale najpierw zwraca się do mnie.

– To chyba... już, Dżuku. Musimy dzwonić, musimy jechać, ubranie, piżama, kosmetyczka, mydło, szampon, grzebień, butelka, smoczek, pieluchy... Halo, tu Muszelka, wody mi odeszły, czy mogę przyjechać?

Ci z drugiej strony pozwalają. Jedziemy w noc.

Szpital nowoczesny i przyjazny. Szklano-zielony. Uspokajające fartuchy chodzą sobie po korytarzu w tę i z powrotem. Nic nie trzeba wiedzieć. Wszystko tu wiedzą za ciebie, czyli głównie za Muszelkę. A ta już zmęczona, choć jeszcze nic się nie zaczęło.

– Urodzę naturalnie, bez przecinania brzucha. Nie po to chodziłam do szkoły rodzenia, żeby się teraz poddać tej nowoczesności. Normalnie, napnę się kilka razy, pooddycham, jak należy i... już dziecko na świecie. Bez problemu. W razie czego usiądę na piłce.

– Usiądziesz na piłce?

– No tak, to taka technika rozluźniająca. Siadam na piłce, ty mnie trzymasz, kołyszemy się jak w tańcu, tam się wszystko rozluźnia i otwiera... a potem chlup, i już jest twoja córka na świecie.

– Wierzę – nie wierzę. Widzę, że przysięgi też ją wyczerpują. Boi się. Tak gada i gada, żeby usłyszeć, jakie to wszystko łatwe.

Kładą ją do łóżka, wenflon do żyły, kroplówka z oksytocyną, żeby wywołać skurcze. No i te za chwilę przychodzą. Odpowiadają na zaproszenie. Przy pierwszej fali bólu Muszla otwiera oczy ze zdumienia. Nie może uwierzyć. To niemożliwe, żeby na świecie istniało coś takiego. Taki ból. Ale on istnieje dość powszechnie, jest banalny i pospolity. Tylko jak to jej wytłumaczyć? Nie tłumaczę. Stoję obok, zachęcam, słyszę słowa umocowane w podobnej składni, wypowiedziane z podobnym zawstydzeniem i nieporadnością, jak niedawne słowa do matki. Tylko że te dotyczą... o d w r o t n o ś c i. Nie do wiary (do wiary, do wiary), znów jestem pieprzonym przewodnikiem przez granicę. Tymczasem Muszla wyje jak opętana i przeklina jak pętak w bałuckiej bramie. Aż siostra Irena oblewa się rumieńcem, choć zapewne niejedno tu już usłyszała. Tylko że Kruczołebek jest artystą najwyższego lotu. Potrafi wymyślić takie modyfikacje, których nie da się puścić mimo uszu, więc karcę wzrokiem i głosem trochę podniesionym. To jednak nie daje nic poza irytacją. Teraz ja jestem winny, bo włożyłem jej ten ból do brzucha. To przecież jasne jak słońce i widoczne gołym okiem.

Trzy godziny mordęgi. Muszelka zlana potem. Przerwa. Położna sprowadza lekarza, ten kręci głową niezadowolony, bo postępu nie widać. Więc pora na piłkę. Sadzam na niej matkę Muszelczątka, staram się utrzymać ją w pionie, kołyszemy się jak sieroty, ale i to nic nie daje. Mijają kolejne trzy godziny. Specjalistka od naturalnego rodzenia śpi na piłce. Kroplówka odłączona, bo już niepotrzebna. Będzie cesarskie cięcie. Czekamy tylko na ranną zmianę.

Sala operacyjna. Nie bardzo chcą mnie na niej widzieć, ale ja nie słucham. Doszedłem już daleko w dwóch poważnych sprawach. Sukces tej ma zrównoważyć klęskę tamtej. I o mnie tu głównie chodzi, o moje powietrze do oddychania. Owszem, zachowuję się ładnie w cudzej sprawie, mnożę pozory, że tu chodzi przede wszystkim o Muszelkę i dziecko i – naturalnie – bardzo o nie chodzi, a nawet bardzo, bardzo, ale o mnie chodzi jeszcze bardziej. To mój egzamin z oddychania. Przy mnie zaczerpnie Muszelczątko pierwszy łyk ważnego powietrza, a ja z tej asekuracji zrobię sobie sztandar na resztę życia. Napiszę w powietrzu usprawiedliwienie, taką kartkę, jak pisała matuś do pani nauczycielki, że Sandulek się spóźnił na lekcje, bo były ważne powody, ale nadrobi zaległości w domu. A ja mam dużo zaległości, jeszcze więcej spóźnień i nieprzygotowań do ważnych przedmiotów. Wiele godzin nieobecności z wielu nieważnych powodów. Więc teraz – drodzy państwo lekarze – nie dam się zbyć byle czym, wchodzę na tę salę w zielonym, uspokajającym fartuchu, w bereciku na gumkę, w łapciach z kulki za złotówkę, z aparatem Nikon 300 z dobrym obiektywem. Ja – ojciec, przewodnik graniczny, fotograf reporter.

*

Muszelka się nie boi, nie jest przestraszona. Właściwie śpi, choć rozmawia ze mną dość przytomnie. Oddzielają ją od własnego brzucha zasłoną z zieleni. Siadam przy skołowanej głowie, pilnuję, ustawiam parametry fotograficzne – czułość matrycy, czas ekspozycji, przesłonę, ogniskową obiektywu. Lekarze tną skórę, potem tkanki głębsze, otwiera się przejście do Muszelczątka. Tylko że otwór mały i trzeba malucha przez to przecisnąć. Trzeźwy i spokojny opowiadam, co widzę.

– Wkładają palce do brzucha, rozciągają ranę, spoglądają po sobie, zaczynają się śpieszyć, o... widzę czarny łebek, wychodzi.

Muszelka słucha jak audycji z radia.

– Ma czarne włoski? Jezu... czarne – zachwyca się półprzytomnie.

Strzelam zdjęcia, jedno po drugim, jak automat. Trzask, trzask, trzask. I już jest główka na świecie, lekarz chwyta za nią, ciągnie, szyja wydłuża się jak u dziecka z plemienia Karen, jeszcze chwila, dwie, ramionka napierają na brzegi rany, pokonują opór matczynej tkanki i – na koniec – uwolnione Muszelczątko wystrzeliwuje na świat jak korek z butelki.

Jest piękna, ta moja córka; jeszcze śliska, jeszcze umazana mazią szaroburą pomieszaną ze wszystkim, co wygarnęła z brzucha, ale już – piękna i oddychająca. Namyśla się. Nie płacze.

Czeka, aż jej odetną pępowinę, wytrą trochę, owiną szmatką i położą matce na piersi. Leżą Muszelki sobie.

OGLĄDAM DZIECKO

Oglądam dziecko jak dziecko. Leży sobie w inkubatorze, już zważone, przewinięte i zabezpieczone. Małe to jakieś i zalęknione, jeszcze nic nie wie i – podobno – wie już wszystko. Tak się wymądrza starzec z Bollingen, a ja mu wierzę, bo komuś trzeba wreszcie uwierzyć.

ODEJŚCIE

Mateńka odchodzi dwa tygodnie później. Nie ma mnie przy śmierci, bo jestem przy życiu.

Potem – rzecz jasna – pogrzeb. Maciek przemawia pięknie.

Po twoim mieszkaniu chodzę z przewodnikiem
Oprowadza mnie norweski kot niebieski
Jest rzeczowy i opanowany
Jakby wcale nie rozpaczał
„Miała dużo ciekawych szufladek" – moja pani
Proszę sobie pozaglądać do nich
A ja idę popłakać (więc jednak...)
I upić się w trupa mocnym kocim piwem

WIERSZ ZNALEZIONY PRZEZ KOTA

Zaglądam do szufladki. Dużo małych karteczek. Na jednej wiersz matczyny, który tu w całości przytaczam:

Jest takie miejsce na ziemi
Za którym tęsknię nocami
Ukryty domek w zieleni
Miłością nasiąkłe ściany
Świerki srebrzone księżycem
I tuje złocone słońcem
Lipy pachnące miodem
Ptaki gniazda wijące
Dobrze mieć takie miejsce
Domek tonący w zieleni
Kocha się wtedy mocniej
I słucha głębi ziemi

POWRÓT BOBRÓW SANDOWA

Lato przechodzi w mozołach. Dość deszczowe. Mało grzybów w lesie. Muszelka ucieka w depresję, więc mam komplet nie z tej ziemi. Na szczęście jest babcia, młodsza ode mnie, i dziadek honoris causa. Tam upychamy Muszelczątko, żeby się jakoś dogadać w depresjach. Moja – naturalnie – poważniejsza.

Jej depresja mogłaby mojej zawiązywać buty. Ale Muszelka sięga po internet. I już za chwilę mam wykład o wyższości.

– Widzisz, zobacz... to jest wprawdzie rzadkie zjawisko, ale jednak dosyć częste (sprzeczność Muszelek nie dotyczy). Zdarza się raz na sto tysięcy... Przyczyny są środowiskowe oraz psychologiczne. O, tu jest dopiero ciekawie... należą do nich młody wiek matki, kryzysy małżeńskie czy aktualne stresujące wydarzenia... Widzisz, wszystko się zgadza kropka w kropkę, młody wiek, te... środowiskowe, no i oczywiście... wydarzenia.

Próbuję jakoś rozpędzić chmury. Zabieram nas wszystkich (Muszelki, babcia, dziadek h.c., pies Rudy z nerwicą i ja) na grilla. Karkówka, kiełbaski, dziadek h.c. słucha radia przez słuchawki zamknięty w swoim pokoju z komputerem. Nie, nie dosłownie. On tu niby jest z nami i nawet gada i uczestniczy, ale nie ruszył się sprzed ekranu. Bo to nie on się zawiera w tym pokoju, tylko ten pokój w nim. Ma go zawsze przy sobie na wszelki wypadek i teraz też w nim siedzi – na huśtawce, z talerzykiem, kiełbaską i musztardą. Muszelczątko brzęczy, pies chodzi do tyłu, babcia wisi nad wózkiem jak chmurka (kiedy za gorąco) lub jak słoneczko (kiedy za zimno). Życie się żyje.

*

Wreszcie jesień, z nią przetarg na Popielawy. Wygrywam. Zapisujemy moją Ojczyznę na papierze z pieczątką. Właściciel – Pan Sandow.

Wstawiam bramę parkową. Teraz mi wolno. Zastawiam wjazd na moją łąkę, nad staw i nad rzeczkę. Właśnie idę wzdłuż rowu, rozglądam się w poszukiwaniu drzewa, na którym zbuduję domek dla dziewczynki, już je mam w zasięgu wzroku, ale nagle dostrzegam, że... okaleczone. Napadnięte i pogryzione. Pochylone i garbate. Na granicy upadku. Nie, nie jest to żaden pomnik przyrody, zwykła wierzba wrośnięta w skarpę, pospolitość łąkowa. Tylko że opieczętowana cudzą pieczęcią, żółtymi zębami najeźdźcy, który powrócił. Wciągam powietrze nosem i zaraz przychodzi do mnie zapach salicylu. Czuję, że to ta sama woń co zeszłego roku. A więc teren oznaczony. Wyzwanie nie jest wprawdzie tej samej kategorii co tamto sprzed miesięcy, ale ma moc prowokującą. Jadę po potrzaski. Przyszedł czas na mój ruch.

Potrzaski nie są skomplikowane. Przyleciały z Kanady – dwie sztuki zamówione jeszcze zeszłej zimy. Zapomniałem o nich, ale teraz cieszę się na myśl o polowaniu. Jadę do podziadkowego domu, zakładam okulary, oglądam urządzenia z bliska; dwie ramki z hartowanej stali, dwa sprężynujące ramiona, druciane haczyki do blokowania, zapadka. Śmiertelna prostota. Tymczasem wieczór spada na dach chatki. Siadam przy kuchni, rozsuwam fajerki, otwieram popielnik. Wpadają iskierki do izby.

POLOWANIE

Nie wiem, gdzie ustawić potrzaski. Nie mam żadnego doświadczenia. Owszem, znam filmy traperskie z Ameryki i Kanady, ale tam nie mają przecież Popielaw. Tam wielkie rozlewiska, bagna i przestrzenie, tu dwa stawy i coraz mniej drzewek. Czym zajmują się bobry? – pytam siebie na lekcji biologii w szkole podstawowej. Budową tam, żeremi, prokreacją i żarciem. Skąd jedzenie? Z okolic stawu. Skąd budulec na tamy? Też z okolic stawu, bo trzeba gałęzie dociągnąć do wody, potem spławić na miejsce budowy. Idę za tymi odpowiedziami, szukam miejsca wokół stawu, znajduję objedzoną z kory olszynę. Tu ustawię potrzask. Zadanie nieproste. Dwie rozprężone ramki trzeba złożyć w jedną, naciągnąć sprężyny wielkimi obcęgami, zabezpieczyć haczykami, ustawić zapadkę, przywiązać pułapkę do drzewa, odbezpieczyć sprężyny. Robię to po raz pierwszy w życiu, mylę się, sprężyna trzaska o centymetry od palców. Ale idę dalej i zauważam, że powolutku zmienia mi się sylwetka. Robię się przyziemny, cichy i uważny. Gospodaruję energią coraz rozsądniej. Jestem w dobrym, traperskim wieku, mam powód egzystencjalny (albo ja – albo one), do tego – tak, tak – znów mi się to podoba. Poluję, jestem na małej wojnie bobro-ludzkiej. Wróg bada, ja badam. Wróg rozpoznaje poziom mojej determinacji, ja posyłam odpowiedź. Uruchamiam depozyt przedwieczny, złożony w zakamarkach świadomości, w uliczkach rzadko odwiedzanych, w zaułkach okurzonych opium. Rozglądam się. Na razie cisza. Maskuję potrzaski liśćmi i i zeschłą trawą.

Omijają. Przechodzą bliziutko potrzasków, jakby chciały mnie wyśmiać. Ba, nawet nie potykają się o łańcuszki. Tak wynika ze śladów, które sprawdzam po nocy. No i jedzą po troszeczku. Tu skubną coś, tam skubną coś. Na razie nie zabierają się do budowy tamy. Przeczekują. Wyobrażam sobie, że celują w moją naiwność. Pokazują, że ich zamiar jest powściągliwy – pochodzić troszkę wokół stawu, potaplać się w błotku, zjeść skromne śniadanko i obiadek. Nic więcej. Żadnych napaści na moją przeszłość. Nic z tych rzeczy. Niech wielkie drzewa sobie stoją bez strachu. Mogę zabrać te śmieszne pułapki i odesłać do Kanady. Na nic tu nikomu się nie przydadzą.

Ale ja czekam i sprawdzam. Jak w pokerze. Na razie ich na wierzchu. W nocy śpię niespokojnie. Śni mi się bobrzy olbrzym na pół stawu. Jest tak wielki, że nie daje rady przepłynąć pod mostkiem. Nie mieści się po prostu.

Podrywam się, jadę. Zapominam wszystkiego, co ważne w tej wojnie – woderów, latarki, drutu, noża. Całkowite zaćmienie żołnierskie. Noc czarna, więc czekam do świtu. Wreszcie budzi się światło i idzie do góry. Szarówka, ale ja już widzę wszystko, czego się tak bałem: ścieżki wydeptane do gołej ziemi, szlaki transportowe, pryzmy budulca poukładane na brzegu jak paczki na poczcie. Z tyłu zaś, nieco za stawem, pół wierzby podwójnej powalone na ziemię. Druga połówka jeszcze stoi. Nie zdążyły przed świtem. Ze zniszczeń wyłania się klarowny komunikat. Żadnych ściem czy podchodów: „Dzień dobry, tu bobry. Wracamy". Czytam ten transparent wywieszony w mojej Ojczyźnie przez wroga i zaczynam rozumieć taktykę. One w nocy, ja w dzień. One budują, ja rozbieram – jak kiedyś. Zobaczymy, kto szybszy. Tylko że ja nie mam zamiaru przystać na te warunki. Nie będzie zawodów sportowych. Będzie zabijanie.

Od razu zabieram się do roboty. Bez rozumu. Biegnę do potrzasku, chwytam nieuważnie, potrącam zapadkę, słyszę metaliczne szczęknięcie i... już mam złamane dwa palce u dłoni (lewa dłoń, palec trzeci i czwarty – jak liczy Muszelka). Ale to mnie nie zatrzymuje. Zdejmuję buty i skarpetki, wskakuję do wody przy mostku. Stopa ześlizguje się po kamieniu i trafia na... szkło od butelki. Być może jedyne w całej okolicy. Na szczęście woda zimna, więc krew płynie bez pośpiechu. Uspokajam się. Łapę trzymam w wodzie, żeby nie puchła, znieczulam się do białości, kombinuję. Wreszcie mam rozwiązanie. Wychodzę na brzeg z nieszczęsnym potrzaskiem, opatulam krwawiącą stopę, ukręcam kawałek drutu z siatki otulającej jabłonkę, napinam potrzask i zabezpieczam tym drutem. Wracam pod mostek. Staram się myśleć jak bóbr. Ostatecznie chodzi o tamę, a to miejsce jest dla niej najlepsze, więc i najlepsze na zasadzkę. Zadanie jest takie, żeby posłać bobra prosto w światło stalowej ramki, nakierować na blokadę zapadki – cieniutki stalowy drucik. Tylko jak to, do cholery, zrobić? Nagarniam głazy i pomniejsze kamienie, zostawiam między nimi przesmyk i w nim montuję pułapkę. Teraz chwila największego napięcia. Operując połamanymi paluchami, rozkręcam zabezpieczający drut, i ostrożnie wyciągam rękę. Udało się. Napięty potrzask czeka na ofiarę.

Wychodzę, oglądam rany. Ze stopą w porządku, zwykłe rozcięcie, ale palce u dłoni wyglądają nie najlepiej; sine, podbiegłe krwią, spuchnięte jak banie. Prawa dłoń też poraniona. Nie wiem, jak u bobrów, ale pewnie dużo lepiej, więc ta bitwa przegrana z kretesem.

Wracam do ognia pod fajerkami. Wiatr wydmuchuje z popielnika kolejne gwiazdki mojego nieboskłonu. Nie ma tam Wielkiego Wozu ani nawet wozu maleńkiego. Mleczna droga samotności. Próbuję spać, ale ból nie pozwala. Znów mi się chce palić jak cholera. Wstaję o ćmoku, jadę do Popielaw.

Tym razem mam ze sobą wszystko – latarkę dużą, latarkę małą, dwa noże, kij bejsbolowy, maczetę kolumbijską, obcęgi do napinania sprężyn, wodery, ręcznik, drut, kombinerki, a nawet kawałek folii do owinięcia trupa. Skradam się po cichutku, nasłuchuję, wyglądam zza barierki mostka i od razu zauważam. Serce mi staje w gardle, gorąco uderza do głowy. Opieram się o beton, żeby nie zemdleć. Pode mną, na wpół zanurzony w wodzie leży wielki, martwy, brązowy prześladowca. Jest naprawdę imponujący. Nawet... piękny w tym akcie bezradności. Pokonały go kanadyjska stal i upór myśliwego. Walczył, przechylał szalę zwycięstwa na swoją stronę, ale ostatecznie poległ z ręki osobnika jeszcze bardziej zdeterminowanego. Nagle budzi się we mnie rozrzewnienie. Chcę go przytulić do piersi, tego męża, ojca i brata innych bobrów. Mojego brata. Na szczęście dość szybko rozum powraca mi do czaszki. Wyciągam trupa z wody. Bydlę waży jakieś czterdzieści kilo. Na szyi zaciśnięte stalowe ramiona potrzasku. Kręgosłup złamany w tym miejscu. Oddycham z ulgą, bo to oznacza, że nie czekał na śmierć długo. Rozpinam pułapkę obcęgami, zawijam stworzenie w folię, wrzucam do bagażnika. Wiozę mojego pokonanego wroga daleko, jakieś pięćdziesiąt kilometrów od miejsca, w którym poległ. Instynkt mi tak każe. Zatrzymuję się w lesie, kopię dół, wrzucam bobra. Zmawiam wymyśloną na poczekaniu modlitwę. No, może...

modlitewkę. Niech trafi do bobrowego nieba i oznaczy je całe swoim groźnym zapachem. Nic nie mam przeciwko temu.

Przez kolejne dni cieszę się zwycięstwem. Nie wtajemniczam zbyt wielu osób, cieszę się głównie ze sobą i to towarzystwo mi całkowicie wystarcza. Odkryta radość nie jest wielka, nie jest nawet średnia; jest – prawdę mówiąc – dość nieduża, karłowata, ledwo odrastająca od ziemi, ale w obliczu powszechnej zagłady radości, wycięcia w pień radości, holocaustu radości – jest obecnością cenną. Więc pielęgnuję ją, przewożę z jednego zakamarka organizmu w drugi, utrzymuję w stanie aktywności. Niech się tli. To jest jedna strona sprawy. Druga jest po... drugiej stronie, w cieniu wywołanym tym światłem, a w geografii organizmu – pięterko nad tą pierwszą. Tej siedzibą jest zakuty łeb (tamtej – dołek nad przeponą). Cierpię z poczucia winy. W końcu powodem tej drobiny ukontentowania, matką tych narodzin, jest cudza śmierć. Czy to ładnie się tak cieszyć? Czy w ogóle wypada? Dzwonię do Muszelki. Ta w ryk. Rozumie, ale płacze („bo taki był puszysty, ten... boberek"). Opisuję go najczarniej jak potrafię, zohydzam z całym dostępnym talentem, ale to na nic. Nagle jej spluszowiał i spuszystniał. Trudno, niech tak będzie. Postanawiam do nikogo już nie dzwonić. To moja wojna, więc najwidoczniej sam muszę ponosić jej ciężar. Mam zespół stresu bojowego, kombinację odruchów potraumatycznych. Mój bóbr mógłby mieć to samo, gdyby przeżył. Dzielę się podejrzeniem z panią P. Nie potwierdza ani nie zaprzecza. Na szczęście przychodzi zima. Chłód każe się zastanowić nad innymi rzeczami. Zastanawiam się więc, kupuję pięć worków węgla, wypalam sadzę w kominie, przenoszę się ze spaniem na kozetkę. Mieszkam też w mieście, z Muszelką i Muszelczątkiem, ale uciekam od nich najczęściej jak się da. Do myślistwa uciekam, do traperstwa i żołnierstwa. Niby mi wstyd, ale wypruwam na wieś w każdej możliwej chwili. Bobrów nie ma, ale ja i tak zamawiam w Kanadzie potrzaski największej mocy: klasyczne, z podwójnymi sprężynami, półokrągłymi szczękami i prostokątną zapadką. Wyposażam się również w zestaw noży, kupuję nową latarkę, kompas, wojskowe buty, saperkę, siekierkę. Mam już pistolet pneumatyczny, maczetę kolumbijską, kij bejsbolowy, wodery, rękawiczki, linkę stalową oraz wiązki drutu różnej grubości. Jeżdżę do Popielaw, skradam się, śledzę, podchodzę, wącham, nasłuchuję. Przyklejam się do przyrody tak mocno, że przestają się mnie bać nawet żurawie, kaczki i bażanty. Traktują mnie jak drzewo, które nie potrafi się zdecydować, gdzie przyrosnąć do ziemi, więc chodzi, szuka, przymierza się. Rzeczywiście, nie potrafię się zdecydować. Tymczasem z Kanady przychodzi przesyłka. Przecinam taśmę klejącą, otwieram pudło drżącymi rękoma. W środku skarby; połyskujące dyskretną zielenią potrzaski. Wyglądają imponująco, bije od nich stalowa, traperska siła. Od razu podejmuję próbę. Rozciągam szczęki specjalnym gripem, napinam się, natężam, zaciskam zęby z bólu (połamane palce), wreszcie rozkładam je na boki i klinuję podgiętą krawędzią zapadki. Pot spływa mi z czoła aż do ust. Jestem wykończony z wysiłku, ale zadowolony. Mam to, na co tak czekałem. Teraz wystarczy tylko spuścić na prostokątną blaszkę coś nieznacznego, wytrącić krawędź zapadki spod sprężyny, uwolnić jej niszczycielską, wyczekującą moc. Rozglądam się, znajduję drewniany kołek gruby jak moje przedramię, spuszczam go na zapadkę. Rozlega się krótki metaliczny łoskot, pułapka podskakuje do góry i zaraz nieruchomieje. Patrzę i nie mogę uwierzyć oczom. Ramiona potrzasku są złożone, w miejsce zaś jednego na podłodze leżą dwa krótsze kołki. Kanadyjska stal przecięła twarde drewno jak zapałkę. Szybko zawijam potrzaski w folię bąbelkową. Nie chcę ich już nawet oglądać. Wybiegam na dwór, odsuwam betonową pokrywę szamba i tam wrzucam te upiorne pułapki. W mrok, w czeluść piekielną, w gówno.

Dłoń z połamanymi palcami czernieje. Muszelka wysyła mnie do szpitala, ale znów uciekam na wieś. Nie mogę mieć gipsu, bo rozmięknie w wodzie. Dziwne, że tego nie rozumie. Jak z gipsem operować w stawie, przy potrzaskach? Nie da się.

Jedyne, na co się zgadzam, to przerwa w podnoszeniu ciężarów. Rozmontowuję sztangę i składam ławeczkę do ćwiczeń. Zresztą... grzbiet i tak boli od ekscesów popielawskich. Znów wtorek. Jadę do pani P.

Pani P. jest w nieokreślonym wieku. Interesująca blondynka między trzydziestką a pięćdziesiątką. Mało mówi. Patrzy. Nie podlizuje się.

– Uciekam z miasta, zaszywam się na wsi, piję dużo kawy, oglądam pornografię, palę w piecu. Jeżdżę też na polowania. Zabiłem wielkiego bobrzego samca, ale to niczego we mnie nie zamknęło. Nie mam poczucia, że coś się dokonało. Przeciwnie, jestem zadowolony, że to trwa.

Namyśla się, patrzy ponad moją głową na ścienny zegar. Za oknem ciemno. Słychać samolot lecący po krawędzi dachu.

– A ja mam takie skojarzenie...

Jeszcze przez chwilę trzyma mnie w napięciu, potem uśmiecha się do myśli i wypowiada odroczone zdanie.

– Mam skojarzenie, że pan wreszcie robi coś dla siebie. Że w jakimś sensie wziął pan siebie pod opiekę, zadbał o swoje potrzeby. Przecież to, co pan teraz robi, podoba się panu. Prawda?

– Prawda. Podoba mi się to, co robię, wtedy, gdy to robię. Polowanie mnie podnieca. Mam satysfakcję, że potrafię wczuć się w położenie zwierzyny. Lubię to, że nie pozwalam jej zaznać spokoju. Te zwierzęta boją się mnie, a ja odczuwam z tego powodu przyjemność. Tylko że potem, kiedy już siedzę przy piecu, piję kawę i wpatruję się w ogień, jest mi wstyd. Mam poczucie niezasłużonej nagrody. Doświadczam przyjemności czerpanej z mroku. Odkrywam bezmiar tych zasobów i łatwość sięgania do nich. Światło jest trudniejsze.

– Ale pan jest w jednym i w drugim. Może te bobry zostały panu dane właśnie po to, żeby mógł pan spotkać się ze sobą w… ciemności. Paradoksalnie – zobaczyć siebie w tym deficycie światła.

Patrzę na panią P. i widzę, że ma rację. Tak, spotykam się ze sobą w ciemnych uliczkach. Skradam się pochylony, kluczę przełamany wpół, i czasem staję nagle naprzeciwko siebie. Tylko że twarz, na którą patrzę, nie podoba mi się. Ten ja-ktoś ma dzikie, budzące lęk spojrzenie. Boję się go.

– Boję się siebie takiego – odzywam się dziwnie cicho. – Boję się jeszcze ciemniejszych zaułków, na końcu których mogę spotkać siebie. Ale najbardziej boję się tego, że to mi się s p o d o b a.

– Więc proszę się bać. Strach też jest częścią tej drogi.

Mija godzina przeznaczona na spotkanie. Wstaję, żegnam się, wychodzę. Mam teraz wybór, mogę jechać do Muszelek w mieście lub do ognia w piecu i wiatru w kominie. Jadę na wieś.

DWA BOBRY I WYDRA

Zima się nie wysila. Chłodki ledwo ścinają wodę, więc mam dostęp do stawu w każdej chwili. Ale nie ma potrzeby. Śmierć wielkiego bobra wstrząsnęła okolicą, wszystko, co żyło w pobliżu, pozapadało się pod ziemię. Spokój dookolny. Nie widać już nawet kani, bo nie ma na kogo spoglądać z góry. Wyniosły się też czaple i kaczki. Zostałem sam na sam z ptasią drobnicą. Mam do towarzystwa sikorki, wróble, sójki, szpaki i wrony. Od czasu do czasu przylatują też kruczyska, siadają na drzewach, gapią się, odlatują.

Wyciągam z wody potrzaski, czyszczę je, natłuszczam sprężyny, ustawiam w nowych miejscach: jeden w rowie, w połowie drogi między kładką a stawem, drugi pod mostkiem. Nie czuję podniecenia. Raczej coś w rodzaju traperskiej rutyny, jakbym tym zajęciem zarabiał już na życie. Następnego dnia znajduję w potrzasku małego bobra. Nawet nie jestem zdziwiony. Oglądam stworzenie bez poprzedniej uważności; to jest młody samiec, zapewne syn wielkiego ojca. Wygląda to na samobójstwo, bo przyroda nieruszona; żadnych śladów żerowania, budowania tamy czy odwetu. Nic z tych rzeczy. Raczej akt samozagłady, przyznanie się do bezradności. Ustawiam pułapkę w tym samym miejscu, wiozę samobójcę na miejsce pochówku ojca, zakopuję nieopodal. Następna jest samica. Ta jest dość duża, ale daleko jej do sławnego męża. Waży jakieś piętnaście kilo. Uwalniam ją z pułapki, zawijam w folię, wiozę na rodzinny cmentarz. Na szczęście ziemia jeszcze niezmrożona.

Mija kilka dni bez pochówków. Mróz zewnętrzny jeszcze nie zamraża, ale coraz chłodniej pod sercem. Zaczyna się wewnętrzny sezon zimowy. Śnieg z deszczem we mnie. Nie wiem, co z tym robić, więc na wszelki wypadek nie robię nic. Nie skarżę się nawet mojej pani P. (z nią rozmawiam o innych porach roku).

Aż przychodzi ten dzień. Ostatni dzień mojej myśliwskiej przygody. Rano, o świcie pobielonym, odkrywam pod mostkiem wydrę, a właściwie... wyderkę niewielką. Nie żyje, jak wszystko, czemu się ostatnio przyglądam. Uwalniam ją z pułapki, kładę na mostku, patrzę i kręcę podłym łbem. Stworzenie jest tak śliczne, tak miłe i tak niepotrzebnie martwe, że aż chce się płakać. Wkurwiony na siebie wyrywam potrzaski z wody. Zaczyna mi już ciążyć ten szlak śmierci. Żadne z tych morderstw nie przywołało mnie do życia ani odrobinę. Uwalniając moją krainę od najeźdźców, uwalniam siebie od... siebie. Zgoda, w uwolnionym miejscu pojawiło się przejściowo trochę radości, ale już jej nie ma. Nie ma też zbyt wiele smutku. Za to jest coraz więcej p u s t k i.

*

Wyderki nie wiozę na rodzinny cmentarz bobrów. Postanawiam pogrzebać ją tu, w Popielawach, na znak pojednania z przyrodą. Wykopuję grób, odmawiam zaklęcia, przepraszam wszystkie stworzenia wodne, ziemne i powietrzne. Uświadamiam sobie, jak wiele ich dookoła. I nagle pod ziemią zaczyna się ruch. Wychodzą ku mnie te wszystkie wywołane duchy koni, krów, kóz, owiec, psów, kotów, kur, kaczek, gęsi, lisów, kun, łasic, bobrów, wyder, szczurów, kretów, myszy, ślimaków. Stworzenia są coraz mniejsze i coraz bielsze. Aż wreszcie wszystkie zawisają w powietrzu jak śnieg. Bo to śnieg pada zimowy, przywołany moją skruchą. Ja wiem, nie ma nieba dla zwierząt, bo Pan Bóg nie przewidział. Ja wiem, rozumiem i nawet przyjmuję do wiadomości, ale głupio będzie nie spotkać ich tam.

SUKA SPOD APTEKI

Jest bura i śmiertelnie chuda. Wynędzniała. Na pierwszy rzut oka przypomina wilczycę, ale to nie takie pewne. Stoję pod apteką zamknięty w aucie. Silnik pracuje, bo na świat spadły mrozy. Jakieś dwadzieścia stopni. Suka patrzy wyczekująco. Przechadza się po drugiej stronie szosy, wystawia na widok wszystkie swoje nieszczęścia: żebra przebijające skórę, łapy przerośnięte lodem, torbiel wiszącą pod brzuchem (tak wielką, że ociera się o ziemię). Czeka. Zdaje się, że sobie mnie wybrała. Tak to na razie wygląda i nie chce wyglądać inaczej. Zwlekam z wyjściem. Właśnie jadę do Rokicin po kolejną porcję spokoju. Mam w planie ogień w piecu, grube skarpety, herbatę, parę z ust i użalanie się nad sobą. W tej sprawie nie jest mi potrzebna żadna konkurencja. Chciałem wykupić receptę, nic więcej, no i teraz stoję pod apteką ze zdychającą suką w aucie. To znaczy ona jeszcze jest tam, po drugiej stronie ulicy, ale – prawdę mówiąc – mam już ją na tylnym siedzeniu. Próbuję jeszcze uchylić się od wyroku. Idę do apteki i przysięgam sobie, że jak jej nie zobaczę po powrocie, nie będę szukał. Wracam. Stoi pod wejściem. Nawet nie patrzy błagalnie. Nic z tych rzeczy. W suczych oczach pali się (ledwo, ledwo) jakiś zadziwiający konkret; oczekiwanie na ruchy, które mają nastąpić – otwarcie drzwi, pomoc we wdrapaniu się na siedzenie (ledwo powłóczy nogami), nakarmienie kiełbasą. Ona wie coś o moim poczuciu winy, o wyderce z cudnym pyszczkiem, o bobrzym cmentarzu w lesie. Wie to, bo w zwierzęcym świecie takie wieści rozchodzą się szybko. Więc teraz zidentyfikowany złoczyńca ma obowiązek.

Wsadzam ją na kanapę. Cuchnie słodko-kwaśno, jak psujące się mięso polane octem. Z wygryzionych ran sączy się ropa z krwią. Ma pchły, wszy, robaki, jest zagrzybiona i przerośnięta brudem. Rzucam za siebie pętko kiełbasy. Ruszam.

Palę pod kuchnią, myję ręce, karmię sucze nieszczęście.

Bezi – tak ją nazywam, bo bezimienna. Żadne inne imię nie chce do niej pasować.

Dzwonię do Muszelki, a ta zaraz rzuca wszystko (Muszelczątko pośród tego „wszystkiego") i jedzie na ratunek. Wsadzamy śmierdzący worek kości do wanny. Suka jest przerażona, ale poddaje się. Wreszcie widać szczegóły jej losu, każdy dzień zapisany kartka po kartce; resztki sierści spalone olejem (spanie pod samochodami), poranione boki (wąskie przełazy), zęby starte do dziąseł (jedzenie kamieni). Wyczesujemy kołtuny, myjemy, zużywamy dwie butelki szamponu, a ona dalej cuchnie jak kloaka. Wreszcie zasypia przy piecu. Spod burości zaczyna przebijać kolor, coś jak brąz złamany żółcią i odrobiną czerni. Więc może jednak wilk?

Jedziemy do weterynarza Basi. Ta ogląda stworzenie i załamuje ręce. Kilka zastrzyków w suczy zadek, dużo witamin i czegoś jeszcze. Potem operacja. Basia i Piotr wycinają torbiel, sterylizują stworzenie, zaszywają, zabezpieczają. Potem jedzie suka do stajni doktora S. Ten trzyma głównie konie, ale i kociarnia się przemieszcza po strychach, i psiarnia, do tego dużo ptaszków stajennych – wróbli i jaskółek. Doktor S. leczy ludzi, potem odpoczywa od ich chorób w swoim wielkim lesie. Jeździ po nim bryczką, liczy sarny i jelenie. Doktor Basia leczy zwierzęta, a w wolnych chwilach jeździ konno na siwym Jaśku mieszkającym w stajni dobrego doktora od ludzi. Zaglądamy tam z Muszelką i tak się zaczyna zadurzenie o imieniu Malibu. Tak, wiem, to nie jest książka o zwierzętach, ale o Malibu napiszę dwa słowa. Jest karogniady i bardzo wrażliwy. Wielki koń. Przy tym spięty jakimś wewnętrznym kontrapunktem, jakby w każdej sekundzie grała w nim nuta przeciw nucie; delikatność przeciw twardości, usłużność przeciw hardości, wyjątkowość przeciw pospolitości. Lubi wracać do stajni sam i czasem wraca, zostawiając jeźdźca w lesie. Tym jeźdźcem – zdarza się – jest Muszla, którą takie postanowienia wkurzają. No i boli od nich tyłek. Ale na razie – zadurzenie. Pierwsze spojrzenia mniejszych w większe ślepia; czarne na czarne, końskie na ludzkie...

Tak, czuję już to. Wewnętrzna książczyna się dopełnia. W katakumbach przestępuje już z nogi na nogę zniecierpliwiony cień Ryfki Rubin. Czekają na mnie porzucone mgły, więc zaraz wracam. Jeszcze tylko strona, może dwie na tym świecie.

Niedziela. Suka spod apteki dochodzi do siebie w stajni doktora. Akurat jesteśmy tam, jemy żeberka i ciasto marchewkowe (żona doktora cudna), kiedy wzywają Basię do porodu. Jedziemy w charakterze asysty. Rodzącą jest kucykowa kobyłka. Niby wszystko w porządku, bo spod ogona wystają już kopytka, wystarczy chwycić je i pociągnąć, ale jest bieda z odpowiednimi dłońmi. Basi są za słabe, chłopskie są zbyt wielkie, nie wchodzą w otwór, w kucykowe – za przeproszeniem – narządy rodne. Odpowiednie dłonie w tym wypadku to graby silne, ale przy tym nie za wielkie. Takie w sam raz, czyli – moje. Podwijam rękawy, myję ręce, wkładam do środka i ciągnę. Ale nic z tego nie wynika. Źrebak opiera się, jak może. Narada. Będzie cesarskie cięcie. Tu, na miejscu, w stajni. Jedziemy po narzędzia i Piotra, męża doktorki. Po powrocie jeszcze jedna próba odwrócenia dziecka w łonie matki. I ta nie przynosi rezultatu. Więc operacja. Całą ekipą (doktor, doktorowa, gospodarz, szwagier gospodarza, Muszelka i ja) przygotowujemy salę operacyjną. Statywem do kroplówki jest Muszla, ja trzymam w górze lejek na rozmaite płyny, Basia z Piotrem operują. Cięcie. Tkanka rozchodzi się. Patrzę na pielęgniarkę, a ta blednie, wiotczeje, ale utrzymuje się na nogach. Zapewne chodzi o to, żeby nie rąbnąć w eleganckim ubraniu na zafajdaną ściółkę. Poza tym robota jest odpowiedzialna i do wpisania w CV, więc pielęgniarka przetrzymuje kryzys. Ja też mam jeszcze zadanie do wykonania. Wkładam rękę do kobyłki i tym razem... wpycham źrebię do środka. Robię to w dokładnie oznaczonym momencie. Dziecko wychodzi na świat z rany w boku jego matki. Martwe od dość dawna (sierść nie trzyma się boków). Oczywiście są łzy Muszelczyne i Basia też pociąga nosem. Ja jestem tylko wkurwiony. Zastanawiam się, czy w chwili popisu nie pociągnąłem zbyt mocno za kopytka, ale doktorka uspokaja. Winny jest los, który zakręcił zwierzątkiem w brzuchu i ustawił tyłem do przodu. Nic tu nie można było zrobić. Zatem dziękuję losowi za wspaniałomyślność, za zdjęcie z grzbietu kolejnego możliwego poczucia winy. Ten komplet, który posiadam, całkowicie mi wystarcza.

Zabieram Bezi do auta i wiozę do chatki. Ciągle cuchnie jak cholera, ale wygląda już lepiej. Patrzę w sucze oczy. Wiem, że dane mi zostały z miłości. Suka spod apteki to w istocie nagroda od Stwórcy stworzeń. Mam ją po to, żeby się podnieść z bobrzego dna, z mroku występku i zbrodni. Więc się podnoszę. Tym razem za pomocą makaronu z warzywami i mięsem. Gotuję rosół, rozdrabniam warzywa (brak zębów), otwieram puszkę. Mieszam te specjały i podaję zwierzęciu.

Wiosna już na krawędzi zimy. Coś idzie, by się wymienić z czymś. Otwieram szeroko oczy. Bardzo chcę to zauważyć, ale jeszcze nie potrafię.

POWRÓT DO GŁÓWNEJ KSIĄŻKI

Wracam. Już pora. Więc znów wzywam Muszelkę. Tym razem spodziewa się tematu rozmowy, ale na wszelki wypadek wystawia wszystkie nibynóżki, żeby zbadać zawartość powietrza. A powietrze jest łaskawe, pełne najlepszych zamiarów.

– Wracam do głównej książki – oświadczam jak literat.

– To znaczy, że napisałeś już tę małą?

– Napisałem.

– A gdzie ją można znaleźć?

– W brzuchu tej większej.

Krzywi się. Nie w smak są jej te wszystkie metafory. Zaciska usta w nitkę, namyśla się.

– Coś to w tobie zmieniło?

– Ale co?

– No nie wygłupiaj się, Dżuku... Czy ty jesteś kwadratowy idiota? No to pisanie czy coś w tobie zmieniło? Bo wzięło się podobno z konieczności, z krzyku twojego zmaltretowanego organizmu, więc powinno przynieść jakąś ulgę. Przyniosło, do kurwy?

– Nie przeklinaj. Twoje dziecko ma już dziesięć miesięcy.

– Ale ja, Dżuku, wiszę już na krawędzi wybuchu. Nie przeklinałam prawie przez rok, żebyś mógł sobie spokojnie składać te twoje rymy. Więc powiedz mi teraz głośno i wyraźnie, że moja wstrzemięźliwość miała sens.

– Miała sens, Muszelko. Zrobiłem sobie powtórkę ze szpitala, śmierci matki i moich rozmaitych nieudolności. Byłem też na speleologicznej wyprawie w czerń.

– Gdzie byłeś?

– W jaskini mojego organizmu. W Antro del Corchii, w jebanym mroku i błocie. Prawie na samym dnie.

– Co to ta „korchia"?

– Najgłębsza jaskinia, w jakiej kiedykolwiek byłem. W Toskanii, we Włoszech.

– A po cholerę tam właziłeś?

– Teraz czy wtedy?

– No przestań. Co mnie obchodzi tamto? To, co teraz mnie obchodzi.

– Żeby spotkać się ze sobą najniżej jak można. Jak najbliżej dna. Dnem w jaskini jest syfon zawaliskowy, czyli kupa kamieni, przez którą wycieka woda.

– Stanąłeś na tych czarnych kamieniach?

– Chyba tak.

– I co z tego będziesz miał?

– Wspinaczkę do góry. Na to liczę.

– Zabierzesz mnie tam, Sandow?

– Ale po co?

– Żebym też mogła zejść w twoją czerń. Ciekawa jestem, jak tam jest.

– Ty masz swoją jaskinię, a w niej swoją własną czerń. Więc nie dasz rady zobaczyć mojej. To się nie uda. A do Corchii mogę cię zabrać na wycieczkę. Pojedziemy tam z Muszelczątkiem na wygłupy. Echo tam słychać jak mało gdzie. Pokrzyczymy i posłuchamy sobie. Chcesz?

– Pewnie że chcę, jeszcze jak! A w tej wspinaczce do

góry, to już cię widać trochę? Już ci ten... łysy łeb wchodzi w światło?

– Wchodzi, wchodzi...

MACEWA PO RAZ DRUGI

Jest sierpień dwa tysiące jedenastego roku. Wieczór. Na podwórku wiejskiego domu Sandowa leży rozłupany kamień. Jedna połówka ma już prawie taki kształt, jaki zaplanował dla niej kamieniarz. Nic z polnej pospolitości, żadnego banału wpisanego w formę. Doskonałość.

Sandow jest zawiedziony. Spodziewał się większego wyzwania, przygotował dłuta rzeźbiarskie, przecinaki, frezy z diamentowymi wkładami, a nawet pneumatyczny młotek podłączony do kompresora pokaźnej mocy. Wszystko na nic. Polny kamień jest już prawie macewą. Doszedł do takiego kształtu po jednym niedbałym uderzeniu młotem. Sandow odwraca głaz. Kładzie go płaską stroną na pokrywie studni, ogląda, zabiera się do wygładzania drugiej, nierównej strony. Tym razem obróbka nie idzie tak łatwo. Kamień nie przypomina już sobie żadnej sztuczki, więc Sandow może się wreszcie cieszyć. Przykłada dłuto z diamentową wkładką i wali w nie młotkiem radośnie, aż iskry rozsypują się w powietrzu. Uderza raz po raz, z uporem wykonawcy bardzo pilnego zlecenia, którego nic nie jest w stanie powstrzymać. Robota trwa do rana.

Około szóstej Sandow wyłącza lampę oświetlającą kamieniarski zakątek. Macewa jest gotowa. Ma wszystko, co powinna mieć: imię, nazwisko, datę urodzenia, datę śmierci, menorę wpisaną w półkoliste pole, podrzeźbiany gzyms i inskrypcję. Napis jest dziecinny i pretensjonalny, ogłasza bowiem... brak świata. „Świata jeszcze nie ma i może nigdy nie będzie" – wyznają drobne literki (rzecz jasna wydłubane po polsku, bo hebrajskiego zleceniodawca nie znał, nie zdążył się nauczyć, nie chodził do szkoły, nie czytał i nie pisał).

Kamieniarz robi sobie kawę, siada na progu, wbija spojrzenie w kamień. Tak, napis jest naiwny, wzięty wprost z dziecinnych wyliczanek, ale w tę bzdurkę wydrapaną patykiem na piasku musi być wpisane coś więcej. Coś ważnego i napominającego. Inaczej po co jakaś przemożna siła odciągałaby poważnego człowieka od jego spraw? I nagle Sandow odkrywa to znaczenie. W jednej chwili wyświetla mu się w głowie ten drugi, doroślejszy sens inskrypcji wyrytej na macewie. Tu chodzi o świat... zawieszony, zatrzymany w obrocie właśnie z powodu Ryfki Rubin. O przerwę uczynioną za przyczyną jej losu. Trwa pozór dobrze udawany, ale tak naprawdę – stoimy ze wszystkimi ważnymi sprawami. Owszem, koła się kręcą, tylko że zębatki tej maszyny nie zachodzą na siebie. Najwyraźniej piegowate cielątko z ulicy Ciesielskiej zapodziało się gdzieś między niebem a piwnicą, wymknęło się rachmistrzom pana Ein Sof i ten ogłosił Wielką Przerwę. Przerwa i już. Na ile lat? Na tyle, ile będzie potrzeba. Nie targować się, Żydzi! Coś się nie zgadza w rachunkach, jakiś ułamek z milionów, trzeba ten poważny błąd odnaleźć i naprawić. Więc biegają po świecie biegacze biegli w piśmie, rozglądają się cienie większe za cieniem malutkim, a tu... figa z makiem, cielątko przepadło, a świat... stoi. Owszem, chudziny z Chewra Kadisza wyzbierały kostki zamiecione pod ścianę piwnicy, wrzuciły do worka małą czaszkę z resztką rudych włosów, podkolanówki w kolorowe paski, sandałki i sukienkę w kropki. Cały komplet. A potem powlokły się na cmentarz. Coś się jednak nie dopełniło, wtedy, w tysiąc dziewięćset czterdziestym czwartym, i teraz udręczony goj musi namyślać się nad kamieniem, który do niego gada po żydowsku.

„Ryfka Rubin, córka Natana i Hawy z domu Szimbork. Urodzona 12 września 1938 roku, zmarła 3 października 1944 roku".

Muszelka nic nie rozumie. Patrzy na macewę, cmoka z zachwytu, podziwia kunszt rzeźbiarza, ale i tak nic się jej nie chce zgadzać.

– Ładne to, ale... nie zgadza się. Nic a nic. Jeżeli ten napis ma rację i świata jeszcze nie ma, to nie ma tego napisu, ciebie, mnie oraz paru innych rzeczy. Przyjechałam do ciebie z miasta Łodzi moim białym autopierdkiem na benzynę, tylko że co, nie ma miasta, autopierdka i benzyny, tak? To dlaczego to wszystko jest, jak tego nie ma? Potrafisz mi to wytłumaczyć? Ja się zgadzam z drugą częścią tych kamiennych bazgrołów, bo to jest ogłoszenie o pragnieniu czegoś lepszego, w miejsce tego... co jest. To znaczy w miejsce tego dość chujowego świata, który ma się skończyć za rok w grudniu. Nie pamiętasz?

– Pamiętam, ale ty zdaje się nie pamiętasz mojego zdania w tej sprawie. Nie wierzę w koniec świata ani nawet w przerwę zarządzoną na czas poszukiwania Ryfki Rubin. Jest to, co jest – nigdy niezaczęte (bo nie pamiętamy) i niezakończone (bo też nie pamiętamy, bo pamięć wyłączona wyłącznikiem).

– To dla mnie za trudne, Sandow. Powiedz mi coś łatwiejszego. Na przykład, że masz takie zdanie, jak ten cały pobrzękujący medalami zestaw nieboszczyków z twojej rodziny. Że niby już po wszystkim. Było, ale się zesrało razem z Auschwitz, a to, co jest teraz, to tylko... udawanie. Wolę taką wersję, bo w niej jest miejsce na ciebie, na mnie, na nasze dziecko i stajnię na jednego konia.

– No dobrze. Właśnie taką mam wersję dla ciebie. Ale wersja podyktowana mi jako napis na macewę jest inna.

– Bo każdy ma swoją własną wersję, Sandow. Ona zależy od wielu rzeczy. Ta mała dziewczynka z jakiegoś powodu zapukała do twojej głowy. A ty jesteś uparty, więc starasz się ten powód odkryć. O coś tu zapewne chodzi, o jakiś drobny błąd do naprawienia, więc go znajdź i napraw.

– Znajdę.

– Pewnie, że znajdziesz. Kto znajdzie, jak nie ty? Może zacznij od tej mapy, która wyświetliła ci się w głowie w dniu robienia tatuażu. Pamiętasz?

– Pamiętam. Grała jakaś muzyka, ta maszynka mruczała usypiająco i… wtedy przyśniła mi się Ryfka Rubin.

– No właśnie. Mówiłeś, że sen był tak wyraźny, że mógłbyś nawet narysować mapę okolicy, w której się znalazłeś. To może narysuj tę mapę i pójdź za nią. Zacznij od początku, a nie od końca.

– A ty?

– Co ja?

– Pójdziesz tam ze mną, jak już znajdę to miejsce?

– Ja pójdę za tobą na koniec każdego świata, Sandow.

Noc. Psy szczekają uspokajająco. Pod lasem zapalają się niebieskawe ogniki. Sandow patrzy w tamtą stronę, ale nie jest nimi zaciekawiony. Siedzi na ganku, bawi się paczką papierosów, wyciąga jednego, wykrusza, wkłada do ust, zapala zapałkę, ale ostatecznie nie prowadzi jej w kierunku papierosa. Rezygnuje, choć poddanie się pokusie mogłoby uwolnić mózg od jednego z największych wysiłków, a wtedy odnalazłby na pewno piwnicę Ryfki Rubin. Pamięta podwórka, ich powtarzające się kształty i zawartości; komórki na węgiel, latryny, rynsztoki wyłożone kocimi łbami. Pamięta rytmy okien i skosy papowych traktów. Nawet klatki na gołębie pamięta, chociaż nijak nie potrafi przypomnieć sobie samych ptaków. Widać w tej nieoczekiwanej projekcji wszedł do getta głodnego, do miasta, które zdążyło już zjeść wszystkie gołębie, psy, koty i szczury. Jak znaleźć tę drogę jeszcze raz? Tramwaj, tak, pamięta też dźwięk tramwaju i gwar ludzi na rynku. Głosy były słabe, ledwo żywe, ale odbite od budynków docierały na koniec do piwnicznej izby. Sandow idzie za tymi ożywionymi głosami, za jazgotem żelaznych kół. Zaciska powieki i napiera palcami na gałki oczne. Wewnętrzny rysunek zaciera się, ciemnieje, ale zaraz ożywa szczegółami. Środek miasta, bałucki rynek parchaty, konny tramwaj. Perszerony mają kosmate pęciny, są grube i nabite mięsem. Gasnące ślepia Żydów patrzą na nie z pożądaniem. Sandow idzie ulicą Murarską. Teraz on jest cieniem. Patrzy na cierpienie przyrosłe do brudnych tynków, na ludzkie patyki dźwigające na sobie zawszone ciężkie szmaty. Jest tego tak dużo, że aż nie obchodzi. Jeden, drugi, trzeci, sto czterdziesty drugi. Ten ktoś był adwokatem, tamten muzykiem, ta szara twarz była aktorką. Grała w filmach. Miała wielu kochanków w całej Europie. Nagle znajome oczy. Zaraz, zaraz, czy to nie Hawa Rubin, z domu Szimbork? Dokąd idziesz, Hawele? Może do domu, na podwórko otoczone czerwonymi komórkami? Brama, przy niej dwa przytulone do siebie trupy. Leżą od dawna, bo bractwo pogrzebowe nie nadąża. Nie wszystko tu będzie w zgodzie z Halachą. Ale przymknie się oczy na to czy tamto. Nie będzie garści ziemi z Izraela, zasłoniętych luster, wylanej wody ani skorupek od jajek na powiekach. Hawele Szimbork przechodzi obok cuchnących kości. Wszy zagnieżdżone w szmatach wgryzają się pod skórę głośno i bezwstydnie. Kobieta zatrzymuje się. Otwiera usta („Ryfka, gdzie jesteś, dziecino, gdzie ty się podziałaś?"), ale nie wypowiada żadnych słów. Nie ma siły. Uruchamia tylko jeden nadludzki gest, macha dłonią, by odgonić muchy znad trupów. To wytrąca ją nieomal z równowagi (muchy odlatują, ale zaraz wracają), więc chwyta się gzymsu, łapie oddech, wchodzi do bramy. Sandow wchodzi za nią i już wie, że jest we właściwym miejscu. Na podwórku Ryfki Rubin. Otwiera oczy.

– Znów wiem, gdzie mieszkasz – odzywa się cicho.

Wstaje, wchodzi do domu. Ogniki pod lasem przygasają.

Na chudych nóżkach wełniane kreski
Zielony, żółty, czerwony, niebieski
Podkolanówki takie, jak trzeba
Trawa i słońce, ogień i niebo
To rośnie na tobie (zielone)
To świeci w grobie (zgaszone)
To grzeje dzieci (gdy płaczą)
To górą leci (w rozpaczy)

PIWNICA

Podwórko wygląda tak samo jak we śnie z Ryfką Rubin. Sandow poznaje komórkę, cegły, kamienie. Nawet pustki po drzwiach zieją tym samym chłodem. Mężczyzna wchodzi do prawego korytarza, rozgarnia podeszwą śmieci, schyla się w poszukiwaniu metalowego pałąka od klapy, ale dłonie na nic nie natrafiają. Klęka, rozgarnia piasek naniesiony na kamienną posadzkę, uderza pięścią, by odkryć piwniczną pustkę. Odpowiedź jest głucha i pozbawiona echa. Pod spodem nie ma piwnicy.

Jeszcze tego samego dnia podjeżdża pod barak Tatuatora. Idzie za myślą, że być może z miejsca pierwszego pojawienia się małej Żydówki łatwiej trafi do jej piwnicy niż z miejsca ostatniego. A jeżeli podpowiedź tkwi w środku tego betonowego, plugawego kibla? Z jakiegoś powodu Ryfka wyświetliła się właśnie w tym miejscu, w dusznym baraku z napisem „Robbie Tatoo".

Czeka ukryty za rogiem. Mijają godziny, słońce spada za plecy blokowiska, zapalają się kwadraty okien. Wreszcie Tatuator wychodzi. Ma na głowie wełnianą czapkę, na oczach ciemne okulary. Wsiada do niebieskiego opla. Rusza. Sandow jedzie za nim. Już po chwili orientuje się, że celem są ceglane podwórka. Uśmiecha się. Odkrycie związku między Tatuatorem i Ryfką Rubin przynosi obietnicę odwetu w zupełnie innej sprawie. W sprawie Muszelki.

Tatuator nie jest ostrożny. Wchodzi na podwórko, nie oglądając się za siebie. Sandow zostaje w bramie. Okryty mrokiem, ma Tatuatora jak na dłoni. Widzi, że mężczyzna skręca w lewo. A zatem sen skłamał nieznacznie, podobnie jak skłamała matka Ryfki, wprowadzając Sandowa na podwórko. Wejście do piwnicy jest w posadzce lewej komórki. Zresztą to i tak zależy od kierunku nadejścia. Mały błąd, ale już naprawiony. Sandow wraca do auta. Nie chce na razie wiedzieć, jakie ciemne sprawy łączą Tatuatora z tym miejscem. Na to przyjdzie czas.

Wraca nazajutrz. Od razu odkrywa zamaskowane wejście do piwnicy. Wchodzi bez ociągania, podniecony, nasączony adrenaliną jak gąbka. Pod romańskim sklepieniem wiszą sople skrystalizowanej soli. Światła jest niewiele, więc grotołaz Sandow zapala latarkę. Dużą, mocną, jaskiniową. Teraz może już wypatrywać tego czegoś, o czym nie ma bladego pojęcia. Czegoś, co jest silniejsze od zdrowego rozsądku i... świętego spokoju. Śladów po Ryfce Rubin.

Pierwsze pomieszczenie jest niewielkie, ale odrastają od niego dwa korytarze prowadzące w głąb piwnicy. Sandow skręca w lewo. Ogląda korytarz bardzo uważnie, omiata światłem każdy zakamarek. Odkrywa jedynie walające się po posadzce zbutwiałe gazety, wyschnięte szczurze truchła, kawałki desek i kupki opadłego ze ścian tynku. Nagle w powietrzu rozlega się jęk zawiasów piwnicznej klapy, do pomieszczenia wdziera się światło i towarzyszący mu odgłos ciężkich butów. Ktoś schodzi po schodkach, ciężko oddychając. Sandow wyłącza latarkę, przypada do ściany korytarza, wstrzymuje oddech. Na szczęście przybysz skręca w prawo. Za chwilę mrok piwniczny rozświetla się krwawo, za sprawą zapalonych przez obcego czerwonych odrutowanych lamp stropowych. Sandow uspokaja się. Nie chce sprawdzić, czy intruzem jest Tatuator, choć logika odmawia innego rozwiązania. Ciągle nie jest gotowy na spotkanie z jego ciemną, zasraną tajemnicą. Wstaje, by odejść po cichu, i wtedy zauważa to, po co przyszedł.

KOSTECZKA

Kosteczka leży przy samej ścianie, w pęknięciu posadzki, obok kupki rdzawego tynku i paru wełnianych nitek. Sandow klęka. Świeci w miejsce znaleziska, potem w inne szczeliny, rozgląda się, szuka, ale nie znajduje niczego więcej. Wraca do kosteczki. Jest niewielka. Pochodzi zapewne ze stopy, na to wskazuje obecność kolorowych nitek wyprutych z podkolanówki; zielonej, żółtej, czerwonej i niebieskiej. Mógł ją przywlec pod tę ścianę jakiś głodny szczur, mogła wypaść przez dziurę z worka towarzystwa pogrzebowego. Jakkolwiek by było, teraz leży sobie w piwnicy i czeka na podniesienie.

NAJMNIEJSZY CAŁUN ŚWIATA

Sandow wyjmuje z kieszeni chusteczkę, rozwija, układa na niej kostkę, dodaje do towarzystwa cztery kolorowe nitki, zawija z taką starannością, jakby mała płócienna chusteczka była całunem pogrzebowym. Nawet przychodzą mu do głowy słowa, które mógłby wypowiedzieć przy tej okazji, otwiera usta, ale w ostatniej chwili rezygnuje. Wstaje, gasi latarkę, ukrywa grobek Ryfki Rubin w kieszeni. Dokładnie w tej samej chwili w czerwonej części piwnicy gaśnie światło. Obcy też wychodzi. Słychać jego ciężkie kroki. Wchodzi do głównego pomieszczenia, zatrzymuje się przy piwnicznym okienku (tyłem do schodków, na których siedziała Ryfka, przodem do świata, który ją zamordował). Sandow chowa się w cień. Patrzy. Obcy nie ma na sobie koszuli. Wystawia umięśniony spocony tors na działanie wiaterku wpadającego do piwnicy. Całe plecy pokryte tatuażami. Nie ma wątpliwości – to Tatuator z baraku. Odwraca się i wtedy Sandow zauważa jeszcze jeden rysunek. Ten jest szczególnie staranny; pejzaż z błękitnym niebem, droga, przy niej jabłoń z owiniętym wokół pnia wężem, łany zboża, maki wrastające w trawę. Widokówka jest tak realistyczna, tak dobrze namalowana, że aż chce się zobaczyć Adama i Ewę. Ale świata jeszcze nie ma na tym rysunku (chociaż tak wyraźnie jest). Objaśnia to napis wytatuowany na czerwono-niebieskiej wstędze: „Świata jeszcze nie ma i może nigdy nie będzie". Sandow jest wstrząśnięty. Nie może uwierzyć, że sentencja, którą wyrył na macewie prowadzony przymusem zza grobu, powtórzona jest w tak trywialnym miejscu, na lewej piersi chuligana z blokowiska. Na prostackim tatuażu. Na razie porzuca myślenie o tej nieoczekiwanej lokalizacji (sacrum nie lubi chłodu kościołów, tylko taka myśl mu przychodzi do głowy), bowiem Robbie zakłada koszulę i wychodzi z piwnicy. Sandow pogłębia wreszcie oddech, wyciera pot z czoła. Za chwilę też rusza w kierunku wyjścia.

Chusteczka leży na stole. Pochylają się nad nią dwie głowy – czarna i łysa.

Muszelka jest bardzo poruszona. Kilka razy nabiera powietrza, żeby o coś zapytać, ale rezygnuje. Nie bardzo jest pewna, czy w takiej chwili wolno o coś pytać. Wreszcie nie wytrzymuje.

– Gdzie ją znalazłeś?

– W piwnicy.

– W tej, która ci się przyśniła?

– W tej samej.

– I udało ci się odtworzyć całą drogę, całą mapę okolicy?

– Udało.

Muszelka wzdycha.

– Ktoś o niej zapomniał... o tej kosteczce. Zmęczona musiała być ta chedra kamisza i... przegapiła. A w ogóle to... kto to taki?

– Chewra Kadisza, towarzystwo pogrzebowe, dobrowolne. Religijni Żydzi.

– Taki wolontariat cmentarny, tak?

– Coś podobnego.

Muszelka milknie. Namyśla się.

– I co my z nią teraz zrobimy?

– Postąpimy zgodnie z zasadami. Na parę dni przemienimy się w religijnych Żydów, nauczymy się przepisów pogrzebowych, odnajdziemy grób Ryfki Rubin, rozkopiemy go, dołożymy brakującą cząstkę wraz z czterema nitkami wełny, postawimy macewę. To wszystko. Może wtedy skompletowana Ryfka zamilknie w mojej głowie, a świat ruszy do przodu.

Muszelka kręci głową. Znów nie wszystko jej się zgadza.

– Po pierwsze, to my nie znajdziemy tego grobu. Niby jak? Czy ty widziałeś, Dżuku, ile tam jest grobów? Od zajebania.

– Nie klnij.

– Nie klnę. Uprawiam rachunki. Właśnie wymieniłam ci bardzo dużą liczbę. No i to jest po pierwsze.

– A co jest, na przykład, po drugie?

– Po drugie? No... połowa tych grobów nie ma tych... macew. A ty jesteś pewien tych braci kadiszów, że oni do końca wojny łazili z tymi workami na cmentarz? Bo może z głodu ta religijność w nich... osłabła i rzucali tymi kośćmi, gdzie popadnie... Mogło tak być?

– No... właściwie mogło.

– A widzisz. I jak nawet odnajdziemy ten grób, to tam mogą być trzy kości na krzyż. Mogą, Sandow?

Sandow traci cierpliwość. Podnosi głos.

– No to chcesz mi pomóc czy nie?

– Chcę, chcę... Nie musisz tak ryczeć i wyżywać się na mnie. Weszła ci do głowy ta Ryfka i najwyraźniej dostajesz od tego kota.

– Nie byłoby tego, gdyby nie twój arabski tatuaż.

– O, proszę bardzo... widzisz? Już dostałeś kota. Lepiej zacznijmy te czary-mary, zanim na dobre się pokłócimy. To co mam najpierw zrobić?

Sandow delikatnie zawija kostkę Ryfki w chusteczkę. Zasłaniają wszystkie lustra w domu, wylewają wodę ze wszystkich naczyń. Nie jedzą i nie piją, bo strażnikowi zwłok nie wolno tego robić przy zmarłym. Tak spędzają resztę dnia, popatrując raz na siebie, raz na mikroskopijny całunik leżący na stole. Przychodzi noc.

PAPIEROWA KULKA

Od rana Sandow zamienia się w śledczego. Ubrany w menelską odzież przechadza się pod murem żydowskiego cmentarza. Jest sierpień, słońce pali niemiłosiernie, na poboczu kopulują psy, nie zwracając uwagi ani na żywych, ani na umarłych. Sandow siada pod murem, nieopodal bramy, sięga do kieszeni, wyjmuje kanapkę zawiniętą w folię, rozwija, zaczyna jeść. Naprzeciwko siebie ma zabudowania gminy żydowskiej; stary dom na wysokiej podmurówce, ceglane komórki, kilka drewnianych klatek, wybieg dla psa ogrodzony drucianą siatką. Miejsce wygląda na zatrzymane w czasie z powodu nostalgii. Na fotografię sprzed wojny. Koło budy kręci się niedokarmiony wilczur z szyją wytartą od łańcucha. Przygląda się igraszkom psiego koleżeństwa, ale w jego spojrzeniu nie widać zazdrości.

Z budynku wychodzi staruszka ubrana w czarny komplecik i kapelusz z pomiętym rondem. Schodzi po betonowych schodkach, trzymając się poręczy. Każdy jej krok to osobne, poprzedzone oddzielnym namysłem przedsięwzięcie. Jeden, drugi, odpoczynek, spojrzenie na cmentarz, trzeci, czwarty, odpoczynek, spojrzenie na cmentarz. Wreszcie stawia nogi na ziemi. Oddycha z ulgą.

Wychodzi stróż, starszy zaniedbany mężczyzna. Dźwiga gar, w nim jedzenie dla psa. Karmi stworzenie, przemawiając do niego krótkimi szorstkimi zdaniami. Wraca do budynku i za chwilę wychodzi po raz drugi, tym razem w czapce na głowie. Zamyka drzwi na klucz, schodzi po schodkach, rozgląda się, potem szybko chowa klucz pod leżącą na parapecie puszkę po konserwie. Wychodzi z terenu posesji, starannie domykając furtkę. Rusza w kierunku miasta. Po drodze, przechodząc obok stadka psów, wymierza kopniaka kopulującej parze. Nieszczęśni kochankowie są już po ekstazie, w bolesnym oczekiwaniu na... rozłączenie, więc próba ucieczki kończy się przeraźliwym jazgotem. Stróż spluwa za plecy.

Sandow wstaje, otrzepuje ubranie, popatruje spode łba po okolicy. Dookoła nie widać żywej duszy. Rusza w kierunku budynku gminy. Wchodzi na teren, przemawiając przymilnie do psa, ale ten nie wydaje się zainteresowany przybyszem. Pozwala mu sięgnąć po klucz, odprowadza sennym spojrzeniem do drzwi budynku.

Szczęka klucz w zamku, jęczą zawiasy i za chwilę oczom Sandowa ukazuje się zagracona sień. Drzwi do pomieszczeń położonych po jej obydwu stronach są otwarte. Mężczyzna wchodzi do kancelarii połączonej z archiwum. Pokój jest obszerny. Wygląda jak salon w przedwojennej kamienicy. Pod oknem stoi ciężkie, podrzeźbiane, zawalone papierami biurko, przy nim skórzany fotel. Obok widać szafę, serwantkę z wystawą porcelany, kanapę, stolik kawowy z filigranowymi nóżkami i srebrnym blatem. Jedna ze ścian cała zastawiona jest regałami. Stoją na nich rzędy ksiąg oprawionych w szarobure, rozłażące się płótno. To zapewne archiwum cmentarne. Niżej widać pryzmy szuflad ustawionych w chwiejne konfiguracje. Wyglądają jak model urbanistyczny, jak projekt nowego żydowskiego miasta.

I tu nie brakuje ksiąg, segregatorów, zeszytów, zwojów, pakietów z zapiskami. Sandow wzdycha. Wydaje się bezradny wobec tego bezmiaru chaosu. Sięga po telefon.

Muszelka przyjeżdża po piętnastu minutach. Też przebrana dla niepoznaki. Na głowie ma francuski beret partyzancki z antenką, na oczach ciemne okulary. Trzęsie się z emocji.

– To czego my właściwie szukamy?

– Księgi z tysiąc dziewięćset czterdziestego czwartego, a w niej zapisku z imieniem i nazwiskiem Ryfki Rubin oraz numerem kwatery pogrzebowej. Ten numer jest najważniejszy.

– Ale gdzie tego szukać?

Muszelka rozgląda się skrajnie przerażona.

– Tu, tam czy może... na przykład tam? – pokazuje na szufladowe piramidy.

Sandow nie wie. Wzrusza ramionami.

– Od czegoś musimy zacząć. Zacznijmy od najwyższego regału, od środka. Ja będę jechał w lewą stronę, ty w prawą.

– Ale dlaczego ja w prawą? Nie mogę w lewą?

– No dobrze, ty w lewą.

– A może jednak... ja wyspecjalizuję się w szufladach?

Sandow traci cierpliwość.

– Nie, szuflady później. Teraz regały, jasne?

– Jasne, jasne... Tylko nie wkurwiaj się tak od razu.

*

Szukają. Z ksiąg wypadają pożółkłe kartki. Muszelka podnosi je i upycha między stronicami.

– Nazwiska nie idą alfabetycznie. Raczej daty idą alfabetycznie, to znaczy… w kolejności tego…

– Szukaj w czterdziestym czwartym. Ryfka Rubin.

Tym razem to Muszelka się irytuje.

– Zwariowałeś? No przecież wiem, kogo my tu szukamy.

Przerywa, bo oto jej wzrok pada na kulkę papieru przygotowaną do transportu przy podłogowej listwie, nieopodal mysiej dziury. Schodzi z krzesła, pochyla się, rozwija papierową piłeczkę. Nie może uwierzyć. Czyta na głos:

– Ryfka Rubin, córka Natana i Hawy z domu Szimbork. Urodzona 12 września 1938 roku w Łodzi, zmarła 3 października 1944 roku tamże. Pole numer 11, kwatera pogrzebowa numer 3793.

Sandow nieruchomieje.

– Jak ty to znalazłaś?

– Nie wiem. Tak jakoś… wzrok mi poleciał na tę kuleczkę… Mysza ją sobie przygotowała do zjedzenia. O, widzisz, tam jest dziura.

– Ale… skąd wiedziałaś?

– Naprawdę nie wiem, Sandow, i proszę, nie krzycz na mnie.

Muszelka zbiera się do płaczu, przejęta tym, co się jej przydarzyło. Sandow podchodzi, przytula.

– Zaczynam się ciebie bać, szamanko cmentarna.

– To bój się, bój.

DRUGI POGRZEB RYFKI RUBIN

Jeszcze tego samego dnia zabierają się do poszukiwań niepełnego grobu Ryfki. Na cmentarz dostają się przez mur. Wcześniej Muszelka zawiązuje Sandowowi chustkę na głowie. Wybucha śmiechem.

– Ale śmiesznie wyglądasz, Dżuku. Jak aktor z kina akcji, jakiś Van Damme albo ktoś w tym rodzaju. Nie mogłeś wziąć z domu porządnej czapki?

– Zapomniałem.

– Zapomniałem, zapomniałem. A widzisz, ja nie zapomniałam. Mam beret. Znam tradycję, religię i różne zwyczaje. Wiem, że bez czapki to tutaj raczej… chujowo.

Sandow ma dość. Chwyta Muszelkę za kark jak kota.

– Jeszcze jedno przekleństwo, a cię zaknebluję. Zrozumiano?

– Zrozumiano. Już ci nie będę straszyła tego… sakruma, bo jeszcze spie…, to znaczy przemieści się stąd w jakieś inne miejsce.

Muszelka milknie na dziesięć sekund. Tyle wytrzymuje. Znów się odzywa.

– Nie da rady. Nie znajdziemy. Jak mówiłeś, pole warzywniaka?

– Pole ogrodnika. Chodzi o gettową część cmentarza, którą tak nazywano, bo zajmował się nią kiedyś ogrodnik cmentarny. Tam powinniśmy znaleźć ostatnie groby.

Sandow wyjmuje z kieszeni złożoną we czworo kartkę. Rozkłada ją. Pokazuje się wydrukowana z internetu mapka cmentarza. Mężczyzna spogląda na słońce, potem na godzinę na wyświetlaczu telefonu. Próbuje według tych parametrów ustawić mapkę w zgodzie ze stronami świata. Za chwilę rzecz jest gotowa i Sandow wie już, gdzie iść. Pokazuje palcem.

– Północny zachód. Stąd aż do muru rozciąga się właśnie to „pole ogrodnika".

Muszelka mruży oczy. Spogląda spod dłoni. Widzi setki drzew i dziko wyrosłych krzewów.

– Te krzaczory? Przecież tam nie ma żadnego grobu.

– Są. Tysiące.

Te dwa słowa Sandow wypowiada takim tonem, że Muszelka w jednej sekundzie dorośleje o parę lat.

– I dzieci też tam leżą... pod ziemią? Takie małe Żydziątka?

Idą, przebijając się przez krzewną, kolczastą dżunglę. Rozgarniają krzaki głogu, dzikiej róży i dzikiego bzu. Po paru minutach oboje ociekają potem. Muszelka jest bliska płaczu. Staje, zdejmuje beret, przeciera ręką czoło, rusza na nowo, przeklinając cicho pod nosem. Wreszcie Sandow zauważa pierwszą macewę. Kamień stoi na wypukłości terenu, wrośnięty w grób prawie do połowy, omszały i niewyraźny. Podchodzą. Muszelka otwiera usta z zachwytu.

– To macewa, prawda?

– Tak.

– A dlaczego nie ma na niej żadnego napisu?

– Jest.

Sandow rozgląda się w poszukiwaniu kamienia, znajduje, zaczyna nim ścierać zielonkawy nalot na macewie. Muszelka otwiera szeroko oczy. Oto spod mchu, centymetr po centymetrze, wyłania się napis. Czytają razem na głos:

– Estera Diamant, urodzona 29 maja 1900 roku, zmarła 19 sierpnia 1944 roku.

Spod mchu ujawnia się też za chwilę numer kwatery: 2311. Muszelka jest bardzo przejęta. Liczy w pamięci, pomagając sobie palcami u prawej dłoni.

– Zobacz, Dżuku. Od śmierci tej pani, czyli od dziewiętnastego sierpnia, do śmierci... naszej Ryfki, czyli do trzeciego października, umarły w getcie tysiąc siedemset osiemdziesiąt dwie osoby. To strasznie dużo. Znajdźmy wreszcie tę naszą dziewczynkę.

*

Wracają o zmierzchu, dobrze przygotowani. W plecaku mają taśmę mierniczą, latarki, kompas, saperkę, kanapki z szynką, serem i pomidorem, termos z kawą oraz drewniane pudełeczko z kostką Ryfki Rubin zawiniętą w płótno. Przez płot przechodzą w tym samym miejscu, co przed południem. Jest pogodny, ciepły wieczór. Miasto mruczy w oddali, w cmentarnych gąszczach szeleszczą świerszcze, jazgoczą jakieś nocne, bezśpiewne ptaki. Muszelka jest przestraszona. Niby idzie, niby skrada się za plecami Sandowa, ale tak naprawdę umiera ze strachu.

– Czy oni wiedzą, że już nie żyją? Bo mi się zdaje, że ich pełno w tym powietrzu. Że nie siedzą pod spodem, tylko łażą tu dookoła i ocierają się o mnie.

– Nie histeryzuj. Mamy bardzo konkretne inżynierskie zadanie do wykonania i na nim się skoncentrujmy. Roboty miernicze i ziemne... Resztę, ten cały metafizyczny naddatek, zostawiamy na później. Zgoda?

– Zgoda, zostawmy, ale... co ja poradzę, że ich wszystkich czuję? I tam, gdzie mieszkamy, też ich pełno. Całe miasto pod tymi blokami. Czy ta twoja chewra cmentarna na pewno umiała ich przeprowadzić do nieba?

– Umiała.

– To dlaczego z Ryfką im się nie udało?

– Bo się... kurwa, raz... pierdolnęli.

– Nie klnij, Sandow. Ty jesteś porządny. To ja jestem żul.

Dochodzą do odkrytej przed południem macewy. Wyjmują z plecaka kompas, taśmę mierniczą, kartkę papieru, długopis i kalkulator. Na kartce widać wyrysowaną siatkę maleńkich prostokątów. Jeden z nich oznaczony jest krzyżykiem i numerem 2311. To grób Estery Diamant. Obok, na setkach pozostałych prostokącików, nie ma żadnego oznaczenia. Któryś z nich czeka na krzyżyk, numer 3793, imię i nazwisko. Sandow zabiera się do rachunków.

– Groby ułożone są na osi wschód–zachód, z twarzami zwróconymi w kierunku wschodnim, żeby w dniu Sądu Ostatecznego zobaczyć Jerozolimę. Długość grobu dwa metry, szerokość metr, odstępy między dłuższymi bokami pół metra, między krótszymi bokami to samo. W jednej linii, od muru do muru, odejmując alejki i przejścia między grobami, mamy sto dwadzieścia kwater. Kwatera numer 2311 jest jedenasta w jej rzędzie, a to znaczy, że do końca rzędu jest jeszcze sto dziewięć kwater. To nam daje sto sześćdziesiąt trzy i pół metra w kierunku północnym.

Sandow wyjmuje kompas, znajduje północ, rozgląda się. Dokładnie na kierunku rośnie duża rozdwojona brzoza. Pokazuje ją Muszelce.

– Widzisz tę brzozę? Pójdę w jej kierunku, rozwijając taśmę, a ty wbij patyk w to metalowe kółko oznaczające początek taśmy. Zrozumiałaś?

Muszelka kiwa głową, ale nie jest pewna, czy chce mierzyć.

– I co, zostawisz mnie tu samą?

– Taśma ma pięćdziesiąt metrów, więc jak ją całą rozwiniemy, to i tak będziesz mnie widziała.

– W tych ciemnościach? A co ja sowa jestem?

– Nie histeryzuj, jeszcze jest jasno. Przecież wszystko widać.

Muszelka rozgląda się, kręci głową z niedowierzaniem, pojękuje.

– Widać, srydać... To rozwijaj już, rozwijaj.

Odmierzają trzy pięćdziesiątki, potem trzynaście i pół metra. Sandow wbija patyk.

– Tu jest dłuższy bok ostatniego grobu w rzędzie. Numer kwatery dwa tysiące czterysta dwadzieścia. Teraz idziemy na zachód, czyli w tamtym kierunku – pokazuje palcem. – Musimy odmierzyć jedenaście kwater, czyli dwadzieścia siedem i pół metra, wtedy dotrzemy do grobu numer trzy tysiące siedemset czterdzieści i rzędu, w którym leży Ryfka Rubin.

– A co ja mam robić?

– Na razie to samo. Trzymaj początek taśmy dokładnie w tym miejscu, a potem, jak już oznaczę punkt, idź w moim kierunku.

Odmierzają dwadzieścia siedem i pół metra. Noc się pogłębia. Zapalają latarki, przyciszają głosy.

– Teraz odmierzymy siedemdziesiąt dziewięć i pół metra, czyli pięćdziesiąt trzy kwatery w kierunku południowym, i to będzie koniec roboty.

Rozwijają taśmę, w całkowitym milczeniu robią ostatni pomiar. Sandow wbija patyk w grobek Ryfki Rubin. Odzywa się szeptem.

– To tu. Kwatera numer trzy tysiące siedemset dziewięćdziesiąt trzy.

Muszelka kiwa głową. Nie jest w stanie wydusić z siebie żadnego odpowiedniego słowa. Pociąga nosem i jeszcze kilka razy kiwa beretem z antenką na znak, że zrozumiała. Albo na jakiś inny znak.

Idą razem do auta. Sandow zarzuca sobie na plecy worek z macewą. Niesie ją tak, jak być może przed laty obdarty Żyd niósł worek z kośćmi Ryfki Rubin. Dwa cienie gonią się po murze cmentarnym. Cisza nocna skrada się za ich głowami.

Patrzą pochyleni na niewielką wypukłość ziemi. Prawie jej nie widać, jest jak ledwo dojrzewająca dziewczęca pierś. Sandow sięga po saperkę.

– Metr siedemdziesiąt, tak głęboko chowano dorosłych. Dzieci zakopywano dużo płyciej.

Zaczyna kopać. Ziemia w tym miejscu nie jest twarda. Ustępuje. Muszelka kuca obok i celuje światłem latarki w ziemny prostokącik. Jest skupiona prawie tak samo jak Sandow i jakoś nieśpieszno jej do zadawania nowych pytań. Patrzy. Nagle na głębokości najwyżej osiemdziesięciu centymetrów saperka uderza w coś twardego. To coś odzywa się mniej donośnie niż kamień, ale donośniej niż ziemia. Brzmi jak... uderzenie w ludzką kość. Muszelka aż podskakuje z wrażenia. Spogląda na Sandowa, ale ten tylko wzrusza ramionami. Kładzie się na ziemi, podwija rękaw, sięga w głąb grobu. Długo szuka, wreszcie wyciąga dłoń zawiniętą w pięść. Kiedy ją rozkłada, na dłoni pokazuje się maleńka ludzka kość. Jest kropka w kropkę taka sama, jak kostka znaleziona w piwnicy. Wydaje się siostrą bliźniaczką tamtej. Obsypana ziemią, zaplątana w wełniane nitki – wygląda sobie na świat. Kolory jeszcze się palą nieznacznie, jeszcze igrają ze światłem latarki; zielony, czerwony, żółty i niebieski. Muszelka wypuszcza z nosa popisowe dziesięciokilometrowe gile. Lecą po nich kropelki.

– To Ryfka Rubin, nasza dziewczynka zagubiona. Ale znaleźliśmy ją, Dżuku, i teraz wszystko już będzie dobrze, prawda?

Sandow nie odpowiada. Nie wie, co odpowiedzieć. I on jest wzruszony jak dziecko. Nawet nie chce mu się zadbać o pozory. Daje przystęp tej fali, która wzbierała w nim od tygodni i napierała na żebra. Rozkleja się, zaczyna popłakiwać.

*

Świt nad cmentarzem. Żałobnicy rozwijają chusteczkę, dokładają do starej nową cząstkę zmarłej, zawijają, układają w grobie. Muszelka nacina koszulę pilnikiem do paznokci, potem ją rozdziera. To samo czyni z koszulą Sandowa.

– Co robisz?

– Przecież wiesz, co robię. Rozpaczam. Rozdzieram szaty. To się nazywa „kerija". Najbliższa rodzina tak robi.

– Nie jesteśmy jej najbliższą rodziną.

– Jesteśmy.

Kiedy odchodzą, słońce wspina się już na mur cmentarny. Za chwilę rozpoznaje macewę stojącą na grobie Ryfki Rubin i obsypuje ją złotem. Dyskretnie, bez ostentacji i przesady.

NAUCZYCIEL TAŃCA PO RAZ DRUGI

Sandow podjeżdża pod fabrykę Natana Kohna w Pabianicach. Chce się nauczyć tańczyć, a w okolicy nie ma odpowiedniejszego miejsca. Nikt nie uczy tak szybko, tak skutecznie i z takim wdziękiem jak Nauczyciel Tańca, więc łódzkie szkoły świecą pustkami, a ta pęka w szwach. Zresztą nie chodzi tylko o taniec, ten jest na drugim miejscu. Chodzi o spotkanie.

Nauczyciel rozpoznaje go już z daleka. Podbiega tanecznym krokiem, gnie się w ukłonach.

– Pan Sandow, jakże się cieszę. Kiedy pan zadzwonił, sądziłem, że to żart. A tu... proszę bardzo, jest pan naprawdę. Nie do wiary. To wielki zaszczyt dla mnie i mojej skromnej szkoły. A jak tam Muszelka? Na pewno zadowolona z zamiany; arystokrata duszy, profesor w miejsce jakiegoś tandeciarza od cza-czy... To się musi opłacać. Zresztą, proszę nie odpowiadać. Nie było pytania i... w ogóle przepraszam za ciekawość.

– Muszelka nic nie wie, to niespodzianka. Zapraszają nas na różne potańcówki, a ja... okrągły analfabeta taneczny. Najwyższy czas to zmienić.

Spod ściany spogląda na Sandowa kilka osób. Dwie z nich to młode, niebrzydkie dziewczyny, na oko po jakieś dwadzieścia lat. Biała i Czarna. Rozgrzewają się przy drążku, wyginają zgrabne ciała, kręcą tyłkami w obcisłych legginsach. Reszta towarzystwa klasyczna; panie wypuszczone spod opieki mężów, jakieś pary dziwaczne, panowie zawstydzeni swoim tu przybyciem. Nauczyciel przyzywa blondynkę.

– To jest Dżasmin, moja młoda asystentka. Dziewiętnaście lat. Będzie pana partnerką na lekcjach.

Dżasmin dyga przed Sandowem. Jest wniebowzięta.

– Uczę się aktorstwa w prywatnej szkole. Ale od pana mogę się na pewno więcej nauczyć. – Przybliża usta do jego ucha. – Ja też jestem dobrą nauczycielką w takich różnych... wyginaniach. Tańczę sportowo na rurce. Mogę zrobić pokazik.

Przerywa, bo oto na salę wbiega elegancka kobieta około czterdziestki. Już z daleka usprawiedliwia się przed Nauczycielem.

– Przepraszam, przepraszam... spóźnienie pięć minut! Wiem, wiem i proszę o łagodny wymiar kary. Znowu afera z Mufikiem. Muszę go chyba oddać do hotelu.

Nauczyciel wyrozumiale kręci głową. Wzdycha.

– Moja fanka. Nie jestem wcale pewien, czy tu chodzi o taniec... To już jej drugi kurs, a ma być jeszcze na ośmiu. No cóż, nie mogę jej zabronić.

– Ładna kobieta.

– Ładna i zasobna, ale ja gustuję raczej w... młodzieży. Zresztą... pan chyba też.

Nauczyciel Tańca uśmiecha się porozumiewawczo, ale nie napotyka na wzajemność. To go jednak nie powstrzymuje.

– Mogę zorganizować taki... młodzieżowy wieczór. Jest pan, jestem ja, jest młodzież, muzyka, taniec... Dżasmin powygina się na rurce. Dobrze brzmi?

– Nieźle. Całkiem nieźle.

Dżasmin jest znów wniebowzięta.

– Ale z pana równy gość. Wiedziałam.

Rusza lekcja. Uczniowie stają w rzędzie, naprzeciw mistrza. Czarna asystentka włącza muzykę. I ona nie może oderwać wzroku od Sandowa. Patrzy tak, jakby układała już sobie w głowie plany związane z pojawieniem się znanego reżysera. Organizm Sandowa nie potrafi się oprzeć temu spojrzeniu. Poddaje się bez walki, wysiewając do krwi rzekę endorfin. Mężczyzna uśmiecha się na znak, że przeczytał komunikat i akceptuje zawartą w nim obietnicę. Dobrze mu z tym.

Ten sam sierpień podwrześniowy. Rok dwa tysiące jedenasty. Telefon. Sandow odbiera.

– Cześć, Rysiek dzwoni.

– Poznaję. Cześć, Rysiu.

– Mam tego psiaka dla ciebie. Wszystko się zgadza, labrador, kremowy. Bardzo czuły na zapachy. Takie duże wrażliwe ciele. Ma tu hotelować przez dwa tygodnie. Przyjedziesz?

Schronisko dla psów na obrzeżach miasta. Sandow podjeżdża pod betonowe ogrodzenie. Już z daleka słyszy psi jazgot we wszystkich możliwych językach. Wchodzi. Od baraku biegnie Rysiek, rówieśnik Sandowa, kolega szkolny z Popielaw. Ma długie włosy, jest siwiutki jak gołąbek i bardzo chudy. Wygląda jak hinduski jogin. Witają się, potem idą wzdłuż rzędu odrutowanych klatek. Rysiek jest nastrojony filozoficznie.

– To wygląda jak selekcja w obozie koncentracyjnym. Temu życie, tamtemu śmierć. Nie mogę się do tego przyzwyczaić. A w części hotelowej… arystokracja. Po tych zawsze ktoś przyjedzie.

Przechodzą do eleganckich boksów hotelowych. W każdym widać budę właściwą dla wymiarów psa. Sandow patrzy na owczarki, wyżły i pekińczyki.

– A ten… mój, jak się wabi?

– Mufik. Właściciel ma jakiś biznes z Włochami, często lata za granicę, a żonka… rycząca czterdziestka… No wiesz, siłownia, spa, nauka tańca w najlepszej szkole. A wieczory zakryte tajemnicą. Podobnie jak… noce. Tylko że to już nie moja sprawa. Prosiłeś o psa klientki ze szkoły tańca, myślałem, że taki splot okoliczności nigdy nie nastąpi, a tu, proszę bardzo. Co to będzie za scenariusz?

– Dziwny film. Czarny kryminał z wątkiem miłosnym, bardzo… poetyckim. Coś osobistego, z naszych stron.

– Z naszych? No to powinieneś raczej szukać kundla, takiego… Azora z ogonem podwiniętym do góry.

Rysiek wybucha śmiechem. Bardzo mu się podoba jego własny pomysł na scenariusz. Może nawet bardziej niż pomysł Sandowa.

– Nie wszystko rozumiem, ale nie będę zadawał pytań. Chcesz pożyczyć psa, żeby go opisać. Proszę bardzo. Ja się znam na swoich sprawach, ty na swoich. Na tym polega balans w świecie, i dzięki temu to wszystko nam się nie wypierdala w kosmos. Dobrze mówię?

Sandow przytakuje. Dochodzą do boksu Mufika. Pies uśmiecha się radośnie. Nie protestuje, kiedy opiekun przypina smycz. Sandow sięga do kieszeni, ale Rysiek go zatrzymuje.

– No co ty, Sandow? Nie ma mowy o pieniądzach. Ja wszystko pamiętam z tamtych… naszych czasów i ta pamięć jest dla mnie warta wszystkie pieniądze świata. Pomogłeś mi ze sto razy.

– Raz, Rysiu.

– Ale dzięki temu razowi nie wylądowałem w pierdlu. Żadnej kasy.

Późne popołudnie. Sandow podjeżdża pod gospodarstwo rozłożone tuż pod lasem. Obejście wygląda jak leśniczówka z przyległościami. Dom i komórki opierają się o świerki, drzewa wrastają w ogrodzenie. Przy bramie tabliczka z napisem: „Antoni Ostoja-Zajdler. Układanie i tresura psów". Z drewnianego pokaźnego domu wychodzi właściciel – przystojny mężczyzna pod sześćdziesiątkę. Ma na sobie spodnie do konnej jazdy, oficerki i flanelową koszulę. Wygląda jak kawalerzysta. Jednym spojrzeniem ocenia Mufika i człowieka, który go przywiózł.

– To nie pana pies, prawda? Ale... mądre i dobre stworzenie. Co ma umieć?

– Wszystko, jeżeli można prosić.

– Wszystkiego to ja go nie nauczę w dziesięć dni. Niech pan wymieni jakąś najważniejszą umiejętność.

– Rozpoznawanie zapachów. Zależy mi na tym, żeby nieomylnie rozpoznawał zapach swojego pana i reagował na to – czy ja wiem – radością? To pies przyjaciela, kolegi z pracy. Wyjechał za granicę i ja się opiekuję.

– A ten zapach? Ma pan jakąś próbkę? Fragment garderoby albo jakiś przedmiot osobisty.

– Cholera, nie pomyślałem. Mogę przywieźć jutro lub pojutrze?

– Kiedykolwiek. Im wcześniej, tym oczywiście lepiej.

Sandow kiwa głową na znak, że zrozumiał. Oddaje smycz kawalerzyście spod lasu.

Wieczór. Sandow wraca ze szkoły tresury. Auto nasiąknięte jest psim zapachem pomieszanym z wonią perfum właścicielki Mufika. Kompozycja kwaśno-słodka, dość mdła, ale znośna. Dzwoni do Muszelki.

– Cześć.

– Cześć.

– Tu ja. Zostanę na wsi... poużalam się nad sobą.

– Coś się stało... specjalnego? Jakiś nowy materiał do użalania?

– Nie. Stary komplet. Tęsknota za byłym życiem, poczucie winy, poczucie rozmaitych strat. To co zawsze.

– Brzmi jak zamówienie w filmówce na stołówce.

– Aha.

– Coś jeszcze?

– A dlaczego?

– Bo brzmisz jakoś nieszczerze. Jakbyś planował... zdradę.

– Bo planuję.

– O widzisz, teraz brzmisz przekonująco. Uważaj na siebie...

– Będę uważał.

Rozłącza się, wybiera nowy numer. Z drugiej strony odzywa się niski, ustawiony głos Nauczyciela Tańca.

– Tak, słucham.

– Sandow mówi.

– O, witam, witam... jak miło. Rozumiem, że... oferta młodzieżowa podziałała na... wyobraźnię.

– No, prawdę mówiąc, podziałała.

– Dobra, to ja dzwonię po Dżasmin. A Lucy może być do towarzystwa, ta czarniutka?

– Jasne, będzie miło.

– Oj będzie, będzie. Nawet... nie wiesz jak, bo w tej sytuacji to możemy chyba już mówić sobie po imieniu?

– Jasne, przepraszam... Sandow.

– Remigiusz, Remek. Cieszę się. To czekam. Pabianice, ulica Łódzka sto trzydzieści siedem, mieszkania dwanaście. Na strychu.

Noc pabianicka. Siąpi mgielny, wkurwiający deszczyk. Jeden z tych, których prawie w ogóle nie widać, a moczą serce i doprowadzają do szału. Sandow podjeżdża pod przedwojenną kamienicę, sprawdza numer. Sto trzydzieści siedem. Wyłącza silnik. Budynek ma nową, dobrze zrobioną elewację, w niej nową bramę i nowe okna. Z dachu wystają facjaty pracowni artystycznych. W jednej z nich czeka na Sandowa Remigiusz w towarzystwie nastoletnich kurewek.

Mieszkanie jest rozległe i niemal pozbawione ścian. Prawie wszystkie elementy konstrukcji wystawione są na widok. Ładnie tu i nowocześnie. Remek wita Sandowa jak starego znajomego (policzek przy policzku, fahrenheit, pot, woda ogórkowa po goleniu).

– Szybciej niż się mogłem spodziewać. Swój wyczuwa swojego, co? Dziewczynki zaraz będą. A ja... tak tu... sobie mieszkam. Proszę bardzo. Jak na strychu albo w pracowni paryskiej. Szkoła też w tym stylu, pewnie zauważyłeś. Lubię to, skromnie, ale rzeczowo. Tam dalej, za ścianą, jest łazienka;

jacuzzi, masaż wodny... no, same przyjemności. A na lewo kuchnia.

Przechodzą do drugiego, nieco mniejszego pomieszczenia. Pracownia fotograficzna. Jej aranżacja nie pozostawia wątpliwości co do rodzaju powstających tu zdjęć. Pośrodku stoi okrągłe łóżko, nad nim wisi lustro otoczone miękko świecącymi żarówkami, pod sufitem kołyszą się aluminiowe sztankiety z lampami fotograficznymi. Między żeliwną jętką a podłogą rozpięta chromowana rura. Podłoga w tym miejscu to tafla kryształowego szkła podświetlana od spodu; fale kolorów, róż, fiolet, błękit.

– Fotografuję. Prawdę mówiąc, to moja największa miłość. Nauka tańca to pieniądze, kasa na przeżycie, a fotografia to... spełnienie. I przyjaciół mam głównie z tego kręgu. Kilku bardzo znanych fotografików, dwóch wybitnych. Nynio Samosik, pseudonim artystyczny „Fotografer", słyszałeś?

– Tak, tak, naturalnie. Dobry warsztat. Głównie akty, fotografia reklamowa...

– No właśnie. Ja też głównie... akty, takie odważniejsze, ale gdzie mi tam do Nynia.

Remek wydaje się zawstydzony wyznaniem. Sięga do kieszeni, wyjmuje chusteczkę, wyciera szyję i czoło. W powietrzu zawisa kłopotliwe milczenie. Sandow nie ma pomysłu, czym je wypełnić, więc rozgląda się, dotyka mebli, sprawdza sprężystość łóżka. Jest zbyt miękkie. Niewygodne. Pieprzenie na takim łóżku to udręka.

Dzwonek do drzwi. Wracają do salonu, Remek idzie otworzyć. Za chwilę wraca z Dżasmin i Lucy. Dziewczyny są odszykowane. Wyglądają świeżo i apetycznie. Mają ten nastoletni charme pomieszany z atrybutami kobiecości pełniejszej; wyzywającej i wulgarnej – ostrym makijażem, tipsami, kurewskim spojrzeniem. Dżasmin jest odważniejsza, od razu wkracza do akcji. Podchodzi do Sandowa, przyciąga go za szyję i całuje jak dziwka. W języku tkwi kolczyk, dwie schłodzone oddechem kuleczki. Męskość Sandowa reaguje od razu. Wtedy podchodzi Lucy. Klęka, rozpina rozporek, sięga po członka, pomaga mu zesztywnieć. Dłonią i ustami. I ona ma kolczyk w języku. Tymczasem Dżasmin pochyla się do ucha mężczyzny.

– Nastąpiła stymulacja seksualna, bodziec z mózgu uwolnił tlenek azotu w twoim kutasie, ten sygnał aktywował enzym o nazwie cyklaza guanylowa. Ruszyła fabryka chemiczna, która zamieniła twojego chuja w drewnianą pałę, a wkrótce dzięki Lucy i mnie wytworzy całą serię związków chemicznych, w rezultacie których, na koniec... spuścisz się nam na buzię. Studiuję biologię na uniwersytecie, pierwszy rok. A Lucy psychologię. Ona lepiej rozumie, dlaczego to robimy.

Remek popatruje z głębi mieszkania. Jest podniecony. Po raz kolejny wyciera szyję i czoło chusteczką.

DZIWKA BIAŁA, DZIWKA CZARNA

Dżasmin tańczy na rurze. Ma opalone, wygimnastykowane ciało. Drobne mięśnie grają pod skórą w reakcji na każdy ruch, na każde napięcie. Można się uczyć anatomii; prostownik nadgarstka, zginacz, triceps, biceps, mięśnie grzbietu i barków. Ale najpiękniej odzywają się włókna łydek, ud i pośladków. Zdejmuje biustonosz i majteczki – skrawek materiału ze sznurkiem. Klęka, wciąga usypaną na lustrze kreskę. To samo robią Remek i Lucy. Nauczyciel popija jeszcze proszek wódką, ociera czoło i kark, rzuca chusteczkę na podłogę. Siada na kanapie obok Sandowa, przywołuje gestem Lucy. Czarna podchodzi. Jest naga, lśniąca i smagła. Drobna. Przedramiona i kark porośnięte ma czarnym meszkiem. Sandow zna ten rodzaj urody i temperament, jaki stoi za nim. Wie, co będzie dalej.

– Mam tu wszystko, co kocham – odzywa się Nauczyciel Tańca. – Fotografię, film, taniec, pierdolenie i... męską przyjaźń. I wiesz, co ci powiem? Pokażę ci teraz prawdziwą hojność. Nie będę ruchał tych kurewek razem z tobą. Daję ci je w prezencie, chcesz? Zrobią wszystko, co im każesz. Są niewiarygodnie zepsute. Niewiarygodnie.

To powiedziawszy, rozpina rozporek, chwyta Lucy za włosy i przyciąga do swojego niewielkiego przyrodzenia. Wciska je kobiecie w gardło, potem rytmicznie podnosi i opuszcza jej głowę, jakby się bawił gumową lalką. Po kilkunastu ruchach uwalnia do jej ust potok wodnistej spermy. Dziewczyna wypuszcza płyn kącikiem ust, krztusi się, oczy jej łzawią. Remek jest czerwony i spocony. Rozgląda się za chusteczką, ale nie znajduje. Wyciera czoło wierzchem dłoni.

– Widzisz, Sandow, pornografia. Czysta pornografia. Jebać to wszystko! Cały ten zasrany sprzedajny świat.

Wychodzi do drugiego pokoju, tam zwala się na leżący pod ścianą materac. Zasypia. Sandow wykorzystuje tę chwilę, pochyla się po zużytą, wilgotną chusteczkę Nauczyciela i szybko chowa ją do kieszeni. Lucy wybiega do łazienki.

Kąpią się razem – Czarna, Biała i Sandow. Siedzą w jacuzzi, popijają whisky z butelki i próbują być dla siebie mili. Kobiety wiedzą, po co tu są, nie wychodzą z roli ani na sekundę. Czarna odzywa się z uśmiechem, jakby nic się nie stało.

– Lubię smak spermy, ale jego jest jakaś taka… gorzka. Twoja jest na pewno cudna. Słodka i pachnąca migdałami. Nakarmisz mnie, prawda?

Sandow rozkłada ręce.

– Będę posłuszny.

– Nie jesteś tak zepsuty jak Remek. W tobie jest coś bardzo, bardzo delikatnego. Coś... kobiecego.

– Podobno to wy jesteście zepsute.

Dżasmin uśmiecha się wyzywająco.

– Jesteśmy, jesteśmy. Jeszcze jak! Ale to nic w porównaniu z wami. Na przykład ten Nynio Samosik, to dopiero jest pojeb. Masakra. Dostaje orgazmu na widok starych aparatów fotograficznych. I to nie jest bynajmniej metafora. Normalnie się spuszcza. Pierdolony kolekcjoner!

Czarna uznaje, że czas zakończyć konwersację. Mości się między nogami Sandowa. Jej lśniący tyłek wypada tuż przed twarzą Dżasmin. Wygląda to jak zaproszenie, więc Biała nie daje na siebie długo czekać. Pochyla się. Nagle rozlega się cichutkie, stłumione uderzenie metalu o metal. To kolczyk z języka uderza w kolczyk umocowany w łechtaczce. Wszyscy troje wybuchają śmiechem.

Kochają się prawie do rana. Miłość, czułość, delikatność, jebanie, obciąganie, pot, sperma, ślina. Dużo miłosnych płynów i dużo gimnastyki; jedna na plecach drugiej, dwie na kolanach, jedna z przodu, druga z tyłu. W połowie nocy Sandow nie ma już pomysłów na układy. I nie chce mu się już ruchać. Wszystko go boli. Ma przecież pięćdziesiąt pięć lat.

Wychodzi o brzasku. Deszcz dalej siąpi dokuczliwie. W aucie

przekłada chusteczkę nauczyciela do foliowego woreczka z zasuwką. Brzydzi się tego pakunku, ale jeszcze bardziej brzydzi się siebie.

Jedzie do szkoły kawalerzysty. Drzewa migają usypiająco. O godzinie ósmej rano staje przed leśną chatą. Wyjmuje chusteczkę z folii i podsusza ją przy kratce powietrznej. Auto w kilka sekund wypełnia się kompozycją fahrenheitowo-ogórkową. Za chwilę z domu wychodzi treser psów. Odzywa się.

– Słowny z pana człowiek.

Spogląda na wymiętą twarz Sandowa.

– I wcześnie pan wstaje albo... późno się kładzie spać...

– Prawdę mówiąc... i jedno, i drugie. Kryzys wieku średniego.

Sandow podaje chusteczkę. Kawalerzysta podnosi ją do nosa. Wącha, odzywa się, patrząc prosto w oczy przyjezdnego.

– Mężczyzna, po pięćdziesiątce, wielbiciel whisky, fahrenheita i... używek w proszku. Niebezpieczna przyjaźń...

Sandow wytrzymuje spojrzenie.

– Ale dla kogo? Dla mnie czy dla niego?

Kawalerzysta uśmiecha się pod wąsem.

– Dobry zapach. Dobry dla... psa.

Odwraca się, odchodzi. Już ma wejść do domu, kiedy zatrzymuje go jeszcze jedno pytanie Sandowa.

– Czy pies mojego przyjaciela zapamięta ten zapach na długo?

– Do końca życia.

SZALEŃSTWO MUSZELKI

Coś się dzieje z Muszelką. Jej ruchy zwalniają i dostojnieją. Ogranicza też ilość wypowiadanych słów, majestatycznieje i robi się na wpół przezierna. Sandowowi zdaje się, że chwilami widzi świat przez jej brzuch, przez blady zarys kiszek, wątroby i śledziony. Właśnie mija trzeci tydzień od powtórzonego pogrzebu Ryfki Rubin, w powietrzu wiszą nici babiego lata, małe pająki podróżują z nimi po świecie, a Muszelka... znika. Ale na szczęście nie przestaje używać telefonu komórkowego. Dzwoni na wieś.

– Mógłbyś przyjechać?

– A gdzie jesteś?

– Na cmentarzu żydowskim, przy grobie naszej drogiej zmarłej.

Siedzi na kocu złożonym w kostkę, jest przyobleczona w czernie i szarości. Na głowie francuska beretka z antenką, komiczny dodatek do pozy. Sandow podchodzi, ale to nie powoduje reakcji. Milczy, wreszcie skręca głowę na szyi, ani trochę jej nie pochylając. Odzywa się ze smutkiem natężonym do potęgi dwudziestej.

– Mamy sziwę, siedem tygodni smutku, a ty jesteś taki rozproszony.

– Z tego co pamiętam, sziwa przewiduje siedem dni, a nie siedem tygodni.

– Ja to zmieniłam.

Sandow aż otwiera usta ze zdumienia.

– Jak to... zmieniłaś?

– Zwyczajnie. My potrzebujemy więcej smutku.

– My?

– No... Ryfka, ja i – mam nadzieję – ty.

– Ja?! Mnie w to nie mieszaj. Mam dość smutków z wielu innych źródeł. Nie, dziękuję bardzo.

Muszelka patrzy na Sandowa z politowaniem.

– Żydzi tak nie robią. Żydzi są głęboko współczujący.

Sandow podrywa się jak oparzony.

– My nie jesteśmy Żydami! Ja trochę... owszem. Przez matkę mojego ojca, czyli babkę Esterę. Ale ty?! Twój dziadek Zaglul urodził się w Sudanie, był egipskim Koptem i... tylko tyle podobieństw do starszych braci w wierze. Reszta to różnice, i to wiesz jakie? Kolosalne, niebosiężne, monstrualne! Matka sziksa, ojciec goj!

– Nie krzycz. Nie krzyczy się na cmentarzu.

Sandow posłusznie zniża głos.

– Czy ty wiesz, że za sam tylko napis na plecach, na plaży, powiedzmy w... Hajfie, wsadziliby cię do więzienia?

– Nie wybieram się do Hajfy.

Sandow nie wie już, co powiedzieć. Szuka w głowie nowych, mocniejszych argumentów, ale te nie chcą się pojawić.

– Dobrze, poddaję się. Przypomnę ci tylko sekwencję zdarzeń. Wymarzyłaś sobie ten arabski napis o naszej miłości, poszliśmy do tego kretyna, żeby ci go wydziargał na plecach, tam przyśniła mi się twoja... nasza Ryfka, tak?

– Tak. Tylko co z tego wynika?

– Z tego wynika twoja dzisiejsza i moja... wczorajsza choroba. Z tego wynika poszukiwanie i znalezienie szczątków tego biedactwa, postawienie macewy i... na tym powinno to się zakończyć.

– Ale się nie zakończyło. Jest jeszcze coś, o czym nie wiemy. To coś każe mi chodzić na cmentarz, uczyć się żydowskiej tradycji, rozmyślać. Coś jeszcze musimy zrobić, Sandow. Nie wiem co, ale uczę się, zadaję pytania, może usłyszę odpowiedź. A teraz pomilczmy trochę, dobrze?

Milczą. Jakieś pół godziny. Sandow boi się otworzyć usta. Wie, co zrobił kilka dni wcześniej, więc spętany poczuciem winy siedzi przy grobie jak trusia. Wreszcie Muszelka uznaje, że pomilczeli dostatecznie długo. Wstaje.

– Chodźmy teraz posiedzieć pod murem.

Wychodzą, siadają pod murem. Słońce wrześniowe pali prosto w twarz. Muszelka wyjmuje z torby dwa jajka ugotowane na twardo, do tego dwie kromki chleba, odrobinę soli i pieprzu. Długo i cierpliwie obiera jajka ze skorupek. Podaje Sandowowi.

– Skromny posiłek. W żałobie nie powinno się jeść dużo ani tłusto. Jajko na twardo wystarczy.

– A mogę to czymś popić?

– Tak. Mam butelkę czystej wody.

Siedzą, jedzą, popijają wodą z butelki.

– Ty trochę... zwariowałaś, wiesz o tym?

– Nie, nie zwariowałam. To światu coś się stało. Ty mi o tym powiedziałeś pierwszy, nie pamiętasz? Ein Sof, Ryfka, czas zawieszenia wszystkich ważnych spraw, pozór ruchu, ale w gruncie rzeczy... stagnacja. Rozwijają się tylko głupstwa: te wszystkie... smartfony, tablety, komunikatory... Ale przecież, tak naprawdę – nikt nie ma nikomu nic do powiedzenia. Nie zauważyłeś tego, Sandow? Nawet ty – mnie.

– A co miałbym ci powiedzieć?

– Na przykład to, że mnie zdradziłeś. Czuję to całą sobą. I wiem, gdzie jest przyczyna.

Sandow spuszcza łeb. Gotowane jajko staje mu w gardle. Nie pomaga woda.

– Przyczyna jest właśnie tam – pokazuje na cmentarz za plecami – w tych wszystkich niedokończonych sprawach. Świat nie ma konstytucji moralnej. Stracił ją po tym, jak zamordował Ryfkę Rubin. Ja to poczułam po raz pierwszy na tej wycieczce do Oświęcimia. Rzygałam wtedy jak kot, mając pod powiekami obraz tych wszystkich par okularów, butów, zabawek zabranych dzieciom. Ale już wtedy przeczuwałam, że tu nie chodzi o ilość. Chodzi o jedną małą dziewczynkę w kolorowych podkolanówkach.

Cisza. Sandow milczy. Nie znajduje słów.

– Nic nie mówisz.

– Nie wiem, co powiedzieć.

– Znajdziesz jakiś sposób, prawda?

– Na co, Muszelko?

– Żebyśmy znów potrafili ze sobą rozmawiać.

– Ale... jak?

– Nie wiem. Znajdź błąd i napraw ten zjebany świat.

– Nie klnij. Religijne Żydówki nie przeklinają.

– Przepraszam, zapomniałam.

TAJEMNICA TATUATORA

Sandow wraca na wieś z silnym postanowieniem naprawienia świata. Diagnoza postawiona przez Muszelkę nie wydaje mu się niedorzeczna. Owszem, brzmi jak wzięta z powieści fantasy, z gier komputerowych lub innych gówien, ale nie jest wcale taka głupia. Bo jeśli przyjąć, że gra idzie o odzyskanie równowagi, to na razie udało się jedynie zakleić dziurę, przez którą ze świata wyciekał rozum. Akt był symboliczny, pełen dekoracyjnych gestów, ale miał moc wynikającą z dobrego odczytania potrzeby. Muszelka ją odczytała. Nie mędrzec z wieży, nie Hawking z Einsteinem, a właśnie ona – czarny żulik z blokowiska. I dzięki temu już jest trochę znośniej na świecie; skompletowana Ryfka Rubin ogłasza gdzie potrzeba tę dobrą nowinę. Gdzie? Wszędzie. Dokładny adres nieznany. Może w środku czarnej dziury? Tam mieszczą się osobliwości (obszary, w których przyspieszenie grawitacyjne lub gęstość materii są nieskończone). W takim miejscu leciutka dusza dziewczynki z getta waży nieskończenie dużo. Więc załóżmy, że nie ma już wycieku. Ale wszechświat ciągle przekrzywiony i jakoś go trzeba ustawić w poziomie. Kto ma to zrobić, jak nie Sandow, który już wykonał połowę roboty? Tylko co ze szczegółami, z konkretami, z zadaniami, które mają płeć, wiek, kolor oczu? Na te pytania nie ma na razie odpowiedzi.

Tej nocy Sandow nie pali ognia w piecu, nie użala się nad sobą i nie płacze. Jest winowajcą, skurwysynem, który ma wiele do stracenia, więc desperacko szuka punktu zaczepienia. Jedyne, co mu przychodzi do głowy, to kolejny powrót do miejsca startu. Do ponurego baraku Tatuatora.

*

Barak sieje jarzeniowym światłem ze wszystkich okien. Jest zmierzch, przeszedł cały dzień, ostatni klienci wydobywają się z kleistych czeluści przybytku. Głośno komentują to, co ich spotkało w środku. Sandow czeka przyczajony za kierownicą auta, ukryty za tandetnym kamuflażem, wąsem, okularami i czapką. Auto, dwudziestoletnie bmw, pożyczył od sąsiada ze wsi. Wygląda jak uciekinier z amerykańskiego filmu klasy B. Prawdę mówiąc, za taki kostium i charakteryzację mógłby wyrzucić z planu swojego filmu, ale (tak sobie tłumaczy) nie miał pod ręką niczego lepszego.

Mija piętnaście minut. Z baraku wychodzi Robbie. Jest ubrany w czapkę i okulary. Sandow łapie się na myśli, że właściwie zerżnął kamuflaż z Tatuatora. Że ma na sobie żałosny plagiat jego przebrania. Kręci głową z dezaprobatą, rusza za niebieskim oplem. Szybko orientuje się, że jadą tam, gdzie zwykle – do piwnicy Ryfki Rubin. Kiedy dojeżdżają na miejsce, nie idzie za Tatuatorem. Tym razem postanawia przeczekać jego wizytę, a potem spokojnie, bez pośpiechu rozejrzeć się po piwnicy.

Robbie wraca do auta równo po godzinie. Wydaje się przygarbiony, przyciśnięty niewidocznym ciężarem przyniesionym z tej wyprawy. Odjeżdża z piskiem opon. Sandow otwiera drzwi szpiegowskiego bmw.

W piwnicy jest ciemno. Tatuator nie zostawił światła. Sandow zapala latarkę. Kiedy staje na posadzce głównego pomieszczenia, spada na niego lepki, słodkawy strach. Napaść jest tak gwałtowna i dławiąca, że Sandow prawie mdleje. Z najwyższym trudem opanowuje odruch ucieczki. Jest przerażony, zalany czernią tak gęstą, że decyzja o pozostaniu graniczy z heroizmem. Przypomina sobie, że coś podobnego spotykało go w jaskiniach, a ostatnio w rurze rezonansu magnetycznego. „To nic, głupstwo... stara klaustrofobia, stare podziemne strachy" – uspokaja się prawie na głos. Szuka włącznika, znajduje dwa przyciski umocowane w hermetycznej oprawie. Naciska. Zapalają się jarzeniówki pod stropem i odrutowane lampy ścienne. Czerwony szlak prowadzi do pomieszczenia, które dotąd Sandow omijał. Był tu dwa razy i dwukrotnie zatrzymał się przed progiem tajemnicy. Teraz nie zamierza się cofnąć.

W pomieszczeniu panuje półmrok wygospodarowany z poświat jarzeniówek. Pod ścianą stoją stalowe regały z wmontowanymi w nie aluminiowymi sześcianami. W każdych drzwiczkach połyskuje wklejona pośrodku szybka. Zabudowa jest elegancka i lśniąca. Nieskazitelna. Sandow znajduje kolejny włącznik. Naciska. Tym razem zapalają się światła wewnątrz boksów. Mężczyzna podchodzi. Otwiera. Zagląda.

Długo rzyga potem pod ceglaną ścianą. Przypomnienie tego,

co zobaczył w piwnicy, wyrywa mu z żołądka wszystko, co w nim było, a potem czystą żółć. Kręci głową. Ciągle nie może uwierzyć. „Nie ma takich rzeczy!". Ale one są. Istnieją wbrew obowiązkowi nieistnienia.

Tak, już wie, że zabije. Że jest gotów. Do tej pory tylko pisał scenariusze; dla Tatuatora, Nauczyciela Tańca, Fotografera. Wymyślał epizody, mocował je w strukturze, ustawiał. Zgoda, zaczął też uruchamiać drobne fragmenty zamysłów, ich cząstki i atomy, ale przecież – nie na serio. Nie z finałem w grobie. Teraz zaczyna rozumieć, że to nie film. Pojawienie się Muszelki nie jest za darmo. W cenę wliczone jest też pojawienie się ich – depozytariuszy mroku, siewców podłości, drani. Ich dzisiejsze rozmowy są echami niegdysiejszych krzyków. To ciągle wisi w powietrzu i zaraża. Więc nie wystarczy zgładzić ich za pomocą liter i zdań. Trzeba... zabić naprawdę.

Do piwnicy wraca następnego dnia, postępując według ustalonej rutyny. Najpierw czeka na Robbiego pod barakiem, potem jedzie za nim do dzielnicy piwnicznej. Woli mieć pewność, że nikt nie zaskoczy go w tym upiornym miejscu. Tym razem nie zagląda już do szufladek w aluminiowych sześcianach. Jego uwagę zajmuje wysoka szafa stojąca we wnęce, obok szafki lekarskiej. I ona jest wykonana z aluminium, ale w przeciwieństwie do boksów z kolekcją – nie wystawia na widok swojej zawartości.

Kiedy ją otwiera, jego oczom ukazuje się wiszący na wieszaku, kompletny mundur starszego sierżanta żandarmerii SS – wyprany, wypłowiały, pusty, ale... ciągle straszny. Na piersi upiora wisi Krzyż Żelazny, niżej stoją wojskowe buciory z klamrami i gumową nacinaną podeszwą. Sandow odpina kieszeń na piersiach. W środku znajduje legitymację poświadczającą tytuł do Krzyża, wraz ze stopniem, imieniem i nazwiskiem: SS-Oberscharführer Simon Stritzke. Sięga po czapkę, odwraca ją, wywija płócienną podszewkę. Ukazuje się blady, ale ciągle czytelny napis wykonany ołówkiem kopiowym: Simon Stritzke, Branitz.

Miasteczko jest niewielkie i niewiele pamięta. Sandow przechadza się po parku. Liście jeszcze trzymają się drzew, ale już im słabną uściski. Złota, czerwienie, brązy, na ich tle zamek odbity w wodzie. Portier nie pamięta.

– Stritzke... nie, nie pamiętam. Nazwisko z naszych stron, ale Simon? Nie, przepraszam. Może w stajni? Stajenny jest starszy ode mnie, ma siedemdziesiąt cztery. Jeszcze przed wojną urodzony.

Stajenny jest siwy i krzepki. Ma szczeciniaste włosy i bokobrody jak Franz Joseph. Tak, on pamięta. Simon Stritzke, starszy sierżant. Znana historia, bardzo znana. Był pomocnikiem tej wiedźmy Ilse Koch z Buchenwaldu, ale skończył w Litzmannstadt Ghetto, w żandarmerii SS. Pilnował Żydów.

– Po wojnie sądzili go dwa razy, najpierw Amerykanie, potem Niemcy. Siedział jakieś... dwadzieścia lat. Umarł niedawno. Zdaje się... cztery lata temu? Nie pamiętam dokładnie, ale może matka jego synowej pamięta. Anke Polack, wdowa. U niej mieszkał przez ostatnie lata życia.

Anke Polack ma sześćdziesiąt pięć lat, niebieskie oczy i dużo dobrej woli. Przyjmuje Sandowa w kuchni, przy stole nakrytym ceratą w polne maki. Piją herbatę.

– Umarł cztery lata temu. Po odejściu dzieci prawie nie wychodził z domu. Odwiedzali go różni tacy... wygoleni. Neonaziści. Ale on nie bardzo chciał z nimi rozmawiać. Nawet z Polski ktoś przyjeżdżał, w sprawie walizki z Buchenwaldu. Nie wiem, jak to się ostatecznie skończyło. Stary sprzedał mu chyba mundur z wojny czy coś takiego. Aha, i kaseta jeszcze została. Nagrał ją jakieś dziesięć lat temu i... zapomniał. Pan dziennikarz, to może się przyda... Ja tego nie słuchałam.

Anke sięga po porcelanowy pojemnik na sól, otwiera go, wyjmuje kasetę magnetofonową, podaje Sandowowi, nie prosząc o nic w zamian.

WYZNANIE OBERSCHARFÜHRERA SIMONA STRITZKEGO

Zimno. Już rządzi październik, z nim chłody przyziemne i szrony. Wszystko, co może, ucieka w cieplejsze strony. Tylko wróble zostają. One mają za małe skrzydełka na takie dalekie loty. Zostają też psy. Na całe szczęście, bo bez ich szczekania Sandow nie słyszałby siebie. Zajeżdża na plac węglowy, kupuje dwa worki węgla, rozpala w kuchni. Żywe ciepło otula izbę. Do Muszelki ciągle za daleko. Ona coraz czarniejsza i coraz bardziej żydowska. Chodzi na cmentarz, wspomina swoją bliską krewną z ulicy Ciesielskiej. Już nawet nie płacze; jej żałoba jest coraz mniej osobista, coraz bardziej zaś ogólnoludzka. To skutek wrastania w żywą tkankę żydowszczyzny, wdychania powietrza cmentarnego, w którym ciągle żyją mikroby Holocaustu. Na to nie ma antybiotyku ani chemii opryskowej. Nikt tego nie wynalazł.

Sandow podłącza do prądu stary magnetofon kupiony w komisie w Koluszkach. Wkłada do środka kasetę podarowaną przez Anke Polack z miasta Branitz w Niemczech. Naciska klawisz. Rozlega się cichy, zachrypnięty głos Simona Stritzkego.

„Nazywam się Simon Stritzke, syn Johana i Rose z domu Mangelof, urodzony dwudziestego trzeciego września tysiąc dziewięćset dwudziestego pierwszego roku, w wiosce Hegnach, niedaleko Ludwigsburga. Nagrywam tę informację dwunastego stycznia tysiąc dziewięćset dziewięćdziesiątego siódmego roku, w mieście Branitz, w dwadzieścia pięć lat po powrocie z więzienia, w którym odbywałem wyrok za zbrodnie nazistowskie. Zbrodnie popełniłem, winę odpokutowałem, ale ciągle nie mam spokojnego sumienia. Moim celem jest odzyskanie równowagi, więc zamierzam nagrać wyznanie, które odsłoni nieznane fakty z mojego życia. Nie poinformowałem o nich na żadnej z rozpraw sądowych, bo nie znalazłem powodu. Znajduję go teraz, w mojej własnej potrzebie przedstawienia wypowiedzi szczerej i pełnej. Adresuję te słowa do moich dzieci, Ester i Gepharda, które odwróciły się ode mnie. Może szczerość zawarta w tych słowach przywróci mi ich miłość na ostatnie lata życia. Niczego nie pragnę tak bardzo, jak właśnie tego.

W roku tysiąc dziewięćset trzydziestym ósmym zapisałem się do NSDAP, a rok później zgłosiłem na ochotnika do SS. Kiedy wybuchła wojna, skierowano mnie do oddziałów wartowniczych w KL Buchenwald. Tam poznałem Frau Ilse Koch, która mianowała mnie asystentem doktora Waldemara Hovena. Do moich zadań należało wyszukiwanie więźniów z atrakcyjnymi tatuażami na ciele, ze szczególnym uwzględnieniem klatki piersiowej i pleców. Chodziło głównie o sceny miłosne na tle pejzażu, sceny erotyczne, wyszukane rysunki zwierząt egzotycznych, a także tatuaże więzienne. Na jakości tatuażu ważyły: liczba kolorów, precyzja rysunku, a także rodzaj podłoża, czyli skóry ludzkiej. Im lepszy gatunek, im cieńsza, a przez to łatwiejsza do wygarbowania skóra, tym tatuaż cenniejszy. W tym kryterium najlepiej odnajdowały się skóry więźniów pochodzenia romskiego i Rosjan z regionów kaukaskich. Nie bez znaczenia była też ilość tkanki tłuszczowej. Skóra podbita zbyt dużą ilością tłuszczu fałdowała się, napinała, rozluźniała strukturę komórkową, przez co rysunek tracił spójność. Tak że korzystanie z tatuaży ludzi otyłych warunkowane było wysoką wartością artystyczną rysunków, ale jako pośledniejsze gatunkowo zwykle przeznaczane były do wyrobu torebek i abażurów. Ponadto asortyment był następujący: oprawy do książek, notatników i albumów, rękawiczki, kolekcjonerskie egzemplarze kabur pistoletowych, pasów i pochew do noży oraz passe-partout do zdjęć i grafik. Technikę pozyskiwania tatuażu opracował doktor Hoven we współpracy z doktorem Wirthsem z Akademii Medycznej w Berlinie. Nosiciele uśmiercani byli zastrzykiem fenolu w serce. Po chirurgicznym wycięciu tatuażu preparat umieszczany był w roztworze wodnym formaliny, potem moczony, mizdrowany i przekazywany do garbowania. Ten etap wymagał szczególnej staranności, więc Frau Koch osobiście sprawdzała umiejętności garbarzy. Najlepsi byli Żydzi pochodzący z Rumunii. W poszukiwaniu atrakcyjnych tatuaży odbywałem podróże służbowe do obozów koncentracyjnych – Dachau,

Auschwitz, Majdanek, Bergen-Belsen, Stutthof, Neuengamme, Ravensbrück i Oranienburg. Przy wyborze stosowałem kryteria wyznaczone przez Frau Ilse Koch oraz własny gust artystyczny. W zakresie postępowania z wybranym tatuażem zostałem gruntownie przeszkolony przez doktora Waldemara Hovena. Dostarczałem pobrane wycinki skóry w specjalnie skonstruowanych do tego celu blaszanych kasetach z formaliną. Moim największym sukcesem było wyszukanie i pobranie tatuażu z więźniarki obozu kobiecego w Ravensbrück, Raszydy Kohn. Był to umieszczony na przedramieniu wyrafinowany rysunek konia dźwigającego na grzbiecie krowę, która z kolei utrzymywała na grzbiecie psa, na którym siedział kogut. Dzięki tej zdobyczy bardzo się zbliżyłem z SS-Oberaufseherin Koch, która uczyniła mnie swoim kochankiem. Niestety, wkrótce musiałem opuścić Buchenwald, bowiem Frau Koch oraz jej mąż Standartenführer Karl Koch zostali aresztowani przez SS pod zarzutem nadużyć finansowych w KL Buchenwald. Komendantowi winę udowodniono i ostatecznie został stracony pod koniec wojny, Frau Ilse zaś, oczyszczona z zarzutów – wróciła do pracy w obozie. W grudniu tysiąc dziewięćset czterdziestego drugiego rozpocząłem służbę w SS – Gandarmerie w Ghetto Litzmannstadt. Do moich zadań należało pilnowanie granicy getta wyznaczonej przez władze. W praktyce oznaczało to patrole i służbę wartowniczą. Między styczniem a grudniem tysiąc dziewięćset czterdziestego trzeciego siedemnastokrotnie użyłem broni przeciwko Żydom nieprzestrzegającym zarządzeń, w tym dwunastokrotnie ze skutkiem śmiertelnym. Ofiarami było pięciu mężczyzn, trzy kobiety i czworo dzieci w wieku od czterech do jedenastu lat. Za te wyniki zostałem odznaczony Krzyżem Żelaznym drugiej klasy oraz pięcioma dniami urlopu. Wykorzystałem je na zwiedzanie zabytków miasta Krakau oraz krótką wizytę w KL Buchenwald. Nie ukrywam, że była to wizyta sentymentalna. Miałem nadzieję spotkać Frau Ilse Koch, ale niestety nie doszło do tego, bowiem była bardzo pochłonięta swoimi obozowymi obowiązkami.

Do Litzmannstadt wróciłem wypoczęty i pełen zapału do pracy. Służba w getcie nie była trudna, ale wymagała stałej czujności i zdolności przewidywania wypadków. Zdaniem przełożonych wywiązywałem się z tych obowiązków bardziej niż należycie. Dwudziestego trzeciego czerwca tysiąc dziewięćset czterdziestego czwartego roku rozpoczęła się w getcie akcja likwidacyjna. W związku z tym zakres moich obowiązków znacząco się zmienił, nasiliły się bowiem próby ucieczek. Część mieszkańców szukała schronienia w piwnicach, inni próbowali ukrywać się w wykonanych własnoręcznie skrytkach, w szafach, na strychach, pod podłogami. Pamiętnego dnia, dwudziestego dziewiątego września tysiąc dziewięćset czterdziestego czwartego roku, przeszukiwałem wraz z podkomendnymi piwnice ulic Limanowskiego i Ciesielskiej, na obrzeżach getta. W jednej z nich natknęliśmy się na szczątki żydowskiego dziecka w wieku około pięciu lat. Po resztkach ubrania, szczególnie po kolorowych podkolanówkach, dziecko zostało rozpoznane jako dziewczynka. Jako dowódca patrolu zobowiązany byłem do zaraportowania znaleziska w księdze patrolowej. W czasie kiedy to robiłem, będący pod wpływem alkoholu SS-Oberschütze Polansky wraz z SS-Rottenfürherem Molke rozpoczęli zabawę polegającą na kopaniu do siebie czaszki zmarłej dziewczynki. Nadmieniam, że zabawa odbywała się w głównym pomieszczeniu piwnicy, ja zaś usiadłem do pisania raportu dwa pomieszczenia dalej. Moja reakcja była stanowcza i zgodna z poczuciem przyzwoitości. Postawiłem podwładnych na baczność, spoliczkowałem ich, a następnie zarządziłem przeniesienie szczątków pod ścianę i zawiadomienie żydowskiej organizacji pogrzebowej Chewra Kadisza. Umieściłem też opis zdarzenia w raporcie.

Po likwidacji getta dowództwo po raz kolejny zmieniło zakres naszych działań. Skierowano nas na zachód, w głąb Rzeszy, i przeznaczono do konwojowania resztek cennych więźniów z terenu okupowanej Polski. W obliczu przegranej w trakcie jednego z konwojów zbiegłem w kierunku rodzinnego miasta Ludwigsburg, a dokładniej mówiąc, do rodzinnej wioski Hegnach. Kiedy tam dotarłem w marcu tysiąc dziewięćset czterdziestego piątego, ukryłem się pod stodołą, w skrytce przygotowanej przez moją matkę, która przewidziała taki rozwój wypadków. Wkrótce, tak gdzieś pod koniec roku, moja matka rozpoznała w kościele w Ludwigsburgu Frau Ilse Koch, która ukrywała się u rodziny w mieście. Frau Ilse czuła się coraz bardziej osaczana przez amerykańskie służby poszukujące nazistów, więc z wdzięcznością przyjęła propozycję ukrycia się w Hegnach. W nocy wybraliśmy się po jej rzeczy: dwie duże walizki, jedną mniejszą, worek płócienny i dwa mniejsze worki jutowe. Dobytek przytroczyliśmy pasami do sanek. Tak zaczęły się dwa najpiękniejsze lata w moim życiu. Miłość, tłumiona przez wojnę i obowiązki dla Rzeszy Niemieckiej, wybuchła z nową siłą. Żyliśmy skromnie w pomieszczeniu pod stodołą, przeznaczając dnie na sen, a noce na spacery po najbliższej okolicy. Snuliśmy też plany na przyszłość. W tym celu dokonaliśmy inwentaryzacji majątku, który udało nam się ocalić z wojny. Oto on, w zawartości, jaką udało mi się zachować w pamięci: sztabki złota o wadze dwieście pięćdziesiąt gramów, próby dziewięćset dziewięćdziesiąt dziewięć – dwanaście sztuk, sztabki złota o wadze sto gramów – czterdzieści trzy sztuki, złote dolary amerykańskie – dwadzieścia dwie sztuki, złoto dentystyczne – około dwóch kilogramów, wyroby jubilerskie – około półtora kilo, złote zegarki kieszonkowe – siedemnaście sztuk, złote zegarki naręczne – dwadzieścia pięć sztuk. Ponadto Frau Ilse udało się wywieźć z KL Buchenwald część kolekcji tatuaży ukrytej w podwójnym dnie walizki, około czterdziestu sztuk najcenniejszych egzemplarzy. Dla tej części dobytku wykonałem nieopodal stodoły specjalną skrytkę; umieściłem w ziemi blaszaną beczkę i posadziłem na niej krzewy owocowe – porzeczki oraz agrest. Wiosną tysiąc dziewięćset czterdziestego siódmego roku patrol z amerykańskiego obozu dla jeńców wojennych w Ludwigsburgu odkrył skrytkę, w której ukrywałem się wraz z kochanką. Sądzono nas oddzielnie. Majątek zgromadzony w czasie służby wojskowej uległ konfiskacie. W trakcie pierwszego procesu zasądzono mi cztery lata więzienia. Spędziłem je w kamieniołomach w górach Harzu. Po powrocie do Hegnach w lutym tysiąc dziewięćset pięćdziesiątego pierwszego roku zapragnąłem odnowić wspomnienie dwóch lat szczęścia z Frau Ilse Koch. W tym celu wykopałem walizkę z tatuażami, przywdziałem mundur Oberscharführera SS i zszedłem do skrytki pod stodołą. Wtedy właśnie po raz pierwszy poczułem niewygodę w stąpaniu na prawą nogę. Podejrzewając, że bierze się ona z nierówności bieżnika, zdjąłem but i zaświeciłem latarką bateryjną na podeszwę. To, co zobaczyłem, wstrząsnęło mną. Nadmieniam, że aż do tamtej chwili mój organizm nie zdradzał skłonności do tak silnych emocji i to, co poczułem, było dla mnie zupełnie nowe. W rozcięciu bieżnika tkwiła niewielka ludzka kość, pochodząca ze stopy dziecka. Wraz z nią zaklinowały się w podeszwie dwa włókna wełniane o długości około centymetra każde. Jedno miało kolor żółty, drugie czerwony. Natychmiast przypomniałem sobie szczątki dziewczynki znalezione podczas patrolu w Ghetto Litzmannstadt i okoliczności z tym związane. Rekonstrukcja zdarzeń uzmysłowiła mi, że interweniując w sprawie zabawy czaszką należącą do znalezionych szczątków, musiałem nadepnąć na kość, która wbiła się w podeszwę. Wtedy narodziło się we mnie silne pragnienie, by znaleziona ludzka cząstka wróciła do kompletu kości, czyli na cmentarz żydowski w Litzmannstadt. Oczywiście nie miałem szans na zrealizowanie tej potrzeby od razu, więc ukryłem buty, mundur i walizkę w beczce. Jesienią tego samego roku zostałem aresztowany po raz drugi, tym razem przez organa sądownicze nowego państwa niemieckiego. Po trwającym dwa miesiące procesie zostałem skazany na dwadzieścia jeden lat więzienia. Zasądzony wyrok odbyłem w całości. Jeszcze w trakcie jego odbywania nawiązałem kontakt listowny z siostrą przyrodnią Ilse Koch, Luzie. Tematem naszej korespondencji była głównie muzyka i literatura. Staraliśmy się omijać tematy związane z wojną i Frau Koch, bowiem ta zerwała całkowicie kontakt z rodziną i ze mną.

Po powrocie do Hegnach spotkaliśmy się z Luzie. Okazała się osobą miłą i rodzinną. W rok po spotkaniu pobraliśmy się, w dwa lata później na świat przyszły nasze dzieci, bliźniaki – Gephard i Ester. Luzie zmarła w trzy lata później na raka płuc, więc ciężar opieki nad dziećmi spadł na mnie i moją matkę Renate. To późne ojcostwo było trudne i odpowiedzialne. Spokoju nie dawała mi też sprawa ludzkiej cząstki tkwiącej w podeszwie buta. To sprawiło, że zapadłem na silną nerwicę i moje kontakty ze światem zewnętrznym były coraz gorsze. W tysiąc dziewięćset dziewięćdziesiątym czwartym roku zgłosił się do mnie przedstawiciel Niemieckiej Partii Narodowej z propozycją wywiadu do gazety „Deutsche Stimme". Propozycję przyjąłem. W zamian za wywiad poprosiłem o kontakt z kimś z podobnej organizacji w Polsce. W trzy miesiące później zgłosił się do mnie niejaki Jędrzej Szarczyński z miasta Łódź w Polsce, mówiąc, że ma polecenie z „Deutsche Stimme". Opowiedziałem mu historię mojej służby w Buchenwaldzie i Ghetto Litzmannstadt. Obiecał odnaleźć piwnicę, sprawdzić, czy nie poniewierają się w niej jakieś ludzkie szczątki, i pochować cząstkę żydowskiej dziewczynki uwięzioną w podeszwie mojego buta. W zamian za przysługę przekazałem mu kolekcję tatuaży Frau Ilse Koch wraz z walizką, kompletny mundur Oberscharführera SS wraz z Krzyżem Żelaznym drugiej klasy i legitymacją, no i przede wszystkim... wojskowe buty. Pan Szarczyński wręczył mi tysiąc marek niemieckich. Po jego wyjeździe poczułem wielką ulgę, ale też tęsknotę za moimi dziećmi, Gephardem i Ester. Pragnę teraz zwrócić się do nich osobiście: Moja droga Ester i Gephardzie, przepraszam was za to, że nie potrafiłem być dobrym ojcem. Historia i los wyznaczyły mi rolę jednego z wielu setek tysięcy trybików w maszynie, której działania nie byłem w stanie zatrzymać. Zresztą nigdy nawet o tym nie pomyślałem. Robiłem to, co do mnie należało, byłem pracowity i oddany. Stare Niemcy mnie za to nagrodziły, nowe – ukarały. Czyny były te same. Nie potrafię ich ocenić, bo zamiast moralności mój kraj dał mi ideologię. Słowa te wypowiada wasz ojciec, Simon Stritzke, syn Johana i Rose z domu Mangelof, urodzony dwudziestego trzeciego września tysiąc dziewięćset dwudziestego pierwszego roku. Nagrane w Branitz dwunastego stycznia tysiąc dziewięćset dziewięćdziesiątego siódmego roku".

TRZECI POGRZEB RYFKI RUBIN

Sandow wyłącza magnetofon. Trwa noc, z nią październik, ale trwa też coś ponad porę roku i godzinę. To coś wylazło z głośników i teraz wisi pod drewnianym sufitem. Ma ciężar, ale nie chce się opuścić niżej. Jakby bało się ognia.

Komputer. Wyszukiwarka podmiotów gospodarczych w Krajowym Rejestrze Sądowym. Pod nazwiskiem Szarczyński czternaście pozycji. Sandow przewija listę. Znajduje: Robert Szarczyński, syn Jędrzeja, KRS 000071354185, „Robbie Tatoo" – spółka jawna, ulica, numer, brama.

*

Ranek zamglony. Pod murem cmentarza żydowskiego tylko Muszelka i pies. Mały i czarny jak ona. Już się kolegują, choć Żydówka nie ma wiele do zaofiarowania; sucha bułka, woda, modlitwa po hebrajsku (spisana fonetycznie z internetu). Siedzi zawinięta w bury koc. Pod tyłkiem ma kawałek styropianu. Milczy, nie będzie gadała. To rozprasza. Sandow siada obok. Wygłasza monolog.

– Żałuję. Przepraszam. Źle się z tym czuję.

Żydówka spogląda na niego z politowaniem. Puka się w czoło.

– O czym ty mówisz, Sandow? O zdradzie? Przecież to teraz bez znaczenia. Mamy ważniejsze sprawy.

Znów milczą. Ale Sandow nie wytrzymuje długo.

– Znalazłem ślad. Chyba wiem, co się dzieje.

– Co się dzieje?

– Coś... bardzo dziwnego.

– Ale powiesz czy mam zgadywać jak pies?

Sandow uśmiecha się. To wyprowadza Muszelkę z równowagi.

– No i co się uśmiechasz jak... idiota? Nie widzisz, jak to nie pasuje do niczego?

– Nie widzę.

– A ja... widzę. Co to za ślad? Mów, bo zrobię w majtki z ciekawości.

– O, znów się odzywasz jak człowiek...
– Powiedz, błagam.
– Układamy razem puzzle z ludzkich kości. Ktoś tak chciał. Dowiedziałem się, że nie mamy jednego kawałka tej... układanki.

Muszelka nie jest pewna, czy rozumie. Dopytuje na wszelki wypadek.

– To znaczy jakiejś kości z... kościotrupka, tak?
– Tak.
– I ty wiesz, gdzie jej szukać, tak?
– Tak.
– No to... znajdź ją i przynieś tu. Przecież wiesz, gdzie jest grób naszej Ryfki.

Dzień mija w szarości. Sandow czeka pod barakiem w pożyczonym wiejskim bmw. Znów ma na sobie przebranie szpiega. Liczy na to, że upiorny nałóg Tatuatora i tym razem powiedzie go do piwnicy w getcie. Nie myli się. W chwilę po wyjściu ostatnich klientów Robbie staje w drzwiach swojej słynnej tatuatorni. Jest napięty i podniecony do ostateczności. Rusza z piskiem opon.

Tym razem siedzi w piwnicy przez pół nocy. Kiedy wraca do auta, wydaje się jeszcze bardziej przybity niż ostatnim razem.

Sandow nie zwleka. Biegnie na piwniczne podwórko, potem do korytarza. Podnosi klapę.

Otwiera szafę z mundurem i od razu sięga po prawy but. Odwraca. Kostka jest tam, gdzie spodziewał się ją znaleźć. Otulona wełnianą nitką tkwi w szczelinie podeszwy. Ciągle czeka na pogrzeb, bo Jędrzej Szarczyński nie dotrzymał słowa danego Simonowi Stritzkemu. Nie przekazał też woli ofiarodawcy swojemu synowi Robbiemu. Owszem, zaszczepił w nim miłość do tatuaży, zwrócił uwagę na świat sztuki, rozbudził artystyczny smak, ale nigdy nie wspomniał o wyprawie do nazisty Stritzkego. Nie znalazł powodu. But z tkwiącą w nim kością rozdeptanej Żydówki był od początku najwartościowszym eksponatem w jego kolekcji. To on dawał jej wymiar znacznie przerastający inne światowe kolekcje tego typu. Dzięki niemu w piwnicy mógł się dokonywać akt szczególnej kreacji; oto na wezwanie wyobraźni ożywała... śmierć w Ghetto Litzmannstadt. Zamysł był tak nowoczesny i kompletny, że mogły go zazdrościć Szarczyńskiemu najlepsze galerie świata. Gdyby nie te wszystkie... moralne ceregiele, instalacja z piwnicy mogłaby gromadzić tłumy większe niż Tate Modern czy Centre Pompidou.

Oto pierwsza projekcja. Artysta wraz z dziesięcioletnim synkiem Robertem siada na schodkach. Jego obecność jest integralną częścią seansu, ten wskazuje bowiem nie tyle na stworzenie, ile właśnie na stwórcę. Na Szarczyńskiego. Artysta naciska przycisk w pilocie. Zapalają się odrutowane lampy piwniczne. Czerwony kolor symbolizuje krew. Pstryk i rozbłyskują światła jarzeniówek. Te z kolei wytwarzają nastrój. Mają tak ustawione przerywacze, żeby światło zapalało się i gasło wiele razy w ciągu minuty. Sekwencja impulsów ma wprowadzić uczestnika projekcji w stan rozedrgania i niepokoju. Kolejny automat otwiera drzwi szafy z mundurem i oświetla ścianę z aluminiowymi boksami. Za chwilę w boksach rozbłyskują wewnętrzne fioletowe światełka i wysuwają się szuflady z tatuażami. Teraz poszczególne elementy projektu układają się w całość. Rzecz dokonuje się w umyśle artysty. To jest akt wewnętrzny, intymny i osobisty; oto w piwnicy pojawiają się po kolei – Oberscharführer Stritzke (mundur), jego ofiary z Buchenwaldu i innych obozów koncentracyjnych (tatuaże) oraz mała Żydówka z getta (kostka w podeszwie). Ulokowany w centrum tego kręgu Szarczyński jest dawcą życia. Stwórcą. Kimś, kim nie udało mu się zostać, bo urodził się za późno.

– Daję im życie. Tym wszystkim cieniom ludzkim – odzywa się do syna.

Sandow otwiera nóż i delikatnie wycina kostkę z buta wraz z fragmentem podeszwy. Zawija ją w chusteczkę, chowa do kieszeni.

*

Znów stoją nad grobem Ryfki Rubin. Przeskoczyli przez płot, przedarli się przez zarośla i teraz chowają nieszczęsną po raz trzeci. Sandow kończy zasypywanie dziury.

– Nie wiem, co powiedzieć – odzywa się głucho.

Muszelka kładzie palec na ustach. Jest bardzo skupiona. Chyba się modli, ale to nie takie pewne. Wreszcie, po wielu minutach odzywa się cichutko.

– Odmówiłam kadisz. Nie mamy wprawdzie minjanu, czyli kręgu dziesięciu religijnych Żydów, ale ja odmówiłam tę modlitwę wewnątrz siebie dziesięć razy, za każdym razem nieco zmieniając głos. Wiem, to drobne nadużycie, ale prawdę mówiąc, mam to w dupie.

Sandow nie może uwierzyć. Otwiera usta z zachwytu.

– Muszelko, ty wracasz do siebie. Jak to pięknie brzmi. Przeklnij może jeszcze kilka razy.

Żul spogląda na Sandowa i uśmiecha się kącikiem ust.

– Jebać pogrzeby, Sandow. Wracajmy do domu i... bzyknijmy się wreszcie jak należy.

FOTOGRAFER PO RAZ DRUGI

Telefon w listopadzie. Dzwoni Majka, charakteryzatorka z filmów Sandowa.

– Kręcimy w mieście, niedaleko Księżego Młyna. Mam wszystko, o co prosiłeś.

– Jadę.

Plan filmowy. Przerwa. Ekipa siedzi w cateringu i w namiocie barowym. Barwne, rozgadane towarzystwo. Sandow przekrada się opłotkami. Nie chce, żeby go ktoś zaczepił, bo wtedy pytania, odpowiedzi, robienie min; cały ten gówniany pozór wspólnoty. Wchodzi do przyczepy charakteryzatorskiej z czapką zsuniętą na czoło. Majka rzuca mu się na szyję (ładna, czarna, smutna). Nie jest powściągliwa. Wyprasza asystentkę, podaje Sandowowi pakunek z materiałami.

– Masz tam podkłady różnej gęstości, od transparentnego do takiego... maziaja zaklejającego skórę. No... tapeta po prostu. Do tego wąsy, brody, baczki, brwi, kilka wczesek, okulary, mastiks...

Sandow kiwa głową. Jest zakłopotany. Długie milczenie.

– Nie masz żadnych zobowiązań. Ani w związku z łóżkiem, ani w związku z robotą. Ale i tak mi nie pasuje ten sposób robienia filmu. No bo co ci to da?

– Będę bliżej. Chcę sam robić zdjęcia, sam charakteryzować i ubierać. To mały i... dość dziwny projekt. Może nawet sam w nim zagram... Kto wie.

Majka wyciąga dłoń w kierunku twarzy Sandowa. Głaszcze go po policzku.

– Trochę się postarzałeś. Nie służy ci ta... rewolucja w życiu.

Sandow nie chce rozmowy na swój temat.

– A twoje rewolucje?

– Nie ma moich rewolucji. Na to trzeba mieć twoją odwagę czy lepiej powiedzieć... twoją zuchwałość. Połowa środowiska cię znienawidziła, wiesz o tym?

Mężczyzna wzrusza ramionami.

– To nie jest nienawiść. Nienawiść wymaga mocy i wysiłku wyobraźniowego. To jest zwykłe wkurwienie na kogoś, kto stawia sprawy na krawędzi, żeby ocalić przynajmniej garść pragnień.

Majka smutnieje jeszcze bardziej.

– Zazdroszczę ci.

– Nie zazdrość. Ciągle jeszcze daleko do światła.

– Ale przynajmniej patrzysz w jego kierunku.

Sandow nie chce już kontynuować tej rozmowy. Całuje Majkę w policzek. Wychodzi.

Drugi telefon. Tym razem to Sandow dzwoni.

– Cześć, tu Dżasmin. Cudnie, że dzwonisz. Wyświetliłeś mi się jako „Smutny". Tak cię zapisałam w kontaktach. Może być?

– Może być, chociaż to... błędne rozpoznanie. Jestem wesołym, dobrze nastawionym do życia człowiekiem.

– Akurat... Pamiętasz, że ci robiłam laskę?

– Pamiętam.

– A pamiętasz, że siedziałam na tobie.

– Pamiętam.

– To może pamiętasz też, że patrzyłam ci wtedy w oczy? Jesteś smutnym, ale fajnym gościem. No i masz słodką spermę. Naprawdę.

Sandow milknie zakłopotany. Rozmowa nie układa się. Dżasmin to wyczuwa.

– Wiem, wiem... Nie będzie już seksu i ekscesów. Poczucie winy ogólnoludzkie, no i to bardziej zaadresowane, wobec... ukochanej. Nawet mi się to podoba. A dotrzymałeś przynajmniej obietnicy?

– Tak. Wysyłam ci numer SMS-em. Gość ma dług wdzięczności wobec mnie i umówi ci spotkanie z producentem. A dalej, to już sobie sama... poradzisz.

– No pewnie.

– A ty załatwiłaś mi numer?

– Tak. Wyślę za chwilę. I nic mu nie powiedziałam, poza tym, że znam faceta, który zbiera aparaty fotograficzne i dużo jeździ za granicę. A dalej, to już sobie sam... poradzisz.

– No pewnie.

Trzeci telefon. Odbiera Fotografer.

– Tak, słucham.

– Dzień dobry. Nazywam się Wizner. Dostałem pana numer od Dżasmin Potockiej.

– A... tak, coś sobie przypominam. Geolog, prawda? I ma pan podobno takiego samego zajoba fotograficznego jak ja?

– Tak, to właśnie ja. Trafny opis. Też zbieram aparaty. Specjalizuję się w exaktach i lejkach. Do tego mam kilkanaście dużych czerwonych miechów, ale może lepiej spotkajmy się i porozmawiajmy.

– Jasne. Choćby dzisiaj.

Sandow patrzy na Sandowa i raz po raz wybucha śmiechem. Ten w lustrze ma włosy na głowie, czarne wąsy i olśniewające uzębienie. Wczeska pożyczona od Majki oraz nakładka na zęby zamieniły go w osobnika z filmowej komedii. Kręci głową niezadowolony, odkleja wąs, zmywa mastiks. Zdejmuje też nakładkę i zamienia na inną, z nieco mniej błyszczącymi zębami. Teraz wygląda jak geolog jeżdżący za granicę. Nakłada na twarz krem samoopalający, sięga po okulary przeciwsłoneczne. Odzywa się podwyższonym głosem.

– Dzień dobry. Nazywam się Jerzy Wizner, geolog, kolekcjoner i... idiota.

Siedzi w rogu kawiarni, tyłem do szklanej witryny. Chodzi mu o to, żeby jak najmniej wystawiać się na widok. Tamten fotografuje, ma wprawne oko, więc może coś zauważyć. Zamawia kawę i szarlotkę z lodami śmietankowymi. Spotkanie to dobra okazja, żeby sobie trochę pofolgować. Fotografer spóźnia się o ponad pół godziny. Zna swoją wartość, więc się nie śpieszy. Po co? Takie oczekiwanie od razu ustawia relacje. Kiedy wchodzi, w powietrzu zawisa zapach fahrenheita. Ten jednak brzmi lepiej niż w przypadku Nauczyciela Tańca. Chodzi zapewne o kompozycję, czyli – w istocie – o proporcje między nutą potu a resztą. W tym wypadku balans jest idealny. Od razu wiadomo, kto kogo naśladuje w tym kręgu; Nynio Samosik to źródło, samiec alfa w tym stadzie sutenerów i drani. Bo ma jakąś moc nadludzką. Z mroku wziętą i z przepadlin wszetecznych.

Podchodzi jak po sznurku. Siada. Wyciąga dłoń.

– Noniusz Samosik. Imię po Marku Noniuszu Makrynie, dowódcy kampanii wojennych Marka Aureliusza. Ojciec był nauczycielem historii i to on mnie tak… obdarował.

Sandow unosi się nad krzesłem, ściska dłoń, odkrywa, że jest sucha i przyjemna w dotyku.

– Jerzy Wizner. Imię…

Fotografer przerywa. On rządzi w tej rozmowie.

– Od razu się zorientowałem, że to pan. Niektórzy ludzie wyglądają jak ogłoszenie w gazecie i… proszę się nie pogniewać, pan jest właśnie takim egzemplarzem. Geolog, samotnik, podróżnik, trochę dziwak, ze skłonnością do… pikantnych zabaw. Dziewczyny mogą być… dość młode. Zgadza się?

Sandow przełyka ślinę.

– No cóż, jestem pod wrażeniem. Najwyraźniej… zna się pan na ludziach. A jeżeli chodzi o tę ostatnią sprawę, to zawsze sprawdzam dowód osobisty. Jak sprzedawca w sklepie z alkoholem.

Nynio wybucha śmiechem.

– Dobre. Podoba mi się. Ale przejdźmy do rzeczy. Chciałbym wiedzieć, dlaczego pan mnie szukał. Jak pan wie, jestem artystą fotografikiem. Pracuję w reklamie, w filmie, fotografuję kobiety ubrane, kobiety rozebrane, produkty, sytuacje, zdarzenia. Prawie wszystko, poza czystym reportażem. Reportaż mnie wkurwia, bo jest taki… chwilowy i dosłowny. Jeden do jeden. Kundle to obstawiają i hołota bez wyobraźni. Ja wolę kreację. No i mam zajoba. Zbieram aparaty fotograficzne. Tak jak pan. A w tym zajobie mam jeszcze większego zajoba, to znaczy…

– Lejka rommlowska z migawką z czerwonego płótna – przerywa Sandow.

Nynio jest zdumiony.

– Skąd pan wie?! Nigdy o tym nikomu nie mówiłem, a już na pewno nie tym… gówniarom.

– Nie, niech się pan nie obawia. Dżasmin była dyskretna.

Ja to wiem... od siebie. Też mam takie marzenie, ale to na razie poza moim zasięgiem. Za to mam dostęp do dwóch aparatów z serii zrobionej dla Luftwaffe. To mnie właśnie do pana skierowało.

– Leica Luftwaffe?

– Dwie lejki i... to jest właśnie problem. Dwie z kolejnymi numerami, do kupienia w komplecie. Albo obydwie, albo... żadna. Więc szukam kogoś, kto w to wejdzie.

– Wchodzę. Natychmiast.

Fotografer jest bardzo podniecony.

– Tylko wie pan oczywiście, jak odróżnić autentyk od falsyfikatu?

– Wiem, naturalnie. Miałem w ręku setki podróbek z fedów i zorek, a nawet prawdziwe lejki z większych serii, upodobniane do egzemplarzy z serii kolekcjonerskich...

– Duża litera „K" na końcu numeru seryjnego i ta sama litera wytłoczona na płótnie migawki.

Sandow kiwa głową.

– No tak. Trzeba wykręcić obiektyw i dotknąć migawki opuszkiem palca. Ale tu sprawa wygląda bardzo czysto. Robimy mapy geologiczne w Namibii. Duży kontrakt. W RPA poznałem człowieka, który był szefem magazynu w dywizji Rommla. Taki sierżant, cwaniak i dekownik. Przez jego ręce przechodziły aparaty fotograficzne i zegarki przysyłane na nagrody dla żołnierzy z zakładu w Wetzlar. Nowiutkie, fabrycznie pakowane. No i ten obywatel odłożył sobie kilka egzemplarzy. Niestety, czerwone płócienka już... poszły; na młode czekoladki, na basen i wakacje. Zostały mu dwie lejki Luftwaffe i... mało życia. Staruszek ma jakieś dziewięćdziesiąt lat i chce przed śmiercią wyposażyć dwie prawnuczki, bliźniaczki. Dla każdej po jednej lejce...

Sandow przerywa. Wypija łyk kawy, ale ani na chwilę nie spuszcza Fotografera z oka.

– No wchodzę. Naturalnie, że wchodzę w to.

– Nie pyta pan o cenę?

– Nie pytam. Rozkręcam teraz bardzo intratny biznes i stać mnie na... drobne przyjemności. Poza tym... potrafię się odwdzięczyć przyjaźnią, a ta jest warta więcej niż pieniądze.

– Osiemnaście tysięcy euro.

Nynio milknie. Udaje, że suma nie zrobiła na nim wrażenia. Sięga po wodę mineralną, wypija łyk, odstawia.

– A może być połowa w gotówce, a połowa w udziałach w moim nowym... interesie? – pyta ostrożnie. – To naprawdę dobra inwestycja.

Sandow udaje, że się namyśla. Odzywa się po dłuższej chwili.

– Musiałbym wiedzieć więcej.

Nynio oddycha z ulgą.

– Dobra. Już opowiadam. Ale najpierw parę zdań wstępu.

Więc wszystko się zaczyna od zdjęć. Pan wie, jakie są marzenia młodych dziewcząt; zostać fotomodelką, aktorką, hostessą, asystentką biznesową. I ja mam dostęp do nieprzebranych zasobów tego towaru; setek zdeterminowanych, gotowych na wszystko gęsi. Przychodzą, wystawiają przed obiektyw nawet więcej, niż się od nich oczekuje, i do tego są... bardzo wdzięczne. Ja oczywiście przyjmuję te dowody wdzięczności, ale się nie wyrabiam. Bo ile można, za przeproszeniem, ruchać? Więc się dzielę z kolegami i... koleżankami. No i tu już dochodzimy do sedna. Z jedną z tych znajomych założyłem nieformalną agencję. Ona ma kontakty na Bliskim Wschodzie, zna arabski i Arabów, różnych takich tłustych bogaczy z polami naftowymi, końmi i sokołami. I oni składają zamówienia na ten młody towarek, ja toto odławiam, uzależniam od kasy i nie tylko, a potem namawiam na wycieczkę do ciepłych krajów. Gąski jadą, ruchają się, dostają mnóstwo kasy, a ja... dwa razy tyle. Ruch jest w interesie spory, bo rynek się ciągle powiększa.

Sandow czuje pot ściekający po karku. Sięga po serwetkę.

– A na czym miałaby polegać moja rola?

Nynio ma gotową odpowiedź.

– To proste. Zero ryzyka. Daję panu, powiedzmy... sto fotek z gąskami, taki katalog ofertowy, a pan – w tych różnych Namibiach i innych Afrykach – organizuje prywatne prezentacje i zbiera zamówienia; przy okazji kolacji biznesowych, bez wysiłku i ryzyka. Proste, czyste pieniądze. Dwadzieścia procent od dziewczyny.

– A ile to jest w wartościach bezwzględnych? Mniej więcej.

– Jakieś... dwa tysiące euro.

Sandow udaje zdziwionego.

– No, niezła kasa. Bardzo przyzwoita.

– Raczej nieprzyzwoita. Takie sutenerstwo na wyższym poziomie, ale dość opłacalne. Wchodzi pan?

– Zastanowię się. Proszę mi dać tydzień. A lejkę rezerwuję, tak?

– Naturalnie. Niech pan rezerwuje. Jak już ją będę miał, to zostanie mi tylko ta ostatnia, czerwona, z Afrika Korps. I wtedy będę mógł już... umrzeć.

Dzwoni Rysio ze schroniska dla zwierząt. Jest smutny.

– Zabrali Mufika. Wyjeżdżają z nim za granicę, na pół roku. Jakiś kontrakt czy coś. A ja się tak do tego zwierzęcia przyzwyczaiłem. On po tym pobycie u ciebie taki się zrobił refleksyjny. Jakby wiedział, że go opisujesz w ważnej sprawie. Ale mam nowego labradora, więc jakby była jakaś pilna potrzeba...

– Nie, dzięki, Rysiek. A ta właścicielka?

– Wiesz, to nawet fajna kobitka. I dobrze tańczy. Pokazała mi kilka figur z cza-czy. Normalnie przy psach się wyginała.

Całe schronisko szczekało jak szalone. Może nawet wybiorę się z nią do tej szkoły, ale dopiero za pół roku, jak wróci. A ty?

– Afryka. Jadę do Afryki.

ŚMIERĆ CZEKA W OPUWO

Lotnisko jest nowoczesne. Stolica Namibii, Windhuk. Gwar wielojęzyczny, dużo ładnej czerni, gorąco. Muszelka już narzeka. Sylwester to sylwester, ma być śnieg, szampan, dużo tańca. A tu takie buty... Gorączka jak skurwysyn. Jest trzydziesty pierwszy grudnia dwa tysiące jedenastego roku.

Wsiadają do klimatyzowanego wana. Kierownica z lewej strony. Przewodnik (siwy, szczeciniasty, jakieś siedemdziesiąt lat) przedstawia się po polsku.

– Dzień dobry, witam państwa. Nazywam się Michał Rychter, mieszkam w RPA, ale specjalizuję się w Namibii. Znam ją, bowiem jako geolog z wykształcenia pracowałem tu przez wiele lat. Dzisiaj dojedziemy do parku Etosha i tam zanocujemy. Po drodze pokażę państwu kilka ciekawostek.

Jadą. Kończy się miasto, zaczyna spalona słońcem ziemia. Drogi czarne, drogi czerwone, drogi białe. Muszelka jakoś nie narzeka. Z nosem przyklejonym do szyby, patrzy, patrzy i patrzy.

Zatrzymują się przy plamie zieleni. Rychter kuśtyka na krzywych nóżkach. Staje przy zakurzonych roślinach z wielkimi liśćmi. Chrząka, spluwa dyskretnie do chusteczki.

– *Velvicia mirabilis* – wyjaśnia – roślina endemiczna, kwiaty męskie, o te, z tymi dużymi słupkami, i kwiaty żeńskie... no, krótko mówiąc, dziewczynki i chłopcy. Żyje najdłużej ze wszystkich roślin na świecie, średnio tysiąc pięćset lat. Korzeń długości od dwudziestu do trzydziestu metrów, no i najciekawsze; do życia wystarczy jej... poranna mgła. Odrobina pary wodnej, która zawisa w powietrzu na kilka minut, a potem słońce ją unicestwia.

Muszelka słucha i nie słucha. Jej badawcze oczy przyklejają się do czegoś, co dzieje się na obrzeżu sceny roślinnej. A tam trzy Murzyniątka stoją sobie; zasmarkane, wgapione i brązowe jak czekolada. Tym nie wystarczy do życia poranna mgła. One muszą natychmiast dostać kolorowe laleczki w plastikowych zamknięciach i ubrankach ze szmatek. No i każda lalka musi być inna. Nie na darmo Muszla wybierała w sklepach lalkowych i pakowała do walizek. Sto lalek. Oddzielny plecak afrykański.

– Trzeba znaleźć odporność na te insekty – przestrzega życzliwie Rychter. – Segregacja rasowa to nie był zły wynalazek, ale w moim kraju, w RPA, się nie sprawdził. No bo niech sobie pan wyobrazi: oddzielne ustępy publiczne dla białych, czarnych, żółtych i jeszcze dla... Hindusów, to samo z komunikacją, z urzędami. Tego żaden system, żaden budżet nie wytrzyma. Więc to się zawaliło nie z powodów ideologicznych, tylko czysto ekonomicznych. Tak ja to widzę...

Dojeżdżają do parku Etosha. Zamknięta strefa z basenami, klimatyzacją, restauracją. Żyrafy podchodzą pod samo ogrodzenie. Zachód słońca. Ciepłe złoto, kurz podniesiony przez zwierzęta zmierzające do wodopoju. Długi cień aż po horyzont. Muszelka śpi przed kolacją. Sandow bierze aparat, wczeskę, nakładkę na zęby i okulary. Wykrada się poza ogrodzenie. Sawanna dzika, zakurzona, zieleń złamana brązami, przebiega stado niewielkich skocznych antylop. Mężczyzna kilkoma ruchami przemienia się w Jerzego Wiznera, potem wyciąga rękę z aparatem i robi sobie zdjęcia. Nagle zawisa w bezruchu. Oto zaczyna... widzieć: słońce, które przed chwilą było dekoracją na afrykańskiej tapecie, rozwibrowany kurz, falujące powietrze, niebieskość złamaną złotymi inkrustacjami.

– Ja widzę Afrykę – odzywa się cicho do siebie.

Rusza. Cień rusza razem z nim.

Kolacja. W restauracji dużo Niemców pamiętających wojnę, sporo Japończyków i trochę innych nacji. Czarni posługiwacze gną się w ukłonach. Starają się jak najmniej zaglądać w oczy.

Ręce oddzielone od głów, osobne nogi, elegancja, usłużność. Muszelka tego nie widzi. Jest głodna jak pies.

– Zjem konia z kopytami albo jakąś… antylopę.

Myśli, że żartuje, ale nie żartuje. Na długim stole pieczenie z oryksa, gnu, kudu i springboka. Ta ostatnia najtrudniejsza do zjedzenia, bo zwierzątko jak z obrazka. Rychter doradza oryksa. Podobno najszlachetniejszy w smaku. Muszla wybrzydza, prycha, wreszcie bierze po kawałku z każdego stworzenia. Mięsko nadzwyczajne, więc zaraz zalewa się sosem, mlaska i leci po dokładki.

– Dżuku, jaka piękna ta Afryka. Nawet w Peru, nad tą… Pici-Pici mi się tak nie podobało.

Sandow poprawia.

– Rzeka nazywała się Pini-Pini i wcale ci się tam nie podobało. Głównie rozmyślałaś o miłości i bzykaniu.

– Teraz też o tym rozmyślam, ale proporcje się nieco zmieniły. Bardziej interesuje mnie miłość jako absolut, a na… zajęcia praktyczne jest tu za gorąco. No, po prostu trudno tu się pieprzyć, ale spróbujemy, spróbujemy. A tak w ogóle, to ile krajów nam jeszcze zostało do obejrzenia? Bo ja bardzo lubię te nasze podróże, tylko martwię się, że nie zwycieczkujemy ich wszystkich do końca świata.

– A co to za słowo?

– Zwycieczkujemy? Mój nowy wynalazek. A koniec świata przecież…

– Tak, pamiętam. Dwudziestego pierwszego grudnia, za rok.

Muszla marszczy się jak stulatka.

– A dzisiaj to my jesteśmy jeszcze w zeszłym roku czy już w tym właściwym?

Sandow liczy w głowie, ale nic mu nie chce wyjść.

– Nie wiem. Pogubiłem się. Chyba dzisiaj sylwester.

– To chodź, upijemy się szampanem i złożymy sobie najlepsze życzenia na świecie. Nikt tu nikomu nie złoży takich życzeń jak ja tobie.

– I ja tobie.

Siedzą przy oświetlonym wodopoju dla zwierząt. Z daleka dobiegają gwary ludzkie, śmiechy i muzyka. Cykady zawodzą jękliwie, pokrzykują dzikie koty. Noc afrykańska. Nagle w światło wchodzi wielki nosorożec, za nim samica i ich dziecko. Patrzą na Polaków z Polski i nic nie mówią. Pochylają łby w kierunku wody. Tak zaczyna się pierwszy dzień ostatniego roku ludzkości.

Drugi dzień ostatniego roku ludzkości. Jadą nad wodopoje. Wyprawa wycelowana tak, żeby trafić na jak największą liczbę zwierząt. Przewodnik ma do powiedzenia kilka zdań na temat każdego stworzenia. Żyrafa jest najwyższa, lew najwaleczniejszy, małpa najsprytniejsza. Ale Muszelkę interesuje tylko guziec, bo kropka w kropkę taki sam, jak ten z filmu, tylko mniej sprytny; nijak nie może się dopchać do wody. Na nic zdają się dopingi śpiewane na nutę Króla Lwa: „hakuna matata, hakuna matata"... Rychter kręci głową z politowaniem. On zna prawa zwierząt i wie, że guziec musi odstać swoje w kolejce, tak jak Hindus czy inny Murzyn. Takie są prawa afrykańskie. Kto tego nie rozumie, tego czarni ugotują w kociołku, przyprawią kurkumą, kolendrą, kardamonem, szafranem i... wpierdolą na obiad.

Sandow chce jechać do Opuwo, chociaż Rychter nie ma tego w planie. Chodzi o plemiona Herero i Himba, które Muszla po prostu musi zobaczyć. On już kiedyś widział, wie, jakie to przeżycie, i chce się tym podzielić z resztą ludzkości. Tymczasem reszta ludzkości dziwnie jest powściągliwa.

– A skąd ty wiesz, Dżuku, że ja się do tego palę? Zwierzęta to rozumiem... nigdy nie widziałam na żywo. Ale ludzie i na przykład... dzieci? Chcesz, żeby mi całkiem serce pękło?

– Ależ nie pęknie ci. Himba żyją skromnie, ale mają krowy i kozy, więc mają też mleko, sery i mięso. Podobnie Herero. Nie zobaczysz tam głodu. Chodzi o to, żeby wyjść na trochę z tej klimatyzowanej wycieczki, odetchnąć kurzem pustynnym, spocić się porządnie.

– Spocić się porządnie?! Przepraszam, ale ja się tu bardzo porządnie pocę. W tej sprawie nie mam sobie nic do zarzucenia. Produkuję dziennie około czternastu litrów potu, wcale nie sikam, a raz jak się zryczałam, to łzy mi doleciały tylko do połowy policzka. Wyparowały w chuj. O widzisz, znowu klnę ze stresu.

Sandow nie chce kłótni. Sięga po argumenty z najwyższej półki

– A Polinezja?

– Co Polinezja?

– Marzyłaś o niebieskiej wodzie, owocach mango prosto z drzewa, białym piasku na plaży, drinkach z parasolkami...

– A gdzie to niby mamy?

– Na Polinezji właśnie.

– Dżuku, pojebało cię? Jesteśmy w środku... czarnej dupy.

– Królik to ty nie jesteś.

– A co tu królik ma do rzeczy?

– Taki pisarz był polski, który podróżował z żoną. Wańkowicz, może słyszałaś?

– Nie słyszałam, ale już wiem, co chcesz powiedzieć. Ta żona była lepsza dla niego niż ja dla ciebie, prawda? Ale ja przecież nie jestem twoją żoną, Sandow. Wziąłeś sobie mnie na wycieczkę w charakterze świadka twoich zachwytów. Oświadcz się, to zobaczymy... I co, ta żona się pewnie Królik nazywała? A ta Polinezja?

– No... Tahiti, Bora-Bora. Zabrałbym cię tam...

Muszelka nie jest głupia. Pojmuje w sekundę.

– No to jedźmy natychmiast do tych Herero i Himbero! Marzę wprost o tym, a najbardziej o oddychaniu kurzem, pluciu krwią i ranach ropnych na całym ciele! Wyleczymy to wszystko na Bora-Bora; winem, erotycznym tańcem na plaży i bzykaniem się w stu dwudziestu pozycjach.

Opuwo jest przyczajone i napięte. Miasto ze śmiercią pod skórą; cztery ulice obsypane czerwonawym pyłem, piętnaście uliczek z barakami, pięć hoteli zamkniętych w czworobokach ślepych ścian. Przy głównym trakcie kilka sklepów, supermarket, poczta, biuro dla turystów. Przejeżdżają pancerne limuzyny cztery na cztery. Każda ma na dachu namiot i przyczepę za plecami. Jadą wolniutko, ostentacyjnie, w stojakach między fotelami bujają się sztucery. Kierowcy patrzą zza lustrzanych szkieł okularów; burskie wielkie łby, na nich kapelusze.

– Burowie wracają z wybrzeża, z wypoczynku – tłumaczy Rychter. – Lubią pokazać, jacy są ważni. Wygrali tu już parę wojen...

Instalują się w hotelu. Pośrodku placu basen z ukropem. Muszelka już w nim siedzi, ale nie narzeka. Pamięta o obietnicach polinezyjskich. Wieczorem pojawia się Kejkej, ucywilizowany Himba. Ma poprowadzić wyprawę do wioski współplemieńców, ale na razie odradza opuszczanie hotelu. Zły nastrój w mieście. Przyczyna? Nie ma przyczyny.

Muszla zasypia pod skrzypiącym wiatrakiem. Sandow wymyka się z hotelu. Idzie w kierunku placu targowego i po drodze przemienia się w Jerzego Wiznera. Na targu, w budach przykrytych trzciną siedzą czarni pijacy, kobiety i mężczyźni, Himba, Herero, Bantu, Damara, Ndonga. Podchodzi kobieta w wiktoriańskiej sukni, z jedwabnymi rogami na głowie. Prosi o papierosa, ale Sandow przecież nie pali; ani jako on sam, ani jako Wizner. W ciemnych budach zapalają się oczy. Prawie naga Himba siedzi okrakiem na mężczyźnie. Podnosi się i opada. Przeżywa seks bardzo głośno, ale to nie przeszkadza jej śledzić spojrzeniem przechodzącego białego. W sąsiedniej budzie tańczą Herero, biegają dzieci, siedzą pod ścianą odurzeni palacze. Sandow nie wie, czego tu szuka. Boi się, ale trudno mu odejść. Ten czarny klej jest mazią uwodzicielską; wciąga i uzależnia. Jak opium, jak wódka, jak seks. Wyciąga aparat, próbuje zrobić ukradkiem kilka zdjęć temu dziwnemu światu, potem kilka sobie. Zauważa to rosły mężczyzna z maczetą. Rusza w kierunku Sandowa z twarzą ściągniętą gniewem. Podnosi maczetę, a kiedy Sandow zasłania się przedramieniem... wybucha śmiechem. To był żart. Zwykły żart. I udał się, bo cały targ wybucha śmiechem. Teraz biały turysta jest przyjacielem. Podchodzi Himba, całuje go w usta, wkłada język bardzo głęboko. Jest pijana i spragniona miłości. Sandow ma erekcję, kobieta ciągnie go do budy, na posłanie. Ktoś zabiera mu aparat z rąk, robi zdjęcie za zdjęciem, potem oddaje własność. Częstują go ciepłą wódką prosto z butelki. Pije, zapada w spokój i rozkosz. Koc rzucony pod ścianą cuchnie uryną i wymiocinami, chodzą po nim robaki, ale to nie przeszkadza Himbie. Już prawie siada na Sandowie, kiedy ten wyrywa się w ostatnim odruchu przyzwoitości. Ucieka poklepywany po plecach przez przyjaciół ze śmietnika. Niebo nad Opuwo czerwienieje.

Po powrocie do hotelu wchodzi do basenu. Siedzi w wodzie bardzo długo, a potem moczy się jeszcze pod prysznicem. Zmywa z siebie strach i podniecenie.

Muszelka śpi spokojnie. Na okno wskakuje szarobury kot. Jest tak nieoczekiwanie domowy i zwyczajny, że Sandow aż parska śmiechem. Nie może uwierzyć, więc wychodzi z pokoju, podnosi kota do góry i... słucha. Wszystko się zgadza. Stworzenie mruczy w tym samym języku, co koty rodzinne. I w tej samej sprawie. Więc Sandow nie czeka już dłużej. Zaczyna płakać (bo kot przemienia go w chłopczyka tęskniącego za matką, która znów jest za daleko).

Po jękach porannych (Muszelka nie jest pewna, czy da radę iść) i jajecznicy w proszku ruszają w kierunku wiosek Himba. Najpierw jadą, potem idą, na koniec wloką się z plecakami pełnymi towarów z supermarketu w Opuwo. Mają mąkę kukurydzianą, cukier, czerwoną fasolę w puszkach, tytoń, zapałki, parę torebek cukierków dla małych Himbek. Oczywiście jest też obecny lalkowy plecak Muszelki. Sandow go niesie. Spiekota, pustka, suchość skrzypiąca. Rychter ledwo łapie powietrze, ale idzie swoim krzywym krokiem. Kejkej uspokaja.

– Jeszcze te dwa wzgórza i będzie wioska. Jakieś... trzy kilometry.

Dochodzą, siadają przed płotem, wykładają towar na ziemi. Przed nimi wioska: ubity czerwonawy plac, kilka lepianek pokrytych palmowymi liśćmi, zagroda z patyków, parę kóz. Wódz, kobiety i dzieci siedzą w cieniu pod dwoma drzewami. Patrzą na przybyłych. Żadnego poruszenia; czerwone, pomalowane ochrą pomniki. Mężczyzn nie ma. Są o setki kilometrów stąd, na pastwiskach.

Godzina z muchami pchającymi się do nosa i oczu. Wreszcie Kejkej wstaje. To reakcja na sygnał, którego nikt poza nim nie zauważył. Przechodzi granicę, długo rozmawia z wodzem (Kejkej stoi, wódz siedzi), wracają razem. Starzec ma tylko jedno oko, ale widzi wszystko. Ogląda towary, mruczy coś do siebie, narzeka. Odsuwa patykiem to, co go nie interesuje; cukierki i lalki dla dzieci. Lalki robią sami, z drewna, i sprzedają innym plemionom, a cukierki psują zęby ich dzieciom. Teraz pokrzykuje coś w kierunku wioski. Wracają szczekliwe odpowiedzi. Jest zgoda, ale w wiosce płonie święty ogień, więc wódz pokaże krąg, którego nie wolno przekraczać. Wchodzą. Sandow rozgląda się inaczej niż Muszelka, Rychter i jeszcze trzech innych białasów z hotelu. On szuka kogoś konkretnego, kobiety, która powinna tu być. Siadają w kręgu. Dzieciaki zaraz oblepiają Muszelkę i Kejkeja. Są zachwycone jego niebieskim mundurem z wyszywanym wizerunkiem Himby. A przewodnik nabiera powietrza i zaczyna wykład.

– Na całym ciele kobiet Himba widać makijaż otjize. Jest to mieszanina tłuszczu, popiołu, ekstraktu z ziół i naturalnej ochry. Współczesne Himba stosują wazelinę kosmetyczną zamiast łoju zwierzęcego, dlatego ładnie pachną. Włosy są splecione i pokryte tym samym preparatem. Wiszące z przodu oznaczają kobietę zbyt młodą na ożenek. Warkocze mają zasłonić jej twarz przed pożądliwym wzrokiem mężczyzn.

Muszelka słucha Kejkeja, ale patrzy na Sandowa. Nie wytrzymuje.

– Byłeś tu, prawda?

– Byłem.

– Szukasz kogoś?

Sandow wzdycha. Bierze Muszlę za rękę.

– Pięć lat temu robiłem tu film dokumentalny dla telewizji. Kobiety Himba tańczyły, pokazywały nam swoje domy, opowiadały o wychowaniu dzieci i tęsknocie za mężami. Teraz nie potrafię rozpoznać żadnej z nich. Miejsce to samo, ale ludzie inni... No i podeszła wtedy do mnie jedna z dziewcząt, śliczna, zjawiskowa... Kejkej przetłumaczył mi wtedy jej prośbę; chciała wyjechać z wioski i z Afryki. Była w Opuwo na targu, tam zobaczyła telewizor, w nim pokaz mody w Paryżu. I wtedy zrozumiała, że jest do tego stworzona, bo chodzi jeszcze piękniej niż te czarne kobiety, trzyma głowę wyżej i dumniej. Nie chce doić kóz, karmić dzieci, oddawać się mężczyznom, którzy w trakcie miłości nie wypowiadają ani jednego słowa. Nie chce zbierać kukurydzy, ucierać jej na mąkę, malować się ochrą, zalepiać krowim łajnem dziur w ścianach domu. Nie chce tego, tylko... tamto, z telewizora.

Muszelce smutno.

– A opowiesz mi kiedyś jakąś wesołą historię z dobrym zakończeniem?

– Może ta historia ma dobre zakończenie...

Przerywa, bo podchodzi Kejkej. Pokazuje palcem na jedną z chatek. Wychodzi z niej piękna wysoka kobieta. Trzyma na biodrze dziecko. Malec z uporem próbuje dostać się do jednej z obwisłych piersi. Kobieta sięga po kawałek koziego mięsa suszącego się przy dachu chatki. W powietrze wzbija się rój much. Spoglądają na siebie – Sandow i Mukandete. Muszelka znów nie wie, co powiedzieć. Domyśla się, że ta przed chatą, to tamta od telewizora na targu w Opuwo, od marzeń o pokazach prêt-à-porter w Paryżu i Nowym Jorku. Sięga po laleczki upchnięte do kieszeni, ukradkiem podsuwa je dzieciakom, a potem leci do pięknej i jej też wciska w dłoń maleńką laleczkę. Taki ma pomysł na spełnienie chociaż części marzeń niedościgłych.

Po powrocie do miasta siadają razem w basenie. Muszelka waży w sobie jakieś słowa gotowe do wypowiedzenia, czekające w poczekalni za językiem. Układa je w porządkach otwierających rozmowę. Nie zamykających.

– Nie jestem już Żydówką z miasta Łodzi – odzywa się ostrożnie. – To przeszło. Nawet słowa mi powypadały z głowy i kalendarz ze świętami. Zapomniałam też, po co wystawia się puste krzesło dla proroka Eliasza. Ale to i tamto potrafię już zrozumieć. Rozumiem, dlaczego pojawiają się w twojej głowie adresy grobów, rozumiem, na jaki drut kolczasty jest nawleczone twoje serce, rozumiem, dlaczego tęsknisz za matką, ojcem, córką i byłą żoną. Ale nie potrafię zrozumieć, czego ty szukasz w tych dziwnych zagranicach. Wiem, jak wyglądają wakacje, więc wiem też, że nie szukasz wakacji. Więc czego ty ostatecznie tak szukasz i szukasz?

Sandow próbuje się uśmiechnąć, ale wychodzi z tego krzywa kreska.

– Nie wiem, Muszelko. Nie wie się. Może... odległości? Być daleko i tęsknić wyraźniej, bez tego pierdolonego rozkawałkowania tęsknoty. Taki sobie wmawiam cel. Lubię się upewniać, że nie ma świata poza mną. Bo nie ma. Odległość to umożliwia.

Patrzenie na niebo bez Wielkiego Wozu, z Krzyżem Południa w zastępstwie, daje lepszą perspektywę.

– No i co tam już zobaczyłeś, w tej... lepszej perspektywie?

– Jeszcze nic.

– A co chcesz zobaczyć?

– Matkę i ojca odchodzących ode mnie.

Muszelka jest wstrząśnięta. Nie wie, czy dobrze usłyszała, więc się upewnia.

– Matkę i ojca odchodzących od ciebie?

– Tak, ale to nie koniec obrazu. Chcę stać z nimi pod lasem w Popielawach w chwili wielkiej ulewy, potem chcę, żeby deszcz ustał i żeby oni poszli w kierunku domu, nie oglądając się za siebie. Dopiero kiedy znikną za łanem żyta, chcę ruszyć spokojnie, sam, swoją drogą polną. I nie bać się. I nie tęsknić.

JEDEN DZIEŃ U BURÓW

Siedzą przy stole w chacie przykrytej blachą; Eduard van Schalkwyk, jego żona Lise-Marie, ich jedyny syn Mateus, Rychter, Sandow i Muszelka. Dom jest rozległy, wielorodzinny, ma ganki i zakamarki, ale to w gruncie rzeczy kilka cienkich ścian przykrytych blachą falistą. W oknach firanki, zasłonki w kwiaty, na podłodze deski afrykańskie z drzewa jambire i cegły ustawione na sztorc; wytarte od bosych stóp, przykryte gdzieniegdzie wzorzystym chodnikiem. Dużo kwiatów w doniczkach, proste meble, staroświecko, czysto i surowo. Jak to u kalwinów. Na stole jedzenie bure kos, proste, kartoflano-mięsne. Van Schalkwyk wyciąga ręce, chwyta żonę i syna, ten chwyta Muszelkę, Muszelka Sandowa, Sandow Rychtera. Koło zamknięte. Pochylają się głowy, zamykają oczy, rozlega modlitwa wypowiadana bez pretensji i pośpiechu. Jedzą.

– Pan Sandow jest osobą znaną w Polsce. Bardzo chciał spędzić jeden dzień w rodzinie farmerskiej. Takiej jak ta – zagaduje Rychter.

Van Schalkwyk kiwa głową ze zrozumieniem. Nie zadaje pytań. Pokazuje, że teraz jedzą. Jedzenie jest ważne. Długo pracowali, jakieś trzydzieści lat, zanim zaczęli posilać się tak spokojnie i tak dostatnio jak teraz. Muszelka siedzi z nosem w misce. Nie odzywa się. Kartofle idą z dużego wspólnego naczynia stojącego pośrodku. Trzeba dużej gimnastyki, żeby nie zderzyć się w powietrzu z obcą łyżką. Na razie obywa się bez katastrofy, chociaż pod naciskiem spojrzeń. Najbardziej gapi się Mateus, syn Schalkwyka, czerwony na gębie i spocony.

Skończone. Eduard sięga po wykałaczkę.

– Mamy dwa tysiące trzysta hektarów ziemi.

Sandow otwiera szeroko oczy.

– Ile?

– Dwa tysiące trzysta – powtarza Schalkwyk. – Hodujemy krowy, kozy i karakuły.

Muszelka nie rozumie.

– A te karakuły to jakieś... kwiaty?

Sandow krzywi się. Odpowiada szeptem.

– Nie, nie kwiaty. Owce. Hoduje się je na skóry. Niestety, wartościowe są tylko te z dwudniowych jagniąt.

Muszelka nie może uwierzyć.

– Zabijają te baranki?

I już ma w pogardzie cały kalwiński pomiot świata, już by chciała pójść i uratować z piętnaście owieczek, ale się jeszcze nie urodziły. Spogląda na Mateusa tak surowo, że biedak zachłystuje się herbatą. Schalkwyk tego nie widzi.

– Jedziemy zaraz do sąsiada, pana Hasenwinkla. Blisko, jakieś sto dwadzieścia kilometrów. Musimy porozmawiać o krowach, no i... Mateus chce odwiedzić narzeczoną, pannę Hasenwinkel. Ślub za półtora miesiąca.

Pani Schalkwyk przytula się do syna z miłością, a ten czerwienieje jeszcze bardziej.

Chodzą po podwórku. Kilka zagród, rozchwiane płotki, wiatrak na żelaznym maszcie, przy nim zbiornik na wodę. Blaszane skrzydła jęczą, pompa mruczy monotonnie. Dalej widać pochlapane wapnem budynki gospodarskie, oborę i owczarnię. Muszelka nie chce zwiedzać. Ją interesuje domek stojący na obrzeżu, biedna chatka z jednym okienkiem bez szyby. Tam idzie jak po sznurku owładnięta ideą natychmiastowego uratowania kogoś od czegoś. Kogokolwiek. Od czegokolwiek.

Chatka zbudowana jest z gliny i krowiego gówna. Dwie izby, w jednej piec z rurą wystawioną przez ścianę. To mieszkanie osobistych Murzynów państwa Eduarda i Lise-Marie van Schalkwyków. Pracują na dwóch tysiącach hektarów; jeden pasie kozy, drugi pasie krowy, trzeci zabija jagnięta, czwarty wyprawia skóry. Ich kobiety doją stworzenia, przerabiają mleko na sery i inne produkty dostarczane do miasta Opuwo. W domu jest tylko prababcia i najmłodsza prawnuczka Sililo, mała czarna zabaweczka. Wyciąga ręce do Muszelki i już ją ma ze wszystkimi przyległościami. Ale trzeba zaraz jechać, najdalej za pół godziny, więc Muszelka nie ma nawet czasu poryczeć porządnie. Zostawia trzy najpiękniejsze laleczki. Kiedy Sandow odkleja ją od Sililo, mała potrafi już „kosi, kosi, łapci" i kilka innych do niczego niepotrzebnych rzeczy.

Jadą na pace pikapu – Sandow i Muszelka. Trzymają się burty i metalowego pałąka. Droga kurzy niemiłosiernie. Po obu stronach zasieki z drutu, kilometry, dziesiątki kilometrów. Pejzaż coraz bardziej surowy i coraz bardziej zachwycający. Aż nagle, za załomem drogi, wyskakuje przed oczy wyspa zieleni. Prawdziwy ocean zieloności wszelakiej. Rosną palmy, akacje, kakaowce, marule i niezliczona ilość krzewów; wszystko ujęte w dyscyplinę, w architekturę roślinną, zorganizowane i nawodnione przemyślnie. Wjeżdżają w tunel zielony. Otwiera się widok na wielką, rozłożoną w szerokości posiadłość. Wszystko tu ma urodę królewską – dom, podjazd, pawilon ogrodowy z kolumnami i dużą ilością szkła. Z boku zastawione akacjami zagrody dla setek bydła. Właściciel hoduje specjalną, odporną na suszę rasę krów; coś jak zebu, ale mniejsze i pomieszane z bawołami. W zagrodach dużo tego towarzystwa, doglądanego przez kilku pracowników w jednakowych żółtych kombinezonach.

Wysiadają z auta. Rychter podchodzi do Muszelki i Sandowa. Odzywa się przyciszonym głosem.

– Gospodarz, pan Hasenwinkel, jest chory na raka. Lekarze nie dają mu więcej niż dwa, trzy miesiące życia. To bardzo zacny człowiek, były polityk i działacz afrykanerski. Bardzo wrażliwy na muzykę. Sprowadzał do swojej posiadłości wykonawców z Europy i Rosji, a raczej… ze Związku Radzieckiego. Wybitni filharmonicy; pianiści, skrzypkowie, wiolonczeliści… Światosław Richter, słyszał pan takie nazwisko?

Przerywa, bo oto z tarasu zbiega po schodach przysadziste, pyzate dziewczę. Nierasowa panna Isabelle Hasenwinkel. Z okrzykiem radości wpada w ramiona narzeczonego. Pasują do siebie. Aż strach pomyśleć, jakie z tego będą dzieci, ale oni na razie o tym nie myślą. Chwytają się za dłonie i odbiegają w kierunku afrykańskich ogrodów.

Pan Hasenwinkel ma siedemdziesiąt lat, białe włosy i prawie przezroczystą twarz. W jej wyrazie jest coś prawdziwie królewskiego. Na pierwszy rzut oka sama wyniosłość, ale to maska przykrywająca cierpienie. Prawdę widać w oczach, które nie chcą się już palić. Siedzi w czerwonym fotelu postawionym pośrodku pawilonu z kolumnami; w białej marynarce, białych spodniach i kwiecistej apaszce. Pali papierosa.

– Mam raka, nie powinienem palić, ale... nie potrafię się powstrzymać. Przepraszam.

Z dworu wbiegają dwa wyżły. Układają się przy nogach umierającego pana.

– Państwo z Polski. Górecki, Lutosławski... Piękna muzyka. Szczególnie *Symfonia pieśni żałosnych* Góreckiego. Słucham tego, bo pasuje do mojego stanu. Nie, proszę się nie obawiać, nie będę mówił o śmierci.

Uśmiecha się, zawiesza spojrzenie na Muszelce.

– Proszę wybaczyć, że będę patrzył głównie na panią. Umierający z uporem ogląda się w kierunku życia, a pani jest jego uosobieniem. Życie nie powinno wyglądać tak jak moja córka czy moja żona. Obydwie są brzydkie; córka odziedziczyła urodę po matce, silne holenderskie geny. Syn pana Schalkwyka bardzo do niej pasuje. Prawdę mówiąc, cieszę się na myśl o tym małżeństwie.

Hasenwinkel uśmiecha się cierpko.

– Będą dobre, silne krowy, dużo mleka i mięsa, no i dużo wnuków, ale... tego już na szczęście nie dożyję.

Zwraca się do Schalkwyka.

– Drogi Eduardzie, może pójdzie pan do zagrody zobaczyć nowe cielęta? Trzy sztuki z nowej krzyżówki. Wyglądają naprawdę zachwycająco.

Schalkwykowi nie trzeba powtarzać dwa razy. W lot odczytuje sugestię gospodarza, podnosi się i wychodzi z oranżerii. Rychter rusza za nim. Hasenwinkel przywołuje Muszelkę.

– Proszę usiąść przy mnie. Pozwoli pan? – spogląda na Sandowa.

Sandow uśmiecha się. Rozkłada ręce na znak, że on w tej sprawie nie ma nic do powiedzenia. Muszelka wstaje. Z cienia korytarza wyłania się młoda Murzynka ze stołkiem przykrytym wzorzystą narzutą. Ustawia go tuż przy fotelu pana. Muszelka siada. Hasenwinkel bierze ją za dłoń.

– Wybierają się państwo do Naukluft? Tam w pobliżu stacji kolejowej Garub żyje stado dzikich koni. Wyglądają trochę jak konie rasy angielskiej, ale złamane jakąś niemiecką pospolitością... Ciekawostka miejscowa. Podobno Burowie wypuścili je w czasie wojny z Koroną brytyjską, żeby nie wpadły w ręce wroga. Byli pewni, że konie zdechną w ciągu kilku dni; bez wody, bez pożywienia. A one... przeżyły do dzisiaj. Ponad sto lat. Przystosowały się, ograniczyły potrzeby, zmieniły sposób odżywiania, wybrały przywódcę, zorganizowały się w społeczeństwo. Głównym hasłem ich konstytucji jest – jak się zdaje – „przeżyć za wszelką cenę". Więc ja byłem kiedyś takim... koniem z pustyni Naukluft. Przystosowałem się do Afryki, ale teraz zamieniam już życie na śmierć. I wcale mi nie jest przykro. Prawdę mówiąc, cieszę się. Wiem, że trudno w to uwierzyć, ale tak właśnie jest. Jeszcze dwa miesiące temu zapłaciłem fortunę za rosyjski lek z doświadczalnej terapii, ale kiedy okazało się, że nie działa, właściwie... ucieszyłem się. Wreszcie usunę Afrykę z mojej krwi. Ożeniłem się dla pieniędzy, ale umrę bezinteresownie. Przepraszam, nie nudzę państwa?

Sandow spogląda na Muszelkę, a ta jest bardzo zakłopotana. Jąka się, wypowiada trzy niezrozumiałe słowa, po czym milknie. Podchodzi służąca z chusteczką i szklanką wody. Hasenwinkel uwalnia dłoń Muszelki, pije wodę, wyciera usta. Tymczasem Muszelce wraca rozum i jest zdolna wypowiedzieć parę składnych zdań. Czyni to niezwłocznie.

– Ależ nie, skąd, w ogóle. To takie piękne, interesujące i... bardzo, bardzo smutne. Ale proszę też opowiedzieć jakąś wesołą historię ze swojego życia. Coś pięknego i poruszającego. Takie rzeczy na pewno się panu zdarzyły.

Hasenwinkel uśmiecha się.

– Ależ naturalnie, moje dziecko. Wiele pięknych rzeczy mi

się zdarzyło. Tylko że umierający człowiek woli się powoływać na nieszczęścia. To rodzaj mentalnego znieczulania, takiej wewnętrznej morfiny. Pan jest reżyserem, pisarzem – zwraca się do Sandowa – więc lepiej pan rozumie, co mam na myśli.

Teraz Sandow jest zakłopotany.

– Lepiej rozumiem ze względu na... wiek...

Hasenwinkel przerywa.

– Dobrze, opowiem wesołą historię, ale proszę pozwolić mi trzymać pani dłoń. Mogę?

Muszelka się zgadza. Podaje dłoń starszemu panu.

TRZY DIAMENTY PANA HASENWINKLA

Urodziłem się w Berlinie w lutym tysiąc dziewięćset czterdziestego drugiego. Mój ojciec był pilotem. Zaczął latać jako siedemnastolatek. W tysiąc dziewięćset czterdziestym pierwszym wysłano go do Afryki Północnej. Latał w Korpusie Afrykańskim, wspierał wojska lądowe Rommla. Już w jednej z pierwszych potyczek zestrzelił trzy hurricany, za co sam feldmarszałek odznaczył go Krzyżem Żelaznym pierwszej klasy oraz podarował mu aparat fotograficzny Leica produkowany w Wetzlar specjalnie dla Luftwaffe. Niestety, ojciec nie zrobił nim ani jednej fotografii. Został zestrzelony w styczniu czterdziestego drugiego, na miesiąc przed moim przyjściem na świat, i słuch o nim zaginął. W tysiąc dziewięćset sześćdziesiątym drugim roku, jako student architektury, trafiłem do Afryki Południowo-Zachodniej. Akurat zaczynały się tu niepokoje związane z ruchem wolnościowym Sama Nujomy, ale mnie to w ogóle nie obchodziło. Przyjechałem tu bez celu, wmawiając sobie, że zakocham się w Afryce i przeżyję przygodę życia. Nie patrzyłem do przodu. Właściwie nie wiem, co mnie tu trzymało. Zwiedzałem, piłem wódkę, trzymałem się daleko od czarnych i SWAPO. Bogaci afrykanerzy płacili mi za malowanie portretów ich żon oraz za projekty domów, basenów i biur. To nie były trudne zajęcia i dawały niezły dochód. Któregoś dnia wybrałem się na teren posiadłości Oscara Oppenheimera niedaleko Johannesburga, jako asystent architekta, który mnie wówczas zatrudniał. Wjechaliśmy do dzielnicy białych średniaków i tam, jadąc autem, zobaczyłem na ulicy... siebie. Tak, tak, słyszę, jak to brzmi, ale nie potrafię tej chwili opisać inaczej. Na ulicy stał mężczyzna łudząco podobny do mnie; tego samego wzrostu, kształtu głowy, wyrazu twarzy, z tym samym nosem, ustami i spojrzeniem. Próbował zapalić papierosa, przeklinał, uderzał zapalniczką o udo. Mógł mieć na oko jakieś... pięćdziesiąt lat. Kazałem szoferowi zatrzymać się za rogiem, wysiadłem i poszedłem za tym mężczyzną. Ja wiem, państwo się domyślają, kto to był. Istotnie, to był mój ojciec – zaginiony podczas wojny bohaterski pilot Luftwaffe Markus Hasenwinkel. Idąc za nim, doszedłem do zaniedbanego domu. To było coś w rodzaju skromnej willi z ogródkiem i basenem; nieporządek, śmieci, nagromadzenie starych mebli dookoła domu, do tego... koty. Dużo kotów. Nie zamknął za sobą furtki. Zorientował się, że idę za nim. Kiedy wszedłem, siedział w kuchni z butelką wódki, papierosem i wycelowanym we mnie pistoletem.

Hasenwinkel milknie. Uwalnia dłoń Muszelki, sięga po wodę podaną przez służącą, wypija kilka łyków, przeciera usta chusteczką. Jest wzruszony i nawet nie stara się tego ukryć. Oddaje szklankę, sięga po dłoń Muszelki.

– Proszę wybaczyć. Chwila słabości... Zobaczyłem ten obraz tak wyraźnie, że przez chwilę znów miałem ojca... Ale idźmy dalej. Nawet nie pamiętam, o czym wtedy rozmawialiśmy. Nie tłumaczył się, nie przepraszał. Opowiedział tylko o okolicznościach swojego zestrzelenia i o innych faktach, które zatrzymały go w Afryce. Spadł na pustyni. Był ranny w nogę i dłoń. W nocy znaleźli go Beduini, zabrali do wioski, opatrzyli i nakarmili. Mieszkał z nimi kilka miesięcy, zakochał się w tamtejszej kobiecie, próbował z nią uciec w dół kontynentu, ale – na szczęście dla niej – próba się nie powiodła. Przez kolejny rok wędrował na południe Afryki, potem wpadł w ręce Brytyjczyków i trafił do obozu dla jeńców wojennych. Po zakończeniu wojny nie wrócił do Niemiec. Wynajął się jako pilot awionetek, latał między kopalniami diamentów, kupił dom, spłodził troje półczarnych dzieci ze swoją służącą, rozpił się. Naturalnie, zadałem mu pytanie, dlaczego nie wrócił do domu. Nie potrafił odpowiedzieć. Bredził coś o sile Afryki, o jej uwodzicielskiej mocy, o tajemnicy miłości... Wtedy zrozumiałem, że ten brak ostrej odpowiedzi jest w istocie... odpowiedzią i że mnie trzyma w Afryce coś podobnie niewypowiadalnego. Na odchodne podarował mi jeden niewielki diament i aparat fotograficzny Leica. Ten sam, który dostał od Rommla w nagrodę za zestrzelenie trzech samolotów wroga. Nie wróciłem już do pracy u Oppenheimera. Pojechałem na południe, by jakoś oddalić się od ojca. Zmarł wkrótce na zawał serca. Dowiedziałem się o tym od... przyrodniej siostry, ślicznej Mulatki, która odnalazła mnie po latach. Pracuje tu niedaleko, w szkole. Jest nauczycielką muzyki. Ale wracam do mojej ucieczki na południe. Podarunek od ojca przydał się. Zacząłem fotografować. Trafiłem w pobliże Garub na pustyni Naukluft i przez wiele miesięcy fotografowałem żyjące tam dziko konie. To był piękny czas, kto wie, czy nie najpiękniejszy w moim życiu. Za diament od ojca kupiłem sobie wolność, jego aparat zaś dał mi... nowe oczy. Patrzyłem nimi na świat zewnętrzny, ale fotografowałem... siebie. Właśnie tak. Śpiąc na pustyni, wędrując, przybliżając się do tych dzikich zwierząt – rozpoznawałem siebie. Dość szybko zrozumiałem, jak bardzo jestem podobny do mojego ojca i że ucieczka od niego nigdy się nie powiedzie. Drugi diament... Ten ukradłem właścicielowi kopalni w Namibii. Ale nim to się stało, zdobyłem krótkotrwałą sławę jako... fotografik. Wysłałem zdjęcia koni do gazet w Afryce i Europie i zaraz otrzymałem propozycję wielkiej wystawy w Johannesburgu. Tam poznałem Sophie. Była zagubioną w Afryce paryżanką. Zakochaliśmy się w sobie bez pamięci i zatraciliśmy w miłości. Podróże, hotele, safari, przyjęcia, alkohol i wreszcie... narkotyki. W ciągu dwóch lat straciłem pieniądze, dom i charakter. Kiedy się obudziłem w tanim hotelu na przedmieściach Windhuku, znalazłem na stole króciutki list pożegnalny, parę słów bez znaczenia. Oczywiście, nie poddałem się od razu. Postanowiłem odnaleźć i odzyskać Sophie, jak to zakochany idiota. Korzystając z rekomendacji właściciela galerii sztuki, zatrudniłem się w kopalni diamentów. Przyjmowałem tam od górników znalezione kamienie i dokonywałem wstępnej selekcji. Korzystając z pierwszej nadarzającej się okazji, ukradłem spory kamień, sprzedałem go i poleciałem do Paryża. Dość szybko odnalazłem Sophie. Była na dnie. Pobyłem tam z nią przez chwilę, wydałem prawie wszystkie pieniądze, wreszcie ostatnim wysiłkiem woli wsiadłem do samolotu lecącego do Johannesburga. Kiedy wróciłem, od razu wtrącono mnie do więzienia. Wydobył mnie stamtąd właściciel kopalni diamentów, którego okradłem, w zamian za... poślubienie jego córki. Przystałem na to. Tak więc pierwszy diament, ten, który dostałem od ojca, dał mi wolność, drugi zaś, ukradziony – zniewolił mnie. Trzecim diamentem, tym, z którego obrazem chcę zejść z ziemi, jest... pani twarz. Czy mogę prosić o zgodę?

Hasenwinkel uwalnia dłoń Muszelki, a ta znów nie wie, co powiedzieć, więc na wszelki wypadek nie mówi nic. Jest zmieszana. Potakuje na znak zgody, ale nie jest pewna, czy dobrze zrozumiała.

– Czy to znaczy, że pan... że mam dać panu moje... zdjęcie?

Hasenwinkel uśmiecha się wyrozumiale.

– Nie, dziękuję. Moje oczy już panią dostatecznie dobrze sfotografowały. A teraz, kiedy się już pani zgodziła, proszę nas na chwilę zostawić sam na sam z pani przyjacielem.

Muszelka podrywa się ze stołka. Oddycha z ulgą.

– Ależ naturalnie. Bardzo proszę.

Kiedy wychodzi z oranżerii, Hasenwinkel przywołuje Sandowa do siebie. Jest tyle siły w tym słabym i prawie niezauważalnym geście, że Sandow nawet nie próbuje się upierać. Podchodzi. Hasenwinkel zniża głos do szeptu.

– Pan jest bystry, więc zapewne domyśla się, że kradzież diamentu nie wystarcza, by zrobić karierę w Afryce Południowej i Namibii.

– Domyślam się, że pod spodem tych spraw... widocznych, dałoby się może... odkryć jakieś sprawy mniej widoczne.

– Albo zupełnie zakryte.

– Albo zupełnie zakryte.

– Jak pan sądzi, czy pod spodem sprawy, która pana przywiodła do mojego domu, dałoby się znaleźć jakąś inną, mniej widoczną?

Sandow nie zastanawia się długo.

– Opowiadając historię o trzech diamentach, wspomniał pan trzykrotnie o pewnym bardzo cennym aparacie fotograficznym.

– Istotnie, wspomniałem.

– Przypadek zrządził, że... jestem kolekcjonerem i pilnie rozglądam się za takim egzemplarzem.

Hasenwinkel uśmiecha się i kręci głową.

– Spóźnił się pan. Oddałem go pewnemu Rosjaninowi za miesiąc doświadczalnej terapii antynowotworowej. Wdraża ją w Kapsztadzie jego rodak, lekarz z Petersburga. A ten... Rosjanin...

– To bardzo przystojny mężczyzna, który mówi tylko to, co potrzeba, i używa batystowych chusteczek z wyszywanym ręcznie monogramem.

Sandow pokazuje na chusteczkę trzymaną przez gospodarza. Hasenwinkel rozkłada ją. Ukazuje się wyszywany czerwoną nicią monogram SB.

– A swoją drogą – ciągnie dalej – ciekaw jestem, co widziała ta pańska lejka? Bo moje, te, które mam w kolekcji, widziały... potworności: Auschwitz, front wschodni, getto, egzekucje, ale i piękne pejzaże z moich okolic rodzinnych.

– Moja lejka? Ona niewiele widziała. Konie, głównie konie z pustyni Naukluft i oczy mojej ukochanej Sophie.

Nosił tylko białe marynarki
(Żeby odbijały jak najwięcej słońca)
Nie lubił upałów ani pożegnań
Znał dwie albo trzy dobre rzeczy
W tym była matka i ciastko z kremem
Reszty zapomniał na starość
Kiedyś był małym chłopcem w Berlinie
Przechodziło wojsko na wojnę
Matka dała mu do ręki chorągiewkę
Pomachał ojcu w Afryce
I swojemu psu na Nithackstrasse

ROZMOWA O CZASIE TERAŹNIEJSZYM

Wracają na pace półciężarówki. Muszelka jest wkurwiona.

– I to miała być niby wesoła, przyjemna historia? Przecież to było strasznie smutne. Bezdennie tragiczne; umierający człowiek przez pół dnia opowiada o życiu jak o odroczonej śmierci. Jak to zrobić, Sandow, żeby żyć dzisiaj?

Sandow jest zamyślony i nieuważny. Wzdycha.

– Ale co dokładnie masz na myśli?

– Jakbym wiedziała, co mam na myśli, tobym się nie wpierdalała w twoje poetyckie, szlachetne i najgłębsze na świecie zamyślenie. No... żyć dzisiaj. Nie rozumiesz? Nie wczoraj, do kurwy, i nie jutro. Bo wczoraj zawsze była jakaś jebana wojna, a jutro zawsze będzie... w przyszłości, więc to d z i s i a j nie chce istnieć. Nie widzisz tego? Jest uwięzione w szczelinie bez znaczenia; takiej wąziutkiej, że nikt tam nie ma dostępu.

– Niektórzy mają...

– Kto na przykład?

– Filozofowie i prostacy.

Muszelka zamyśla się. Nie trwa to długo.

– No dobrze, załóżmy, że masz rację. To co mają zrobić średniacy tacy jak ja?

– Nie jesteś średniakiem.

– A jak jestem? To co ja, do chuja, mam zrobić?

– Nie przeklinać.

– Coś jeszcze?

– Zadawać pytania.

Muszelka jest zdruzgotana.

– No to zadaję przecież. Przecież... ciągle zadaję, jak umiem, i ryczeć mi się już od tego chce. Smutek egzystencjalny.

– Widzisz, znasz nie tylko pytania.

– Znam różne zagraniczne słowa. „Egzystencjalny” znam od ciebie, ale nie bardzo wiem, co znaczy. Głupia jestem.

– Smutek istnienia, trwoga, droga ku śmierci, kruchość, przeczucie nicości...

– Dość już tego, starczy...

Noc z afrykańską ciszą szeleszczącą. Leżą. Nic nie mówią. Muszelka trzyma Sandowa za rękę. Nad ranem odzywa się.

– Widzisz, udało nam się uchwycić trochę tego d z i s i a j. Jednak da się to złapać. Może jak sobie zaplanujemy, że każdego dnia złapiemy trochę takiego dzisiaj, to nam się tego uzbiera na kiedyś... O kurczę, zrobiło mi się wszystko naraz – teraz, kiedyś, które było, i kiedyś, które dopiero będzie.

– Ale powiedziałaś k u r c z ę zamiast...

– No, zamiast czego?

KONIE Z PUSTYNI NAUKLUFT

Jadą przez cały dzień. Pustynia nie chce się skończyć. Czarny kierowca sprawdza zasięg w komórce. Wreszcie zauważa upragnioną kreseczkę, dzwoni do domu, wykrzykuje w słuchawkę.

– Jedziemy do Garub! Będę blisko! Nie wiem, poproszę szefa, może się zgodzi!

Zwraca się do Rychtera.

– Będę blisko domu, żona spodziewa się dziecka...

Rychter łaskawie się zgadza. Wyraża to skinieniem głowy.

Na słowa jest za gorąco, mimo że klimatyzacja pracuje bez ustanku. Kierowca nie potrafi ukryć radości.

– Będę spał w domu, moja Bokkie, moja kochana antylopko!

Miasto wygląda jak zrobione z lukru. Aż rzygać się chce. Trawniki z rolek, kwiaty wielkości talerzy do owoców, żywopłoty pod linijkę, każde drzewo ujęte w krąg ozdobnej metaloplastyki. Do tego domy przefotografowane z Niemiec, wpisane w uliczki nie z tej ziemi; szkło, palisander, akryl, ceramika, mosiądz, aluminium i pozłoty. Na głównym skrzyżowaniu drzewo dwustuletnie, wisielcze, na nim szubienica. Marmurowa tablica przypomina o sprawiedliwości czynionej tu kiedyś ręką osadniczą; twardą, białą, kościstą łapą.

Jadą do hotelu. Muszelka pochlipuje.

– Zwariowałeś. Zupełnie zwariowałeś. Noc i dzień, i noc na pustyni. Sam, beze mnie. A co ja... tutaj? A co ty tam?...

Sandow próbuje wytłumaczyć.

– Mam sprawę do siebie. Muszę coś sprawdzić w związku ze sobą, ale i trochę z tobą.

– Jeżeli chodzi o mnie, to nic nie musisz sprawdzać. Naprawdę. Wszystko jest w porządku, na nic nie narzekam. I już mogę nie przeklinać nawet przez... cztery do pięciu dni. Jak chcesz, to mogę przysięgnąć na Matkę Boską – albo... przysiąc. Jak się mówi, przysiąc czy przysięgnąć?

– Tak i tak jest dobrze.

– No to chcesz?

– Nie chcę.

Podjeżdża terenowa toyota z wypożyczalni. Nawigacja ustawiona na starą stację kolejową, namiot na dachu, butla gazowa, zapas paliwa, drewno na ognisko, latarka, nóż, woda, pożywienie, sztucer, telefon komórkowy z wpisanymi numerami hotelu, posterunku policji, szpitala. Sandow wsiada. Sam.

Księżyc jest ociężały i żółtawy. Jak piasek. Wisi nad pustynią i czeka na coś, do czego mógłby doczepić cień; na roślinę, zwierzę, przedmiot. Ostatecznie na człowieka, chociaż na to liczyć najtrudniej. Ludzkie cienie wyparowały od gorąca.

Stacja kolejowa. Kilka niskich budynków pokrytych blachą. Poczekalnia podparta rzeźbionymi słupami, metalowa kratownica, parę zmatowiałych szybek. Na słupie kołysze się lampa poruszona wczorajszym wiatrem. Szyn prawie nie widać. Zasypał je piasek. Stoją wagony towarowe, przedwojenny pulman, cysterna na paliwo, platforma z niskimi burtami. Nad starodawną lokomotywą wisi pompa, obok widać zasypany do połowy zbiornik na wodę. Nie ma podróżnych. Już podojeżdżali do swoich domów; biali w wagonie dla białych, czarni w wagonie dla czarnych, zwierzęta w wagonie dla zwierząt.

Sandow wysiada z auta. Nie sięga po latarkę, bo wszystko widać jak na dłoni. Piasek odbija prawie całe światło, nic się nie marnuje. Rozpala ognisko przy wagonie towarowym, naprzeciwko wejścia, rozstawia trójnóg, zawiesza czajnik z wodą. Potem siada z kubkiem kawy na podłodze wagonu. Pustynia dotyka w tym miejscu spodu pociągu, jakby trzymała go na dłoni. Cisza, jeżeli nie liczyć jęku zmęczonej lampy. Mężczyzna przykrywa ramiona kocem, kładzie na kolanach sztucer Weatherby z podświetlaną lunetą. Zastyga w bezruchu.

Konie pojawiają się w środku nocy. Uprzedza je głuchy, narastający odgłos kopyt; coś jak bicie bębnów dobywające się z wnętrza ziemi. Sandow podnosi broń do oka. Spogląda przez lunetę. Nadchodzą prowadzone przez najważniejszego ogiera, osobnika masywnego, z wielkim łbem i prawie białą grzywą. Wyprzedza stado o kilkanaście metrów, co jakiś czas staje, stawia uszy, nasłuchuje. Wtedy zatrzymują się też pozostałe ogiery, klacze i źrebaki. Wrastają w piasek bezszelestnie. Nie są piękne. Raczej niezgrabne i odarte z urody kawaleryjskiej. Lata mieszania krwi dały rasę odporną na wszystko i hardą, ale wypłukaną z wdzięku. Nawet idą topornie i ciężko, jak robotnicy zmierzający do fabryki nad ranem. Wreszcie dochodzą w pobliże stacji, żeby tu doczekać świtu. Nie wiadomo dlaczego. Coś je tu przyprowadza każdej nocy, jakaś zbiorowa pamięć początku, zapisana w garbatych upartych łbach.

*

Sandow liczy wrogów. Czyni to na głos, bo tak mu wygodniej. Przesypują się słowa jak piasek.

– Mam trzech śmiertelnych wrogów: Nauczyciela Tańca, Fotografera i Tatuatora. Każdy z nich jest na pozór zwyczajnym, spokojnym człowiekiem. Nauczyciel uczy tańczyć, Fotografer robi zdjęcia, a Tatuator tatuuje. Osobnicy z zakamarków miasta. Ale każdy z nich jest też wrogiem całej ludzkości, tylko trzeba to umieć zobaczyć. Nie, nie chcę załatwić żadnej prywatnej sprawy. I nie zwariowałem. Chcę jedynie pomóc światu, który zbyt szybko idzie do przodu. Za bardzo zapierdala. Chcę zwolnić ten ruch napinany inteligencją jednostek. Łuk jest za bardzo wygięty, bo w splocie cięciwy brakuje ważnych nitek: moralności, współodczuwania, powściągliwości. Los postawił na mojej drodze Muszelkę, a ona wskazała na tych trzech niszczycieli. Siewców relatywizmu. Więc chyba powinienem ich zabić. Uwolnię od nich fragment mojego świata. Dla przykładu.

Milknie. Nie wie, co sądzić o swojej przemowie, ale czuje, że była raczej chujowa i pretensjonalna. Spogląda na konie, ale te nie zwracają na niego uwagi. One mają swoje sprawy i swoich śmiertelnych wrogów. Stoją kołem, wypatrują w ciemności hien, likaonów, szakali.

Mężczyzna postanawia dokończyć przemówienie w sobie i zaraz dochodzi do szczerości: „Kłamię jak najęty. Jestem wściekły i chcę się zemścić. Zwariowałem. W gruncie rzeczy chodzi mi o... smak. Obecność tych trzech obraża go. Wytrąca mnie z wyobrażenia o kompozycji z udziałem Muszelki i w przyszłości – naszego dziecka. To nie może być krzywe i pozbawione gustu. Nie da się w żaden sposób zrównoważyć ich obecności w naszym świecie, więc muszę ich z tego świata usunąć. Po prostu".

Kiedy budzi się rano, koni już nie ma. W powietrzu unosi się tylko delikatny zapach końskiego łajna i moczu. Roznieca dogasający ogień, parzy kawę, zjada płatki z mlekiem, potem goli się dokładnie, patrząc w lusterko postawione na masce toyoty. Rusza.

Po kilku godzinach dojeżdża w pobliże baraków postawionych na pustkowiu. W oddali pracują geowibratory – wielkie osiemnastokołowe ciężarówki z wibratorami umocowanymi pod ramą podwozia. Uwijają się wokół nich mężczyźni w jaskrawych kombinezonach i kaskach. Auta rozstawione są w równych odległościach od siebie. Jadą wolno, co jakiś czas zatrzymują się i na znak głównego geologa włączają wibratory. Ziemia się wtedy trzęsie jak oszalała.

Sandow przykleja wczeskę do łysiny, zakłada nakładkę na zęby i okulary przeciwsłoneczne Jerzego Wiznera. Sięga po aparat fotograficzny, ustawia się tyłem do baraków i widocznych za nimi ciężarówek, uśmiecha się, naciska spust migawki.

Jeszcze tej samej nocy wraca na zasypaną piaskiem stację kolejową. Rozpala ognisko, siada w wagonie, ale tym razem nie uruchamia myślenia o trzech draniach z miasta Łodzi. To nie jest potrzebne, bo nie myśli się tak często o obcych zmarłych.

NIE MA ŚLADÓW PO GAUGUINIE

Nie ma śladów po Gauguinie. Muzeum, betonowo-drewniany barak w kształcie litery U, skrywa setkę zdjęć i kilka wyblakłych reprodukcji. Nie ma wioski, domu na palach, brzegu morza, nieletnich Tahitanek z gołymi cyckami, służącego Koto, namiętności i seksu. Właściwie... niczego nie ma, poza nalanymi kobietami z tych stron. Duże, cycate, nadęte baby. Sandow jest rozczarowany.

– Widzisz, chuja mają... Mogli przynajmniej zadbać o podobieństwo tych kobiet z obsługi do modelek Gauguina. On tu dużo płodził, więc na pewno dałoby się znaleźć jakąś wnuczkę, prawnuczkę... albo coś takiego. Szkoda. Bardzo liczyłem na to, że poczuję coś w tym miejscu.

– Nic nie poczułeś? – Muszelka woli się upewnić.

– Nic a nic.

– Ale ten malutki domek? Bardzo ciekawy, musisz przyznać.

– Model jego domu?

– No, właśnie to.

– Ale to mnie jeszcze bardziej wkurwia, bo roznieca apetyt. Jak już tacy z nich modelarze, to niech zbudują go we właściwych rozmiarach. Chcę zobaczyć łóżko, na którym spał, sztalugę, przy której malował, ustęp, do którego srał.

– Naprawdę chciałbyś to zobaczyć?

– Naprawdę. Nie rozumiem, dlaczego się dziwisz.

Muszelka widzi, że nic nie zadowoli Dżuka, więc zamyka japkę.

Dzień wcześniej. Lądują na lotnisku w Papeete. Prosto z Afryki na Polinezję Francuską. Cel: Bora-Bora, dużo niebieskiej wody, piasek, leżaki, rowery wodne, fajki do nurkowania, płetwy, mango, wino, restauracje na plaży, turyści z całej kuli ziemskiej. Wszystko, czego Sandow szczerze nienawidzi. Ale najpierw hotel – duży, pamiętający kilka przeszłych wojen. Dziedziniec, wokół niego cztery piętra klatek większych i mniejszych. Jaszczurki na ścianach i sufitach, kożuch lepkiego brudu przyrośnięty do każdego załamania korytarza, ornamentu i detalu architektonicznego. W pokoju niewiele lepiej. Przy kratkach wentylacyjnych powiewają farfocle, klimatyzacja wizgocze, jęczy i skrzypi. Nad łóżkami wiszą pożółkłe moskitiery z setkami zasuszonych insektów. Kiedy Sandow z Muszelką otwierają drzwi, kilka jaszczurek akurat karmi się tym ścierwem.

Idą na plac chiński. Dwadzieścia samochodowych restauracji. Chińczycy organizują to w pół godziny. Akurat nadjeżdżają od przystani promowej. Za chwilę w powietrzu zawisają zapachy setek dań. Muszelka z Sandowem wybierają wołowinę, potem chrupiące kalmary, na koniec naleśniki z czekoladą i bitą śmietaną. Te ostatnie przyrządza przystojny Australijczyk. Jedzą, jedzą i jedzą. W drodze do hotelu przystają jeszcze na zimny sok z mango.

Sraczka jest monstrualna. Wodnista i bolesna. Bolą ich nie tylko tyłki, ale i serca pamiętające, co czuły w trakcie jedzenia. Muszelka krzyczy z kibla.

– Chyba napiszę o tym na fejsie. Takiej kombinacji nikt przed nami nie wymyślił. Zaczekaj, jak to było? Wołowina, ryż z szafranem, marynowany czosnek, kalmary w złocistej posypce, krepsy kukurydziano-pszenne, bezglutenowe, z czekoladą, bitą śmietaną, likierem Amarula i krążkami ananasa... Potem, jak już wracaliśmy...

Sandow przerywa.

– Daję ci jeszcze minutę, potem wywalam drzwi!

HISTORIA O STASZKU, CO UCIEKŁ PRZED MATKĄ

Zła pogoda. Wiatr i chmury jak w filmach grozy. Promy kołyszą się na boki. Stoi port, stoi lotnisko. Tylko Chińczycy nie stoją. Trzydzieści sraczkowych restauracji zasuwa bez ustanku; dania białe, żółte, czerwone i niebieskie. Łopoczą flagi na masztach, szekle uderzają w żelazo, przelatują woreczki foliowe i kartki z reklamami wysp. Sandow z Muszelką siedzą przy baranie z rożna. Wygląda solidnie, co jakiś czas wybucha ogniem, błyszczy i pachnie uwodzicielsko. Zresztą… przypilnowany. Siedzą przy nim trzy godziny; od nadziania na drut przez podpalenie, sporządzenie sosu, polewanie – do teraz. Chińczyk odkrawa kawałek przy zadku, podaje do spróbowania. Muszla kiwa głową łaskawie. Może być ta potrawa, ale jeszcze niech pokażą rogi zdjęte z łebka; że nie pies albo surykatka, albo jakiś kangur polinezyjski. Przykłada palce do głowy, marszczy czoło, szczeka, obwąchuje, skamle, piszczy. Używa wszystkich znanych słów. Chińczyk kiwa głową, że zrozumiał. Idzie do budki, przynosi rogi odpiłowane od czaszki. To inspektorce wystarczy. Jest pozwolenie na karmienie. Restaurator oddycha z ulgą.

Jedzą. Muszelka mlaska i rozpryskuje sos na boki. Sandow kręci głową.

– Jesz jak prosiak.

– Zając jak prosiak – brzmi odpowiedź. – Jak ci się nie podoba, to zamień mnie na którąś z tych tłustych bab miejscowych albo na szimejla spod hotelu.

– Oj, bo zamienię.

– Oj, bo akurat.

– To było… zdanie?

– No.

– A w jakim języku?

– W pooo...linezyjskim.

Milkną na wszelki wypadek, bo do awantury blisko. Muszelka mlaska jeszcze głośniej. Najgłośniej jak potrafi. Chińczykowi to się podoba. Podaje krewetki w cieście. Za darmo. Sandow zgrzyta zębami.

– Znam tu kogoś niedaleko. Polak z Legii Cudzoziemskiej, na emeryturze. Weźmiemy auto, pojedziemy tam. Jakieś sześćdziesiąt kilometrów. Rozmowny człowiek, więc może opowie ci jakąś wesołą historię.

– Nie zbieram wesołych historii, nie jestem kolekcjonerką ani łysym pisarzem.

Sandow zaczyna tracić cierpliwość. W jego głosie pojawia się ostrzegawcza nuta.

– To nie moja wina, że samoloty nie latają. Zresztą Bora-Bora ci nie ucieknie, a przynajmniej doświadczysz czegoś ciekawego. Ciekawszego niż liczenie jaszczurek na suficie.

Muszla wącha powietrze. Czuje, że moment wyrażenia zgody właśnie nadchodzi, bo plastikowy talerz z baraniną zaczyna unosić się nad stołem.

– Zgoda! – wykrzykuje. – Jedźmy do tego emeryta. Niech mi opowie coś równie wesołego, jak ta historia z diamentami. Uwielbiam takie wesołe historie. Po tej ostatniej nie mogłam oddychać, więc może ta zatrzyma mi krążenie płucne albo na przykład żylne. Możliwe jest też wystąpienie przepukliny, ze śmiechu, lub... hemoroidów, czyli żylaków w tyłku. Zadowolony?

– Zadowolony.

Jadą między ścianami zieleni. Z jednej i drugiej strony zabudowania poprzyklejane do skał. Ani to biedne, ani bogate. Murki pobielane wapnem albo z żywego kamienia, na nich dachówki, łupki, blachy, za nimi niskie pawilony z tarasami, każdy podparty jakąś kolumnadą. Muszelka milczy nadąsana. Kierowca chrząka.

– Co?

– Mogłabyś tu żyć?

– Ja?

– A kto?

– Czyli, że ja?

– Ty właśnie.

– Czy ja mogłabym tu żyć? A co, zaistniała taka konieczność?

– Nie, nie zaistniała.

Zjeżdżają z asfaltówki na ziemną, czerwonawą drogę. Tu domostwa biedniejsze. Zatrzymują się przy kamiennym ogrodzeniu. Gospodarz czeka przed furtką; nieduży siwy człowieczek.

Siedzi na ławeczce – w garniturze, pod krawatem, z rzędem medali na piersi. Stanisław Siemaszko, lat siedemdziesiąt dwa, żołnierz, Polak, uciekinier z ojczyzny.

Wchodzą na podwórko. Zaraz zbiega się cała rodzina. Synowie, córki, synowe, zięciowie, wnuczki. Kilkanaście osób. Towarzystwo dorodne, bujne i głośne. Oczywiście po polsku nikt tu nie potrafi. Patrzą głównie na Muszelkę, bo chuda jak patyk.

– Czy jest tancerką? – pyta gruba Magali. – Nie jest? To po co taka chuda?

Siadają w głównej izbie. Domek niebogaty, ale jest ściana z meblami na wysoki połysk, jest dywan, kanapa i ściana z pamiątkami. Na stole chleb z chlebowca, ziemniaki z tego samego drzewa, wino w kartonie, orzechy kokosowe ze słomkami. Wszystko z podwórka. Powietrze pachnie słodko i przyjemnie. Zapach też miejscowy, z gardenii obsypanej kwiatami Tahiti. Muszelka patrzy na fotografie i nie może uwierzyć. Widzi pięknego umięśnionego młodzieńca z łańcuchem na piersi. Dookoła widownia zatrzymana w zachwycie. Fotka jak z filmu o siłaczach. Staszek zauważa podziw i niedowierzanie.

– Pracowałem w cyrku. Rozrywałem łańcuchy siłą mięśniową. To znaczy... napinałem muskuły i rozrywałem te... ogniwka łańcuchowe. Oczywiście niezbyt grube. Siłowałem się też na rękę i pozowałem do zdjęć kulturystycznych. Wczesne lata sześćdziesiąte... Potem rozpiłem się i zaciągnąłem do Legii

Cudzoziemskiej. Całe szczęście, bo biłem się wtedy za pieniądze i czasem sięgałem też po nóż. Pan Sandow zna tę historię. A tu... jestem w mundurze galowym. Pan generał przypina mi właśnie Legię Honorową. Dzięki temu jakoś daję radę wykarmić to... towarzystwo próżniacze. W ogóle nie chce im się pracować.

Muszelka wbija się w pauzę jak przecinak w szczelinę kamienia.

– A przeżył pan może jakąś wesołą historię? Bo ja, wie pan, zbieram takie szczęśliwe, wesołe historie. Można powiedzieć, że jestem kimś w rodzaju kolekcjonerki. Prawda, Dżuku?

Sandow nie ma wyjścia. Potwierdza skinieniem głowy.

– Wesoła historia? Przeżyłem dużo wesołych historii. Całe moje życie takie było: wesołe, bez odpowiedzialności, z dnia na dzień. To może życie opowiem?

Muszelka pozwala. Sięga po kokos, zaciąga z głębin skorupy łyk płynu – jak kuracjuszka w pijalni zdrojowej.

GORSZY BRAT

– Było nas dwóch braci. Młodszy, Władzio, wpadł pod gazik wojskowy w czterdziestym siódmym. Miał wtedy pięć lat. Ojciec zagubił się gdzieś na wojnie, więc ja miałem Władzia pod opieką. Siedmiolatek. No i wtedy, po tym wypadku, to się przełamało. Matka nie potrafiła mi wybaczyć. Obciążyła mnie winą za niedopilnowanie. Uczyniła to z taką mocą, jakbym to ja był naszym ojcem, a nie małym, głupim dzieciakiem. Niby rozsądna kobieta, nauczycielka, a tak zwariowała... W pięćdziesiątym ósmym, bez żadnego planu, pojechałem na Wybrzeże pociągiem z węglem. Udało mi się dostać razem z towarem do ładowni francuskiego statku. Oczywiście wszystko pomyliłem. Statek miał być amerykański i płynąć do Ameryki, a ja miałem tam zostać bogaczem. Naturalnie tylko po to, żeby zaopiekować się matką; zbudować jej pałac, kupić auto z szoferem, futro, biżuterię... Więc wylądowałem w Paryżu. Miasto olśniło mnie. Łaziłem po ulicach, patrzyłem na wystawy, dojadałem ze śmietników, spałem przy wylotach metra. Jakoś szczęśliwie nikt mnie nie zapytał, skąd jestem i co robię. Aż spotkałem Edzika, Polaka z Krakowa, z mojego miasta; zadziorę i chuligana, jak ja. Trzymaliśmy się razem przez rok, pracowaliśmy dorywczo przy rozładunku wagonów kolejowych. Koniec tej znajomości był tragiczny. Wdaliśmy się w bójkę po pijaku, Edzik dostał nożem prosto w serce. Wtedy uciekłem do cyrku. Pracowałem jako posługacz przy zwierzętach, karmiłem je, sprzątałem odchody. W wolnych chwilach ćwiczyłem mięśnie. Byłem drobny, ale silny i bardzo wygimnastykowany. Zauważył to dyrektor cyrku. Dał mi szansę i już po trzech miesiącach stanąłem po raz pierwszy na arenie. Mój numer polegał na rozrywaniu łańcucha i wbijaniu dłonią gwoździ w deskę. To właściwie dość proste, bo nie tyle chodzi o siłę, ile o prędkość. A ja byłem wtedy jak błyskawica. No i zaczęło się... pieniądze, kobiety, nocne życie, wódka. Wtedy poznałem pannę Sophie, tancerkę z rewii. Z miejsca straciłem dla niej głowę, a ona, no cóż – dobrze orientowała się w sprawach damsko-męskich. Prawdę powiedziawszy, tak dobrze, jak nikt przed nią i po niej. Kiedy już wypompowała ze mnie wszystkie franki, nawet te odłożone na czarną godzinę, wyjechała do Afryki. Po kolejne przygody. Zresztą w Paryżu już palił się jej grunt pod nogami. Ale mniejsza o nią. Ja spadłem na dno. Którejś nocy obudziłem się w ładowni statku płynącego do Gujany Francuskiej. Był rok tysiąc dziewięćset sześćdziesiąty pierwszy, miałem dwadzieścia jeden lat i właśnie zaciągnąłem się do Legii Cudzoziemskiej. Szkolenie. Długie miesiące piekła; upał, mundur nasiąknięty potem, zimne noce, marsze, marsze, marsze. Zamknąłem się wtedy w sobie. Po raz pierwszy w życiu odkryłem możliwość takiego życia; w sobie, w środku, w kontakcie z myślami, tęsknotą za matką, ojcem i młodszym bratem. Nie, to nie była słabość. Zdarzało mi się wtedy wprawdzie płakać, ale to nie były łzy słabości. Raczej odwrotnie – łzy siły. Chyba po raz pierwszy odkryłem wtedy znaczenie słowa „Ojczyzna", poczułem po raz pierwszy, że do czegoś przynależę i że to „coś" mogę mieć ze sobą w każdym miejscu na świecie. Wkrótce wyruszyliśmy do

Algierii. I tam właśnie zdarzyła mi się najważniejsza przygoda w życiu. Czy wesoła? Sama pani oceni. Walczyliśmy. Okazało się, że jestem dzielnym żołnierzem. W pojedynkę rozbiłem oddział Narodowej Armii Wyzwolenia. To nie była jakaś duża grupa, kilkanaście osób, ale mój wyczyn stał się legendą. Awansowałem, dostałem odznaczenie bojowe i wyższy żołd. W kolejnych potyczkach też nie daliśmy sobie w kaszę dmuchać, więc wkrótce miałem już dwa medale i… dziurę w płucach. Strzelił do mnie snajper, ale na szczęście nie trafił w serce. Wylądowałem w szpitalu. Opiekowała się mną Radża, śliczna Berberyjka. Radża, czyli… nadzieja. Zakochałem się bez pamięci. Czas spędzony w szpitalu to były dwa najpiękniejsze miesiące w moim życiu. Czekałem na Radżę, kuśtykałem za nią, patrzyłem na jej drobne dłonie. Bliskość. Tak, to słowo najlepiej opisuje to, co narodziło się wówczas między nami. Przy czym nie mam na myśli bliskości w rozumieniu potocznym, na to Radża by nie pozwoliła. Żadnych żołdackich ekscesów; dotknięcie dłoni, muśnięcie wargami, to wszystko, na co mogłem liczyć. Szybko ułożyłem sobie plan. Byłem pewien, że nie oddamy Algierii, że wygramy i będę mógł się ożenić z Radżą, a potem, po zakończeniu służby, kupię dla nas dom. No wie pani: dzieci, ogród, miłość. Święty spokój. W tym planie znalazło się też miejsce dla mojej matki. Miała zamieszkać z nami, bujać się w wiklinowym fotelu i czytać książki. Tak miało być, ale się…

nie udało. Krewni Radży poderżnęli jej gardło. To była kara za znajomość ze mną. Ktoś ze szpitala doniósł, jakiś zakonspirowany pracownik administracji. No i tak skończyły się marzenia. Wkrótce opuściłem Algierię. Oddaliśmy ją Algierczykom, ale nim to się stało, zapracowałem jeszcze na trzeci medal i awans do stopnia sierżanta. W byciu żołnierzem jest ta dogodność, że można walką zagłuszyć rozpacz. Przyznam, że korzystałem z tego bez umiaru. Po tej przygodzie nie szukałem już miejsca na dom i nie oglądałem się za kobietami. Wróciłem do wódki, dziwek oraz mojej wewnętrznej, bezpiecznej Ojczyzny. Potem walczyłem w Czadzie i kilku innych miejscach w Afryce. Któregoś dnia przypłynęliśmy tu, na Tahiti. Na urlop. Spodobał mi się zapach tej wyspy. A potem zorientowałem się, że to idealne miejsce na emeryturę. No bo niech pani sama zobaczy: chleb i ziemniaki za darmo, prosto z drzewa, ryby błagają, żeby je wyjąć z wody, do tego mięso białe i bardzo smaczne. Próbowała pani mahi-mahi z ogniska? Wielka ryba, zupełnie bez ości. Gołymi rękoma można ją złowić, bez wędki, żyłki i haczyka. No i kokosy dookoła i owoce mango. Dobra dieta. No i oczywiście kobiety. Żyłem z trzema po kolei, każda urodziła mi dzieci. Miejscowe, dość pulchne. Nie lubią zbyt wiele ruchu, ale dzieci kochane. Widzi pani, jak dbają o staruszka. Więc historia nawet... wesoła. Tak mi się w każdym razie zdaje.

STARA MATKA CZEKA NA SYNA

Wracają. Muszelka znów wkurwiona. Ale nie klnie; żadnych brzydkich słów, sama wykwintność zaprawiona trucizną.

– No tak, nawet to rozumiem, ty po prostu nie odróżniasz smutku od radości. To pospolite kategorie, w żadnym razie dla takiego arystokraty odczuć. Ciebie dotyka coś, co jest poza moim zasięgiem. Dla mnie jest banał, prostactwo i ulica, dla ciebie ultradźwięki i nadfiolet.

Sandow nie może uwierzyć. Aż gwiżdże z zachwytu.

– No, no... Ale język. Jeszcze podczerwień możesz dodać. Jedno jest nad światłem, drugie pod nim.

– Wiem, mądralo. Fizyka spektralna. Natura falowa światła, zakres widzialny, milimikrony, pryzmat i te... różne kolory. Ale na smutku się nie znasz.

– Znam się. Jestem światowym specjalistą od smutku, czerni i czarnej dziury pod poduszką.

– O nie! To akurat moja specjalność i cytat ze mnie chroniony kopirajtem. Każde użycie bez mojej zgody to tysiąc w miejscowej walucie.

Sandow zatrzymuje samochód nad zatoczką. Przy drodze rośnie drzewo mango. Wysiada, zrywa kilka owoców, wyjmuje nóż z kieszeni. Jedzą.

– No dobrze – odzywa się mężczyzna pojednawczo. – To nie

była wesoła historia. Ale nie była też szczególnie smutna. Bo co tam się zdarzyło?

– Ależ nic, nic. Rżnięcie nożem, strzelanie w głowę, podpalanie napalmem, gwałty i rozpacz po utracie ukochanej. Ale to małe... liski pustynne.

– Co?!

Muszla mocuje się z mango, włókna przy pestce wchodzą jej między zęby. Cmoka, siorbie, mlaska. Odpowiada po dłuższej chwili.

– Fenki z dużymi uszami. Akurat one mi przyszły do głowy. A co, nie mogą być? Znów ci coś nie pasuje? Nie chcę już zbierać takich historii. To mi wchodzi nie tylko do uszu, ale i do serca. Chcę mieć wreszcie prawdziwe, banalne, jebane wakacje! Żeby nikt mi niczego nie opowiadał, a woda żeby była jak zupa. Poproszę.

– A końca tej Staszkowej historii nie chcesz znać?

– Przecież znam. Za parę lat Staszek zejdzie ze świata, wtedy te wszystkie pół- i ćwierć-Staszki obłożą go lodem, żeby jeszcze przez parę miesięcy żyć z jego emerytury, a potem, jak już się wyda, że staruszek kipnął, będą zawodzić żałośnie, popijając wino z kartonu, przegryzając kartoflami z drzewa, latającymi rybami mango-mango i czym tam się jeszcze da... Dupy im od tego urosną artystycznie, więc będą się wozić jego drewnianym citroenem z lat siedemdziesiątych zeszłego wieku ludzkości.

– A nie chcesz wiedzieć, że jego matka ciągle żyje w Krakowie?

Muszelka stawia uszy. Chce wiedzieć, jeszcze jak, ale robi minę osoby bardzo zajętej obserwowaniem flory i fauny polinezyjskiej. Nie wytrzymuje długo.

– Żyje? Ja pierdolę!, to ile ona ma lat?

– Dziewięćdziesiąt siedem.

– Opowiesz mi?

– Ale to smutna historyjka.

– Trudno. Odreaguję to opalaniem dupki i zbieraniem muszelek na Bora-Bora. No, mów już, mów.

– Jak wiesz, byłem tu z Jackiem zaraz po wyprawie na Río Madre de Dios.

– Nie wiem.

– No to już wiesz. Przyjechaliśmy tu w jego drobnych sprawach, ale przy okazji robiłem taki notatnik reporterski dla telewizji. No i utknęliśmy w Papeete podobnie jak ty i ja; wiatr, burze, nawałnice, lotnisko zamknięte na cztery spusty. I podobnie katastrofalnie załatwiliśmy się na placu z chińskimi budkami. Z nudów zajrzałem do książki telefonicznej. Znalazłem tam numer telefonu do Stanisława Siemaszki. Zadzwoniłem. Był tak uradowany, że sam przyjechał po nas do hotelu swoim drewnianym citroenem. Na początku nie potrafił sobie przypomnieć języka polskiego, ale potem, jak się już rozgadał, opowiedział nam całą historię swojego życia. Twardziel Jackie się rozryczał. Ja też. Postanowiłem więc nagrać taką... wideopocztówkę z udziałem całej jego tahitańskiej rodziny. Ustawiłem kamerę, potem ustawiłem całe towarzystwo na tle chatki i poprosiłem o pozdrowienia dla praprababci, prababci, babci i matki. Dla Ireny Siemaszko z Krakowa. Zaczęli jeden przez drugiego zapraszać babcię, dziękować jej, życzyć zdrowia, prosić o modlitwę. W zaproszeniach nie było końca wychwalaniu miejscowego klimatu, żywności, powietrza, zapachów. Babcia – na wypadek przyjazdu – dostała obietnicę opieki lekarskiej, troski i serdeczności. Na koniec głos zabrał sam Staszek. Poprosił matkę o wybaczenie winy niedopilnowania młodszego brata. Tylko tyle. Znalazłem staruszkę po długich poszukiwaniach. Mieszkała w Krakowie, w niewielkim mieszkanku nieopodal Wawelu. Była prawie głucha, ale ciągle energiczna i głodna życia. Nie miała telewizora, więc pożyczyłem jakiś od sąsiada. Włączyłem wideo. Oglądała nieuważnie. Poznała syna, ale nie okazała emocji. No, może trochę złości, że „wygląda jak pączek w maśle", a jej brakuje pieniędzy na lekarstwa. Na przeprosiny zareagowała machnięciem ręki: „A kto to jeszcze pamięta?". Nie przyszło jej do głowy, że Staszek to pamięta i żyje przygnieciony tą pamięcią, i ciągle ucieka, i nie może uciec. Na koniec spytała o pieniądze: „Nie ma pieniędzy? Nie może nie być. To po co przyjechali, jak nie ma pieniędzy? Po co ten telewizor, te bachory wszystkie, co ich narobił z tymi czarnymi babami, i ta cała... fatyga? Do kościoła nie poszłam na mszę. I po co? Żeby w telewizor popatrzeć? Jakieś pieniądze dać za tę fatygę". Więc dałem parę groszy.

Muszelka kiwa głową ze zrozumieniem. Tym razem nie chlipie. Uodporniła się.

– Dobrze, że dałeś jej pieniądze. Ile?

– A czy to ważne twoim zdaniem?

– Ważne. No bo mogłeś dać tyle, żeby myślała, że od Staszka... te pieniądze. I we frankach, żeby nie miała podejrzeń.

– A ty w ogóle coś zrozumiałaś z tej historii?

– Nic a nic. Wcale nie zrozumiałam, że on od matki uciekł na koniec świata. I od samotności. I od rozpaczy. To raczej ty nie wszystko zrozumiałeś, Dżuku.

– A czego nie zrozumiałem, jeżeli oczywiście można wiedzieć?

– Nie zrozumiałeś, że w tym życiu dwojga jest dwoje przegranych. Smutek naprzeciwko smutku. Jedno ucieka na koniec świata, drugie nigdzie nie ucieka. Kamienieje. Nikt jeszcze nie wymyślił takiego termometru, żeby zmierzyć, czyj smutek smutniejszy.

– Twój najsmutniejszy.

– Nie, nie mój. Twój. I czarna dziura najdziurniejsza.

KAPITAN Z WYSPY MANUITI

Lądują na Bora-Bora. Słońce pali jak ogień. Wyspa mała, ale największa w okolicy. Dwie góry celują w niebo, Pahia i Otemanu, zielone na niebieskim, niżej miska zupy oceanicznej w atolu tak okrągłym, jakby go ktoś wykreślił cyrklem. Do tego domki na palach, plaże, motorówki, stragany.

Muszla płacze ze szczęścia. Nie, nie metaforycznie. Ona ryczy na odległość, sika łzami jak rysunek z filmów dla dzieci. Ma wreszcie to, za czym tak tęskniła.

– Dżuku kochany, jakie to wszystko cudne! I dróg tu nie ma przy lotnisku, tylko port z żaglówkami. Pojedziemy żaglówką do tego twojego kolegi, prawda?

– Motorówką.

– No tak, to właśnie miałam na myśli.

Stan Wojciechowski, siedemdziesiąt cztery lata, cztery języki, trzy obywatelstwa. Okaz zdrowia i witalności, kartka z podręcznika o radości życia. Duży siwy mężczyzna na krzywych nóżkach, do tego brzuchaty jak krasnoludki z bajek. Już z daleka zauważa Sandowa, macha dłonią, krzyczy po polsku.

– Tu jestem, Sandow! Kapitan z wyspy Manuiti i jego srebrna błyskawica!

Muszelka nie potrafi powstrzymać się od komentarza.

– Nawet zaczynam lubić ten zbiór staruszków, których odwiedzamy dzięki twojemu zamiłowaniu do światowej geriatrii. Każdy jest inny, jakby wykonany na konkurs z zagadkami. Ten na przykład mógłby odpowiadać na pytanie: Co pan sądzi o połykaniu plażowych piłek?

Sandow ucisza Muszelkę.

– Milcz, swołocz... Będziemy za darmo mieszkać na jego wyspie.

Wsiadają do blaszanej motorówki. Wojciechowski jest wzruszony. Z bliska wygląda jeszcze lepiej, jak ogłoszenie o raju na ziemi i marzeniach spełniających się za pomocą samowyzwalacza; rumiany, brodaty, czerstwy.

– Nie mam gości na wyspie, cały tydzień spokoju. Małgosia tłumaczy nową książkę, ja zajmuję się Anais i spisywaniem wspomnień.

– A ja kolekcjonuję ciekawe historie! – wyrywa się nieproszona Muszla. – Zbieram je tak, jak się zbiera znaczki. Mam już chyba ze... cztery.

– To poważny zbiór, może coś do niego dołożymy. – Wojciechowski z trudem powstrzymuje rozbawienie.

Milkną na chwilę, bo trzeba łódką manewrować między wielkimi promami. Kapitan pokazuje palcem.

– Tam jest Manuiti. Moja wysepka kochana. Kupiłem ją piętnaście lat temu za parę groszy, a teraz jest warta fortunę. Ale nie będę sprzedawał. Dobudowaliśmy z Małgosią nowy bungalow, bardzo wygodny i nowoczesny. Wypróbujecie go?

– Oczywiście, naturalnie, jak najbardziej! – Muszla nie potrafi powstrzymać emocji.

Dopływają. Wysepka ma kształt precla i jest tak mała, że można ją przerzucić kamieniem. Na brzegu czekają już młodziutka żona i pięcioletnia Anais, córeczka Wojciechowskiego. Obydwie uśmiechnięte.

– To nie film? – upewnia się Muszelka.

Najpierw sprawdza piasek, potem wodę, palmy, papugę na drzewie, kraba, rybę. Wszystkiego dotyka palcem i dopiero po uzyskaniu dowodu na istnienie nazywa rzeczy po imieniu. Jak dziecko. „To jest piasek. Piasek jest biały i gorący. A to jest woda. Woda jest zielona, słona i ciepła jak zupa. A to z kolei jest ptak papuga na drzewie o nazwie palma. Rosną tam kokosy, które spadają na ziemię". Abecadło z pieca spadło. Elementarz pierwszoklasisty z polinezyjskiej szkoły radości; Muszelka na wyspie Manuiti.

Czekają na odpływ. Jakieś trzysta metrów za wyspą Wojciechowskiego kończy się rafa oparta o krawędź dawnego wulkanu. Już z daleka widać pienistą koronkę fal rozbijających się o koralowce. Granicę oznaczają też kolory: jasna zieleń płycizn, biel rafy przezierającej spod wody i atramentowa niebieskość oceanu. Idą tam, trzymając się za ręce. Stąpają ostrożnie, żeby nie nadepnąć jeżowca albo innego kolczastego stworzenia. Muszelka zbiera muszelki. Chowa je do kieszeni, ale za chwilę obydwie pełne, a znaleziska coraz piękniejsze. Więc wyrzuca gorsze, podnosi lepsze, a potem jeszcze lepsze, którymi zastępuje te niedawno najlepsze. Wreszcie dochodzą, stąpając po powierzchni oceanu. Rzucają się w niebieskość. Woda w tym miejscu jest nieco chłodniejsza, ale ciągle ciepła i przyjemna. Nurkują z kieszeniami pełnymi skarbów, igrają z koleżankami rybami na pokazie mody próżniaczej; kto ładniejszy, kto bardziej dopasowany, kto lepiej stworzony w dniu stworzenia – ci z piątego czy z szóstego dnia mordęgi?

Anais wbija gwoździe w deskę. To jej ulubione zajęcie. Stary ojciec siedzi obok. Dogląda dziecka. Nie jest ani smutny, ani wesoły. Ma na sobie niebieskie pareo, sukienkę plażową dla grubasów.

– Tetiaroa, wyspa Marlona Brando, jest trochę większa od naszej. Prawdę mówiąc, dużo większa, bo to cały kompletny atol, a my tylko maleńkie ziarenko w atolu. Kropeczka. Zazdrościłem mu bardzo, aż kiedyś popłynąłem tam motorówką. Siedział na brzegu w wiklinowym fotelu. Grubas jak ja. Zacumowałem. Wskazał mi ręką miejsce obok siebie, a potem podał niebieskie pareo, identyczne jak to, w które sam był owinięty.

Siedzieliśmy tak przez trzy godziny bez jednego słowa. Dwóch starych, brzydkich i bardzo samotnych tłuściochów. Wtedy nie było jeszcze przy mnie Małgosi i Anais. Na głównej wyspie miałem starszą córkę, a żona wróciła do Francji. Mieszkałem sam na Manuiti i wmawiałem sobie, że oto znalazłem dom. Ostatecznie... znalazłem go, ale dopiero w kilka lat po powrocie z Tetiaroy. Z tamtej wizyty u Marlona Brando wyniosłem przekonanie, że nie jestem jednak najbardziej samotnym człowiekiem na globie. No i podarował mi swoje pareo, to, które mam na sobie. Noszę je, bo on by pewnie tak chciał.

– I już mam nową historię! – Muszelka aż podskakuje z radości. – Czy mogę wziąć jedną nitkę z tej niebieskiej sukienki, żeby oznaczyć moją nową zdobycz? Od pana Hasenwinkla z Namibii mam batystową chusteczkę z plwociną, a pan Siemaszko podarował mi ogniwko od łańcucha, który rozerwał w cyrku.

Wojciechowski wybucha śmiechem. Znów brzmi jak należy.

– Naturalnie, bardzo proszę! Nawet trzy nitki. Podoba mi się ten twój zapał kolekcjonerski. Sam bym chciał coś zbierać, ale miejsca na mojej wysepce nie za dużo.

Wieczorem siadają przy kolacji w okrągłym pawilonie dla gości. Na stole surowa ryba w mleku kokosowym, krewetki, sałatka z mango. Żona Wojciechowskiego nic nie mówi. Ma jakieś trzydzieści lat, jest kruchą, krótko ostrzyżoną blondynką. Muszelka śledzi jej każdy krok. Ona owszem rozumie, że można być na wyspie, opalać się, smarować olejkami, pływać, jeść langusty i homary. Ale żyć na wyspie?

– A jak już Anais dorośnie do szkoły, to co wtedy zrobicie? – Pytanie wyskakuje z ust Muszelki razem z ogonem krewetki.

Małgosia uśmiecha się wyrozumiale. Ogląda się na Stana. Niech on odpowie.

– Co zrobimy? Kupimy jej książki, zeszyty, tornister i po prostu pójdzie do szkoły.

– Jak to... pójdzie?

Sandow spogląda na Muszlę z przyganą, ale ta jest już nie do zatrzymania.

– Po wodzie pójdzie, jak pan Jezus?

– Będę ją woził łódką, a potem przywoził po lekcjach. Nie mamy tu autobusów szkolnych.

– A szkołę muzyczną macie?

– To już dalej, w Papeete.

– A... na przykład kino, teatr, galerię handlową z tymi wszystkimi sklepami.

Wojciechowski nie wie już, co odpowiedzieć, więc spogląda na Małgosię.

– Nie, nie mamy kina, teatru i galerii handlowej. Mamy wyspę, łódkę, naszą małą Anais i naszą wielką miłość. To jest naprawdę niezły zestaw. Nigdy nie miałam lepszego, a studiowałam w Londynie i Nowym Jorku, pracowałam w wielkim wydawnictwie na Manhattanie, byłam zaręczona z synem milionera. Historia jak z bajki. Możesz ją dołączyć do swojej kolekcji; posiadłość z kilometrowym podjazdem, aleja platanowców, trzy baseny i domek dla ogrodnika wielkości całej naszej wysepki. Tylko że tam nie było miejsca na mnie. A tu jest. Każdy milimetr, każde ziarnko piasku zawiera w sobie dedykację dla mnie.

Małgosia spogląda z miłością na Stana. Ten wyciera nagle zwilgotniałe oczy.

– Ty powinnaś pisać poezję miłosną, tłumaczko z wyspy Manuiti.

Siedzą w bungalowie. Muszla burczy naburmuszona.

– A ja bym wolała tę posiadłość i tego syna milionera. Oczywiście pod pewnym warunkiem.

– Jakim?

– Że ty byś nim był, mój Dżuku kochany.

– Ja mógłbym być… ojcem tego syna.

– To wtedy zdradzałabym syna z ojcem. Bo co może być interesującego w takim gogusiu z lamborghini?

– Auto?

– Najwyżej to, bo ptaka to on na pewno nie miał. Bzykniemy się w wodzie, Sandow?

– A może lepiej na lądzie, bo mi jakiś rekin… no wiesz.

*

Noc. Skóra Muszelki obsypana srebrem. Po karku spływają strużki potu, w każdej kropelce odbija się rozpalony księżyc. Sandow leży na piasku, Muszelka siedzi na nim. W dno łódki uderzają fale, woda rozrzuca dookoła migotliwe światełka, czasem któreś spadnie na plecy kobiety, potoczy się po gładkościach, przepadnie w pogoni za wiecznością. Kochają się cicho i bez pośpiechu, jakby mieli przed sobą jeszcze wiele lat. Cisza, spięcie, bezdech, po nim krótki spazm. Ciało kochanki rozluźnia się.

– Ale jazda… Orgazm bez zapowiedzi. Skąd to się wzięło?

Sandow nie może powstrzymać się od śmiechu.

– Nie wiem, nie mam z tym nic wspólnego.

– A ty… skończyłeś?

– Niby kiedy?

– No… w międzyczasie.

– Nie, nie skończyłem.

– Znaczy laska?

– A mamy to w kontrakcie?

– Mamy, mamy…

Muszelka zsuwa się w dół.

Rano przypływa Agnes, starsza córka Wojciechowskiego. Ma dwadzieścia parę lat, jest ładna, wysoka i roześmiana; podobnie jak jej narzeczony Denis, jego siostra i chłopak siostry. Radio na motorówce ryczy, basy dudnią, woda bulgocze. Wakacyjna pocztówka znad morza. Nawet nie wyłączają silnika. Agnes podaje torby z zakupami, odbiera od ojca pieniądze, przytula Anais, całuje w policzek Małgosię, pozdrawia ręką Sandowa i Muszelkę, wsiada do motorówki. Odpływają z fasonem, zostawiając za sobą spienione półkole.

Po obiedzie siadają w cieniu palmy. Wojciechowski nie czeka na zaproszenie. On otwiera usta tylko w dwóch ważnych sprawach: jedzenia i opowiadania historii. Właśnie nadeszła pora na tę drugą.

– To nie ja porzuciłem Polskę. To ona mnie porzuciła. Studiowałem budowę okrętów, pojechałem na staż do Francji, wróciłem. I wtedy się zaczęło. Kolega ojca dowiedział się, że będą chcieli zrobić ze mnie szpiega. Miał jakieś wtyczki w wojsku. Więc wsiadłem na taką większą żaglówkę i... przepłynąłem na drugą stronę Bałtyku – prosto z plaży, w majtkach i bez dokumentów. W Paryżu poznałem Polkę ze starej emigracji, ożeniłem się i już razem wyjechaliśmy do Maroka. Jej ojciec miał tam jakieś interesy. Trochę ciemne, prawdę mówiąc, ale miał też znajomości na dworze, więc wcisnął mnie tam jako... operatora filmowego. Dostałem dobrą francuską kamerę Beaulieu, szesnaście milimetrów, światłomierz Weston i zadanie filmowania wszystkiego, poza damami dworu. Nie, nie chodziło o filmy. Chodziło o potencjalnych zamachowców. Oficerowie ochrony króla przeglądali wywołane taśmy, sprawdzali, czy na trasie królewskich przejazdów nie powtarzają się zbyt często te same twarze. Praca była łatwa, przyjemna i dobrze opłacana. Rozkosz. Ale ja... nie wytrzymałem. Któregoś dnia skierowałem obiektyw w zabronioną stronę. Na wyjazd dostaliśmy dwa dni. To była właściwie ucieczka. Zaczęliśmy podróż po Afryce, wylądowaliśmy w Kenii, tam zająłem się kręceniem filmów reklamowych, a żona lekcjami języka francuskiego. Poszło dobrze. Wkrótce urodziła się nasza córka Agnes, a ja wreszcie kupiłem sobie wymarzony jacht z... betonu. Tak, tak, mój jacht miał betonowy, bardzo solidny kadłub. Był praktycznie niezatapialny. W pięć lat później wyruszyliśmy w rejs życia. Nie wyznaczyliśmy sobie celu. Widzisz... ciągle mówię „my", a przecież nigdy nie pytałem Anny o zdanie. Jacht był dla mnie, podróż była dla mnie, cel – nieokreślony – też pasował tylko do mnie. Gnał mnie gniew, napędzała gorycz odrzucenia przez... Ojczyznę. Chciałem udowodnić sobie, że nic to dla mnie nie znaczy, że jestem obywatelem świata i żadna Polska nie jest mi do niczego potrzebna. A żona, dziecko, rodzina, to było... alibi; żyję, kocham, jestem kochany – zobaczcie, widzicie? Anna tylko kiwała głową, kupowała potrzebne rzeczy, opuszczała w porę wzrok. Kochała mnie, więc popłynęliśmy. Rejs trwał pięć lat. Moja córka chodziła do szkoły w kilkunastu portach, do których zawijaliśmy od czasu do czasu. Jednak nigdzie nie zagrzaliśmy miejsca na dłużej. Wreszcie tu, na Polinezji Francuskiej,

Anna powiedziała „dość!". W jednej sekundzie przejrzałem wtedy na oczy, zobaczyłem cały swój egoizm i ślepotę. Ale było już za późno. Nasza miłość stopiła się w słońcu tropików, wypłukała ją sól oceanów. Nie zostało nic. Wysiadła w Papeete z ośmioletnią Agnes. Odeszły, nie oglądając się za siebie. Dopłynąłem tu, na Bora-Bora. Miałem jeszcze dość pieniędzy, żeby kupić tę maleńką wysepkę. Ukochany jacht sprzedałem kobiecej sekcie, która zamieszkiwała sąsiednią wyspę. O, tam. Nawet widać słup, przy którym cumował. Te kobiety nie znały się na żegludze i jacht wcale nie był im potrzebny. Przez całe dnie modliły się ubrane na biało, śpiewały jakieś dziwne ponure pieśni. Miały dużo pieniędzy, więc kupowały różne rzeczy. Którejś nocy, podczas huraganu, jacht zerwał się i popłynął w głąb atolu. Znalazłem go po kilku dniach. Rozbił się o rafę. Tak jak ja. W ciągu roku zbudowałem na Manuiti dom, potem pierwszy bungalow, uspokoiłem się trochę, rozkręciłem na Bora-Bora niewielki interes. Któregoś dnia popłynąłem motorówką na Tetiaroę do Marlona Brando. Tam zobaczyłem człowieka dużo bardziej samotnego niż ja. To przywróciło mi Ojczyznę. Zrozumiałem, że ona jest we mnie, tylko muszę się na nią zgodzić. Zgodziłem się. Dałem smutkowi i tęsknocie prawo stałego pobytu na mojej wyspie i… we mnie. W nagrodę spotkałem Małgosię. Pojawiła się nazajutrz na targu na Bora-Bora. Tego dnia przyleciała z Ameryki na kilka dni wypoczynku. Akurat kupowałem owoce mango od miejscowej kobiety.

Małgosia zapytała mnie, jak rozpoznaję te najlepsze, najbardziej dojrzałe. Wytłumaczyłem jej najlepiej, jak potrafiłem. Nie wyglądało to chyba przekonywająco, bo mango wypadały mi z dłoni raz za razem. Noc spędziliśmy tu, na naszej wyspie. To wszystko. Cała historia, która ciągle się pisze...

Muszelka wzdycha.

– Piękna historia. I jaka... pouczająca. Przydałby mi się do niej kawałek betonu z pana jachtu.

– Możemy tam jutro popłynąć. Pożyczymy młotek od Anais.

– A zna pan może Staszka Siemaszkę? Mieszka niedaleko Papeete.

– Nie znam.

– Szkoda. On też uciekał od...

Muszelka nie kończy, bo Sandow kopie ją w kostkę.

TAŃCE TAHITAŃSKIE

Już uciekają z Tahiti. Ucieczka przenajświętsza. Jedyna aktywność, którą Sandow opanował do perfekcji. Podobnie jak Stan i Staszek. O uciekaniu, z uciekaniem, w uciekanie. Tym razem chodzi o książkę. Trzeba ją napisać, patrząc na podróże z dystansu, a bez Polski się go nie znajdzie. Nie ma szans. Więc trzeba jak najszybciej do Ojczyzny. Tylko z niej widać dobrze to, co dalekie i zostawione w przeszłości zamorskiej. Ale płyną jeszcze do Stanowego jachtu. Wisi do góry dnem wrośnięty w koralowce. Przez dziury przepływają mureny. Patrzą elektrycznym wzrokiem. Ten beton to teraz ich planeta. Dzielą ją z krabami, małżami i innym paskudztwem. Muszelka wali młotkiem, a echo odpowiada. Cały atol tego słucha. Wreszcie odłupuje okruch godny jej kolekcji. A Stan płacze i jęczy. Serce go boli.

Wieczór. Główna wyspa. Płoną ogniska na piaszczystym placu. Setki ludzi kolorowych, nad nimi góra Otemanu zadymiona chmurami. Tancerki są piękne i szczupłe. Muszelka nie może wyjść z podziwu.

– Jakie one piękne, Dżuku. Ja nigdy taka nie będę. A mówiłeś, że nie ma śladu po Gauguinie…

– Ale to skansen, Muszelko, i to nie są żadne prawdziwe kobiety, tylko zawodowe tancerki. Latają awionetkami z wyspy na wyspę, piją tylko wodę mineralną, jedzą jedną ostrygę dziennie i tańczą na pokazach dla turystów.

– To zostańmy w tym skansenie na zawsze. No, może na… połowę życia. Drugą sobie spędzimy w Polsce. Zgoda?

Nie czeka na odpowiedź, bo ją zna. Potrafi liczyć do dziewięćdziesięciu trzech. Nagły smutek spada na nią ze szczytu Otemanu; czerń pomieszana z błękitem. Nie wiadomo, skąd taka kombinacja kolorów, bo przecież dookoła złoto, brązy, żółcie, biele i czerwienie. Ale Muszelka nie zastanawia się długo. Tylko tyle, ile wypada w takiej chwili. Wbiega na arenę, między tancerzy i tancerki, uruchamia ręce, biodra i pośladki. Za chwilę wmalowuje się w pejzaż z Gauguina, jak jedna z jego małoletnich kochanek.

Sandow odchodzi poza tłum, w półmrok, wydobywa z kieszeni rekwizyty przemieniające go w Jerzego Wiznera, zakłada okulary, sięga po aparat fotograficzny, wraca na rozświetlony plac, robi sobie kilka zdjęć z tancerzami w tle. Muszelka tańczy.

Nagły smutek bez obrazu
Nie ma złej pogody ani śmierci w rodzinie
Babcia żyje z jedną nerką
I nawet uśmiecha się z balkonu
Kot zdrowy dziecko u piastunki
Wszystkie rzeczy policzone porządnie
I wszyscy ludzie
Ja jestem, ty jesteś, ononaono jest
Nie będzie końca świata w tym tygodniu

POWRÓT DO DOMU

Zima bez śniegu, luty dwa tysiące dwunastego. Sandow zajeżdża na plac węglowy, kupuje dwa worki węgla. Placowy ładuje worki do auta; z rozmachem, aż pył wzbija się w powietrze. Nie potrafi nie zapytać.

– Pisanie?

– Pisanie.

– A co tym razem?

– Podróże.

– Książka podróżnicza. Lubię. Czasem czytam w kantorku. Ale świat teraz blisko. Bliziutko. Nie ma za czym tęsknić. A węgiel chujowy, z Szombierek. Prawie pół na pół z kamieniem. Takie gówno nam teraz przywożą.

Węgiel nie chce się palić. Sandow robi, co może, czyści kuchnię, wypala sadzę, dodaje drzazgi tak nasycone żywicą, że aż w domu wyrasta sosnowy las. Wreszcie strzelają płomyki niebieskawe, zimne i nieprzyjazne. Jakby ogłaszały koniec Szombierek, górnictwa i świata całego węglowego. Teraz kawa, kartka papieru, rysunek. Sandow rysuje ulice, stawia przy nich budynki, oznacza przejścia. Nieforemny prostokąt, w nim kwadrat przylegający do ulicy Brackiej. Cmentarz żydowski z polem gettowym. Punkt. Grób Ryfki Rubin. Wszechświat skupia się w tej kropce, wycofuje w głąb niej, jak Ein Sof w dniu stworzenia. Drugie cimcum.

– A co to takiego to ciamciam? – pyta Muszla jeszcze w samolocie.

– Cimcum. Akt stworzenia. Bez tego nie byłoby ciebie.

– A ty byś był?

– Mnie też by nie było.

– I to takie ważne, to... ciumcium, że tydzień wcześniej wracamy z Bora-Bora? Przecież już zrobione, istniejemy, czas zapierdala jak głupi.

– Nie przeklinaj.

– Jestem w przestrzeni... powietrznej, neutralnej, więc nikomu to nie przeszkadza.

– Mnie przeszkadza.

– No dobrze, przepraszam. Ale odpowiedz mi na pytanie. Po co ci to twoje... coś, co brzmi jak imię naszego kota? Co będziesz z tym robił?

– Narysuję rysunek. Zaznaczę w nim te miejsca, które pojawiły się w moim życiu wraz z tobą. Może z tego wyniknie spokój.

– Nie masz spokoju? A wyglądasz tak, jakbyś go miał.

Kreska pozioma, kreska pionowa; piwnica Tatuatora, dwa maleńkie prostokąty, wstążka ulicy, dom na Ciesielskiej, dwie kropki, Natan i Hawele z domu Szimbork. Rysunek Sandowa powiększa się. Rynek Bałucki, Najwyższa Filmowa Szkoła Świata, Popielawy, kino w Koluszkach. Rysownik ujmuje w kółka kilka najważniejszych miejsc, tych, w których przecina się najwięcej kresek. Liczy. Wychodzi tego dziesięć okręgów, dziesięć nieforemnych wskazań umocowanych w zadziwiająco klarownej strukturze. Wygląda to jak kabalistyczne Drzewo Życia. Mężczyzna wybucha śmiechem.

– No dobrze, wyrysowałem sobie swoje życzenia. Tylko co tu jest czym? Gdzie jest mądrość, gdzie moc, a gdzie zrozumienie?

Nie ma odpowiedzi. Jest noc, wiatr pod fajerkami zakręca ogniem, z otwartego popielnika wyskakuje dziesięć iskier, jak dziesięć sefirot żydowskiej tajemnicy.

Telefon z miasta Łodzi. Dzwoni Muszelka. Ona zna odpowiedzi. Dzieli się nimi bez zazdrości.

– Bo to jest tak, jak gej zajmuje się nie swoimi sprawami. Takie mamy wtedy rezultaty.

– Goj, nie gej. Gej... to wiesz.

– No, pedał. Homoseksualista. Taka lesbijka męska. Boże, Dżuku, przejęzyczyłam się trochę, a ty od razu się na mnie wyżywasz. To chcesz wiedzieć czy nie chcesz wiedzieć?

– Chcę.

– Zajmij się tym, na czym się znasz. Na czym się znasz?

– Tak naprawdę?

– Tak naprawdę.

– Potrafię rzeźbić Jezusiki frasobliwe i inne świątki. To umiem naprawdę. Potrafię też zbijać kapliczki z deseczek, malować je farbkami i umieszczać w nich te... figurki. Czyli że potrafię być ludowym rzeźbiarzem ze wsi.

– To cudnie! – Muszelka cieszy się, choć nie całkiem wiadomo, z czego ta radość.

– No tak, tylko że z drugiej strony, ja... nienawidzę tego całego folkloru, skansenów i ludowego rzeźbiarstwa. Wkurwia mnie ta zgrzebność i naiwność, doprowadzają mnie do szału pasy łowickie, wycinanki z papieru i pajączki ze słomy. Od razu bym to chciał wysadzić w powietrze.

– To cudnie! – cieszy się idiotka.

– Co cudnie? Czy ty słyszysz, co ja w ogóle mówię?

– Jasne, że słyszę. To tak właśnie zrób, Dżuku kochany. Najpierw wyrzeźb te świątki, potem zbij te kapliczki, pomaluj je farbkami i lakierem bezbarwnym na wysoki połysk, potem poumieszczaj w nich te wszystkie Jezusiki, a na koniec... wypierdol to wszystko w powietrze za pomocą materiału wybuchowego C4. Będziesz wtedy jednocześnie zajmował się tym, na czym się naprawdę znasz, i robił to, co naprawdę lubisz.

Sandow wzdycha.

– Dobrze, dziękuję, pójdę za twoją radą. Zaraz się zacznę rozglądać za jakimś kawałkiem dynamitu.

– A inne sprawy?

– Jakie inne?

– No, może wyjedziemy nad jakieś nowe morze albo do jakiejś dżungli międzykontynentalnej? Bardzo lubię te nasze wyjazdy.

Sandow odkłada słuchawkę.

DRUGIE SZALEŃSTWO MUSZELKI

Siedzi pod murem cmentarnym; okutana kocem, z francuskim beretem na głowie, termosem i kanapkami w reklamówce. Pod tyłkiem ma drewniany stołeczek, na butach szmaty ocieplające. Nad nią kruczą kruki przymarznięte do muru. Nie śpią, czuwają, srają na cegły, patrzą w dół, na oszalałą po raz drugi Muszelkę. Teraz jest nawet gorzej niż za pierwszym razem, bo pada śnieg i spóźniona zima nadrabia. Kruczyska to wiedzą, więc zastygłe w posążki czekają na śmierć. Żadnego ruchu, żadnej straty energii. Muszelka podobnie: siedzi jak zahibernowana, nie rusza powiekami, nie wytwarza temperatury, tylko gada coś do siebie po hebrajsku. Równo dziesięć godzin dziennie. Sandow podchodzi. Wyciąga termofor spod tyłka, wsuwa nowy, gorący.

– Siedzisz tak już dwa tygodnie, marzec na świecie, policja o ciebie pyta. Muszę kłamać, że to próby do spektaklu teatralnego. Nowa metoda… eksperymentalna.

Nie odzywa się. Nie ma zainteresowania światem pozorów. Ważny jest tylko ten jedyny prawdziwy, ujęty w dziesięć kół sefirot.

– Milczysz.

Kręci głową, odlicza dziesięć sekund, odzywa się.

– Nie milczę. Gadam bez przerwy, ale… w sobie. Odkryję, o co w tym chodzi, i wrócę. Muszę to zrobić. Nie martw się, Sandow, będziesz jeszcze miał swojego syna.

– Martwię się.

*

W grobie Ryfki Rubin dziura wielka na kilometr. Płynie rzeka podziemna. Woda zabrała macewę, kości i podkolanówki. Teraz podmywa płotek z czterech desek (na płotku napis koślawy: „Osobom obcym wstęp surowo wzbroniony"). Sandow nie wchodzi do rzeki, choć ma myśli samobójcze.

Piwnica zamknięta. Zniknęła żelazna klapa z zawiasami. Ktoś ją wyciął palnikiem, oszalował dziurę, zazbroił, zalał betonem. To pewne, choć kwadrat spatynowany tak dobrze jak w filmie. Prawie nie widać różnicy między tym, co kiedyś, a tym, co teraz; cement wrośnięty w cement, szare w szare.

Barak Tatuatora zamknięty na cztery spusty, krata wejściowa spięta łańcuchem. Ani śladu życia, ruchu, światła. Neon zdjęty, podświetlana tablica czarna, szkło zbite. Pada śnieg, popiskuje lampa sodowa na słupie. Sandow nie wychodzi z auta. Ogląda spisek z daleka.

– To ludzie. Spisek drani. Nie ma podziemnej rzeki…

Muszelka siedzi w wannie. Jest biała jak kreda, trzęsie się i szczęka zębami.

– Jak to nie ma, kiedy jest? Sama widziałam i ty widziałeś. Przecież z tego powodu znów marznę pod cmentarzem.

– Ale cieplej ci teraz?

– Cieplej.

– Jesteś już w domu czy jeszcze pod murem?

– Już w domu. Pod murem jestem dziesięć godzin dziennie; od dziesiątej do dziesiątej, zgłębiam wtedy tajemnicę dziesięciu sefirot Drzewa Życia.

– No to wiesz już zapewne, że są rzeczy, których nie widać, podobnie jak może nie być rzeczy, które są, bo... ktoś bardzo chce nas przekonać o ich nieistnieniu.

– I ten ktoś wpuścił rzekę pod grób naszej biednej Ryfki?

– Nie wiem, ale się dowiem.

Rano wiezie swoją Żydówkę pod mur cmentarza, na dniówkę. Czekają już kundle, czekają kruki. Nawet stróż z budynku gminy żydowskiej nie puka się już w głowę: „A niech ta... sobie siedzi, jak ta... musi siedzieć". Kwadrat półtora na półtora wysprzątany, śnieg na kupce, garść piasku pod nogami. Sandow stawia stołek, kładzie na nim kawałek styropianu, na tym koc, termofor, obok drugi koc, do ocieplenia nóg. Wraca do auta po reklamówkę.

– Tu masz termos z kawą; cztery łyżeczki kawy, cztery łyżeczki cukru, pół szklanki mleka. Uważaj, bo wrzątek. Tu masz termos z herbatą, a tu kanapki, dwa rodzaje: w papierze śniadaniowym koszerne, z kurczakiem i sałatą, a w folii... gojowskie, z szynką i żółtym serem. Pomidory i jajka na twardo w woreczku, sól w sreberku. Grosze dla żebraków wrzuciłem do kieszeni, a resztki dla psów i ptaków wyprodukujesz sama.

Muszelka patrzy na torebki, słucha, kręci głową z dezaprobatą.

– Za dużo jedzenia, za obficie, za mało powściągliwości w dniach żałoby... A komórkę gdzie mam?

– Spodziewasz się telefonu?

Kiwa głową, ale niczego nie wyjaśnia. Ktoś będzie dzwonił albo ona będzie dzwoniła. Jeszcze nie wiadomo.

– Właśnie o to chodzi, Dżuku, żeby ogarniać świadomością skraje tego spektrum, w którym istniejemy. Tradycja i nowoczesność, kultura i cywilizacja. Przecież nie muszę odbierać każdego połączenia.

Sandow podaje komórkę.

– Do mamy zadzwoń. Martwi się, wypytuje, płacze. Nie wie, co się dzieje.

– Nic się nie dzieje. Siedzę pod murem cmentarza żydowskiego, modlę się i rozpaczam. Spędzam czas. Ostatecznie o to w tym chodzi, prawda?

– W czym?

– No w życiu.

– Nie wiem.

– Ty nie wiesz? A wyglądasz, jakbyś wiedział.

Milknie sama z siebie. Już nie chce gadać. Sięga po notatki – kilka kartek zapisanych drobniutkim pismem. Ma tam wynotowane wszystkie pytania, które chce zadać panu Bogu, gdyby przypadkiem przechodził ulicą. Albo komuś innemu z brodą. Niech tylko zatrzyma się na chwilę i nie zapierdala tak bez patrzenia pod nogi. A z tą podziemną rzeką, to... raczej nie bardzo wierzy („raczej nie wierzę w takie spiski rozległe, bo komu to i na co"?). Rzekę wpuszczać pod cmentarz? A skąd ją wziąć, taką rzekę, żeby płynęła?

Kruk spada z muru zamarznięty na kość. Uderza w ziemię jak kamień. Muszla go podnosi, wkłada pod paltocik.

Czytelnia archiwum miejskiego, duża sala z wysokimi oknami i skrzypiącym parkietem; lamperia ze sklejki, zielona tapeta, kryształowy żyrandol, mosiężne kinkiety, stoły z laminowanymi blatami, krzesła wysiedziane. Kilka osób w różnym wieku. Postacie niewyraźne, przygniecione historią. Sandow siada przy stoliku pod oknem, rozkłada mapy i opisy, otwiera segregatory, sięga po pożółkłe kartki.

Mapa kanałów pod miastem Łódź. Kilka rzek i potoczków zamkniętych pod ulicami. Rzeka Jasień najlepiej schowana, ale to centrum, nad nią inne kreski: rzeka Łódka i odrastająca od niej Bałutka. Ta ostatnia płynie tam, gdzie trzeba, niedaleko cmentarza. Sandow przerzuca kolejne kartki, robi zdjęcia telefonem komórkowym. Cmentarz opleciony jest pięcioma kanałami. Płyną nimi rzeczeńki: Brzoza, Sokołówka, Zimna Woda, Aniołówka, łączą się z większymi strumieniami, przepadają za miastem, część wpada do Neru i z nim do Warty. Ale żadna nie płynie pod cmentarzem. Tam widać tylko nitkę niegdysiejszego strumienia, resztkę rzeki przeciętą kanałem. Woda wpływa doń, ale już nie wypływa. Tak jest na mapie. Sandow uśmiecha się, spisuje dane z siatki kartograficznej.

Kupuje GPS z żyroskopem optycznym, do nawigowania pod ziemią, zabiera z wiejskiego domku kombinezon, latarkę czołową, kask z palnikiem karbidowym, wytwornicę acetylenu, karbid ze starego jaskiniowego zapasu, wiertarkę akumulatorową, brechę, nóż, kilka kawałków nylonowej liny, plecak jaskiniowy z płótna powlekanego gumą. Stary sprzęt pachnie błotem i mlekiem wapiennym. Przypomina młodość gniewną, uzbrojoną w sensy, których łysa głowa już nie pamięta.

Kiedy wraca pod cmentarz, Muszla akurat wyjmuje zza pazuchy ożywionego kruka. Ptaszysko nie chce odlecieć. Dobrze mu przy żydowskim serduszku.

– Widzisz, ożywiłam tego sopla, a on mi teraz dupę zawraca. Zastrzel go może, co?

– Nie mam pistoletu.

– A usłyszałeś, że powiedziałam brzydkie słowo?

– Usłyszałem.

– To chyba mi już lepiej, prawda? Do mamy też dzwoniłam.

– I co?

– Nic. Mam się ciepło ubierać.

*

Kąpie Muszlę zziębniętą, wysłuchuje mądrości wysiedzianych na podgrzewanym stołku.

– Jest dziesięć sefirot i nie będzie więcej.

– I co z tego dla nas wynika?

– Dla nas? Nic. Nasze rozumki za malutkie.

Żydówka śpi zwinięta w kłębek. Obok pochrapuje kot, który nienawidzi Sandowa jak psa. Drzewo snu błogosławione. Sefira, której nie ma, a powinna być.

Kiedy podjeżdża w okolice cmentarza, jest już dobrze po północy. Parkuje auto w zaułku między murem a garażami.

Ubiera się w plastikowy kombinezon, naciąga uprząż, spina ją karabinkiem, otwiera wytwornicę, wrzuca do niej kilka kawałków karbidu, zamyka, odkręca zawór z wodą, potrząsa urządzeniem, przypina je do uprzęży. Odgarnia nogą śnieg z chodnika. Dokładnie w wyznaczonym miejscu pokazuje się okrągła pokrywa kanału. Sandow podważa ją brechą, odsuwa na bok, włącza lampkę na kasku. Czeluść rozpala się rdzawo; żeliwne stopnie, wymurowane kręgi, wilgoć i żywa woda na dnie. W kanale jest cieplej niż na zewnątrz, ale oddech ciągle paruje. Mężczyzna przekręca włącznik iskrowy na kasku, zapala acetylen, reguluje płomień. Świat podziemny pokazuje się jak na dłoni. Człowiek jaskiniowy zasuwa klapę nad głową. Rusza przed siebie.

PODZIEMNA RZEKA

Idzie łożyskiem potoku. Ceglane wilgotne ściany odbijają światło. Są zadziwiająco czyste. Tylko przy wylotach ulicznych widać smugi zakrzepłego brudu, solne draperie udekorowane rdzą. Włącza GPS, wprowadza dane. Pojawiają się podświetlane kreski, potem główny szlak ze strzałką postępującą do przodu. W oddali rodzi się blady puls wyznaczonego miejsca. Różowa kropka. Za chwilę korytarz skręca i rozdwaja się, ale wody nie przybywa. Sandow nie jest zdziwiony, właśnie tego się spodziewał. Kropka nasyca się kolorem. Jest teraz jaskrawoczerwona i pulsuje coraz szybciej. Do uszu jaskiniowca zaczyna docierać szum przepływającej wody. Przyśpiesza. Jeszcze tylko jeden zakręt, po nim prosty około pięćdziesięciometrowy odcinek zamknięty stropem z żelaznymi szynami i... staje na brzegu spienionego potoku.

Rzeka przecina tunel prawie pod kątem prostym. Wpada z przyrastającego doń kanału, z doskonale wymurowanej eliptycznej obudowy, ale nie płynie w dół. Znika w wyrwie wypłukanej w posadzce, skierowana tam ręką człowieka. Tak, tak, tego jest Sandow pewien jak mało czego na świecie. W ścianie głównego kanału ktoś wybił dziurę, dokładnie na przedłużeniu niegdysiejszej rzeczki Bałutki. Jeszcze widać ślady od łomu, zarysowania i pęknięcia. Woda wdarła się w prarzecze, w pustkę pod grobami i popłynęła do matki; z Bałutki do Neru, z Neru do Warty, z Warty do Odry, z Odry do Bałtyku. Ruszyły truchła w podróż wodną, jedno przez drugie, w krzyku i podnieceniu; pomieszały się kości Mosze Hersztaina, Jana Porcynela, Rondla Kaufmanskiego, Judy Rosenblata, Estery Diamant, Hani Cwancykierowej, Natana Rubina, jego żony Hawy z domu Szimbork i córki Ryfki w kolorowych pończochach. Już sobie leżą na morskim piasku, na plaży, na wakacjach, wysłane tam przez niemieckie towarzystwo podróżnicze: Ghetto Litzmannstadt Travel.

O szóstej rano wychodzi z kanału. Otwiera pokrywę studni położonej najbliżej miejsca, w którym wybito dziurę. I tym razem nie jest zdziwiony. Widzi perspektywę uliczki wiodącej wzdłuż muru, wysiedziany kwadrat przy bramie, cegły oznaczone ptasimi odchodami, budynek gminy żydowskiej. Dozorca już pracuje. Odgarnia śnieg z nocy, posypuje chodnik piaskiem. Jest dość daleko, ale i tak słychać, jak mówi do siebie krótkimi szorstkimi zdaniami. Kiedy odwraca się po wiadro z piaskiem, Sandow szybko wychodzi z kanału, wyciąga plecak, zasuwa pokrywę.

Czarnowłosa śpi przytulona do wrednego kota. Jest spokojna; nie biegnie, nie płacze, nie narzeka. Nie ma też poczucia winy. P r z e n a j ś w i ę t s z y s p o k ó j.

Sandow siada na łóżku.

– Zazdroszczę ci snu – odzywa się cicho.

– To nie zazdrość, tylko połóż się obok mnie i zaśnij sobie – odpowiada śpiąca.

– Miałem rację z tą rzeką…

– Jasne. Ktoś ją wpuścił pod cmentarz. Ten sam ktoś zapalił słońce, zrzucił śnieg z nieba i właśnie szykuje druszlaki na wiosenne deszcze.

– Chyba… durszlaki?

– Dru, dru, dru. Wiem, co mówię, geniuszu. No, śpij już i nie zapomnij obudzić mnie o siódmej.

– Już jest siódma.

– To obudź mnie o ósmej, bo muszę zdążyć na cmentarz. A kawę zrób z pięciu łyżeczek, i bez mleka. Kanapki tylko koszerne, bez tej świńskiej zdrady, trzy jajka na półtwardo, sześć minut, i pieprzu do sreberka, najlepiej pomieszaj z solą, herbatę jaśminową do drugiego termosu, komórka na stole, trzeba podładować. Dobranoc.

Zawozi głupią pod mur, śpi trzy godziny, wraca, wymienia termofor pod tyłkiem. Już cztery kruczyska kraczą na kolanach. Czarnołebek cały zafajdany jak ptasi wychodek. Ale wesoły.

– Widzisz, dzisiaj jestem świętym Franciszkiem. Chyba przekrzywia mnie na katolicyzm.

– Tylko nie spadnij ze stołka z tej… krzywości.

– Nie spadnę, nie spadnę.

Wymiana zimnych jaj na twardo na ciepłe jaja („sześć minut, ani sekundy mniej, ani sekundy więcej, żółtko w samym środku kuleczki ma być płynne jak jądro ziemskie"), herbata jeszcze gorąca, za to kawa do dupy („do dupy taka kawa z pięciu łyżeczek, siedem na jutrzejsze siedzenie, może to coś pomoże"...). Sandow nie potrafi się powstrzymać przed zadaniem pytania.

– Pamiętasz jeszcze, po co tu siedzisz?

– Przypomnę sobie, jak pójdziesz.

– To jest poważne pytanie.

– A co, nie podoba ci się odpowiedź? Siedzę, żeby wysiedzieć. Ktoś bez przerwy kradnie jakiś kawałek naszej Ryfki, świat przez to całkowicie zjebany, a ty pytasz, czy ja wiem, po co siedzę?

Dostarczyciel ciepłego pożywienia kręci głową.

– Co? Że... przeklinam?

– Nie tylko to.

– A co jeszcze?

– A to, że siedzisz na tym stołku w całkowitej sprzeczności.

– Z czym? Ja tu nie widzę żadnej sprzeczności z żadnym niczym. No idź już, idź, mądralo ze wsi pod Tomaszowem Mazowieckim.

*

W połowie dnia dzwoni do Noniusza Samosika. Pamięta o nim.

– Dzień dobry, Jerzy Wizner.

– O, dzień dobry, panie Jurku! Wrócił pan na dłużej?

– Na parę dni, ale nie ruszam się z Warszawy. Jutro lecę do Marrakeszu.

– Znowu Afryka... Dobry kierunek. A jak tam nasze sprawy?

– Chyba nieźle. Aparat zamówiony, dałem zaliczkę... Mamy sześć miesięcy na zebranie pieniędzy.

Z drugiej strony słychać oddech ulgi.

– W pół roku to my uzbieramy... milion dolarów. À propos, ma pan już jakieś adresiki w sprawie naszego... podróżniczego biznesu?

– Jeszcze nie, ale działam, działam. Zdjęcia zostawiłem tu i tam.

– O, właśnie, zdjęcia... dziękuję za fotki. Zazdroszczę panu tych wszystkich miejsc. Mam nadzieję, że sfotografuję je kiedyś moją... afrykańską lejką.

– Na pewno pan sfotografuje. No to do widzenia. Odezwę się za kilka tygodni.

Czerwonocegły mrok, mżą światła aut. Śnieg pomieszany z solą i błotem. Sandow jedzie. Mija zaułki dawnego świata, podwórka, komórki z papowymi dachami. Sennie. Puste ulice.

Co jakiś czas człowiek, ale przyrośnięty do pejzażu, rozmazany, jakby go w ogóle nie było. Nagły ruch w oknie, cień z dzieckiem na rękach, kołysanie, matka płacze, pijak odpowiada śmiechem, mecz z telewizora, sine poświaty prostokącików. Cudze życie się żyje.

Zatrzymuje pożyczone bmw przy fabryce, kilka przecznic przed ulicą piwniczną. Jest przebrany za robociarza, ma na sobie dres, kurtkę, na głowie czapkę, zawiniętą kominiarkę. Wygląda komicznie, ale pasuje do tego miejsca. Włącza odbiornik GPS, czeka na sygnał, znajduje w pamięci urządzenia cel: „piwnica R.R". Naciska klawisz.

Odnajduje pokrywę kanału. Bliziutko, jakieś dwadzieścia metrów od podwórka Ryfki R. Klapa tkwi w chodniku, przy szczytowej ścianie kamienicy. Jest przykryta śniegiem zmieszanym z piaskiem; najwyraźniej nieużywana od lat. Sandow rozgląda się. Spokój. Dookoła nie widać żadnego ruchu. Podnosi klapę haczykiem przymocowanym do paska na nadgarstku, zapala maleńką latarkę. Tym razem używa narzędzi dyskretnych i niewielkich. Zaciąga kominiarkę na twarz, zsuwa się do studni.

Już po kilku krokach orientuje się, że nie jest w podziemiach sam. Do jego uszu dochodzi odgłos uderzania metalu o coś twardego i nieustępliwego. Na razie to tylko blade echo, ale narasta z sekundy na sekundę. Sandow sięga po nóż, zakłada na nadgarstek nylonową pętelkę, zwalnia. Zakręt. Za nim ciepława poświata na ścianie. Światło obrysowuje półkolisty kształt, stalowe drzwi umocowane w murze. Są uchylone. Mężczyzna spogląda na wyświetlacz GPS-a. Strzałka obrazująca jego położenie właśnie nachodzi na kropkę opisaną jako „piwnica R.R.". Wciąga głęboko powietrze i popycha drzwi. Ustępują bezgłośnie; zawiasy są wyczyszczone z rdzy, pokryte grubą warstwą towotu, przygotowane do częstego otwierania.

Nadchodzi od lewego korytarza, tego samego, w którym znalazł niegdyś kostkę Ryfki Rubin i kilka nitek z jej kolorowej podkolanówki. Piwnica wygląda tak, jak ostatnim razem; schody, główne pomieszczenie, zamurowane okno tuż nad chodnikiem. Płonie czerwony elektryczny szlak. Lampa za lampą, drogowskaz za drogowskazem; wszystkie prowadzą w to samo miejsce – do muzeum szaleństwa Roberta Szarczyńskiego.

W środku, w sali muzealnej, też nie widać żadnej zmiany: szafki aluminiowe z szybkami, szafy, podświetlane gabloty. Ekspozycja żyje swoim podziemnym życiem. Wstęp wolny, tylko trzeba umieć tu trafić. I mieć potrzebę wynikającą z choroby organizmu. Ze śmiertelnej choroby, bo przybysz właśnie otwiera nóż.

Widok przesłania mu kamienny filar. Wychyla się, patrzy w plecy Tatuatora pochylonego nad drewnianym blatem, na którym leży coś niewyraźnego, jakiś kształt trudny do uchwycenia. Przygniata go zmęczenie. Oddycha głośno, pojękuje, wyciera pot z czoła. Coś pochłania go tak bardzo, że nawet nie dba o bezpieczeństwo. To coś odsłania się za chwilę, przy kolejnym uderzeniu młotka w przecinak. Sandow wstrzymuje oddech. Nie może uwierzyć. Widzi... macewę Ryfki Rubin i znikający pod przecinakiem napis: „Świata jeszcze nie ma i może nigdy nie będzie". Jego własnoręczną robotę. Robbie wali w łeb przecinaka raz za razem, aż iskry lecą spod młotka. Chce jak najszybciej zedrzeć ten urągający mu napis, ten kamienny prześmiewczy rym, który wziął się nie wiadomo skąd. Jego istnienie łamie porządek rzeczy ustalonych w świecie Tatuatora. Przez ten napis umieszczony nie tam, gdzie potrzeba, nic nie jest takie, jak powinno być. Całkowita utrata równowagi i reguł umocowanych w konstytucji piwnicznego świata. Katastrofa.

Sandow nie namyśla się długo. Otwiera nóż, synchronizując szczęk sprężyny z uderzeniem młotka w przecinak. Cała jego wewnętrzna chemia, wszystkie substancje, na podstawie których działa jego organizm, mieszają się w ułamku sekundy w jedyny możliwy wzór: „zabić". Tu rozum na nic się nie przydaje, bo nie ma mocy. Kości, mięśnie, ścięgna, płuca, serce, układ krwionośny – wszystko działa teraz w oparciu o silniejszą dyspozycję, o instynkt. Rusza do przodu, ale... zatrzymuje się. Ktoś jeszcze jest w piwnicy. Ten ktoś wychodzi właśnie z wnęki za gablotami, z ocienionego zaułka piwnicznego. Porusza się znajomo, kanciasto i niezgrabnie. Wypowiada przy tym wiele krótkich szorstkich słów adresowanych do świata. Sandow poznaje w jednej chwili: to uliczny sprzątacz, stróż zatrudniony w siedzibie gminy żydowskiej. Mężczyzna porusza się po pomieszczeniu swobodnie, widać, że zna muzeum i je lubi.

Przechodzi za plecami Tatuatora, otwiera szafę Simona Stritzkego, zapala wewnętrzne światełko. Pokazuje się umocowana pod mundurem nowa, szklana, podświetlana na różowo półka. To szczególne miejsce służy szczególnej ekspozycji. Na szklanej tafli leżą... kości Ryfki Rubin ułożone w anatomiczny kształt; prawie kompletny szkielecik wraz z dodatkami. Pośród fragmentów ubrania, zetlałych płócienek, skórzanych pasków, kolorowych nitek widać dodane też przez rekonstruktora małe sandałki z wciśniętymi w nie, zwiniętymi podkolanówkami. Zgadzają się wszystkie kolory.

Sandow wycofuje się w cień. Jest porażony wyrafinowaniem tej nowej wystawy: oprawca z ofiarą w jednej szafie, przyczyna ze skutkiem; kompletny obrót sfer nieludzkich. Stary Szarczyński odzywa się do młodego.

– Prawdopodobnie nikt tego nie doceni za mojego życia. Nikt. Ale ty, synku... masz szansę tego dożyć. Tylko pamiętaj, że jesteś artystą. Wielkim artystą. Nie daj sobie wmówić niczego innego. Bądź nieugięty jak doktor Gunther von Hagens. On postawił na swoim, świat uznał jego sztukę. Sztuka ma prawo omijać zasady wyznaczone dla pośledniejszych aktywności;

ona ma prawo istnieć poza moralnością, poza ograniczeniami prymitywnych porządków. Wtedy się wyzwala i... wyzwala nas. Rozumiesz?

Robbie nie rozumie, ale kiwa głową.

Sandow jedzie do wiejskiej chaty. Ma dreszcze. Czuje się jak ktoś, kogo wtrącono na siłę w pejzaż obcego kraju, w klimat bez powietrza, z wilgocią stuprocentową, dżunglą bez oznaczonych ścieżek. Dotyka czoła. Jest zimne i zroszone potem. Dzwoni Muszla spod muru.

– Dziwny ten... stróż w Boże Ciało.

– Kto? Możesz mówić jaśniej?

– Ten staruch z gminy żydowskiej, co kopie psy w tyłki i przegania moje wrony. Mówi, że srają. No... srają. Przecież to ptaki, więc muszą się wypróżniać. A guano jest bardzo pożyteczne jako nawóz. Mógłby to zebrać i... do ogródka, pod sałatę albo inne warzywo ekologiczne. Poza tym mówi przez telefon po angielsku, niemiecku i rosyjsku. Bardzo elokwentnie się wypowiada, nie jak debil spod cmentarza. Bardzo, bardzo podejrzane, nie uważasz?

– Uważam. Też mam swoje obserwacje, ale przyglądaj się dalej.

– Ja nie tyle przyglądam się, co podsłuchuję. Uszy mam jak radary.

– To podsłuchuj, podsłuchuj.

– A ty co robisz, Dżuku zapracowany?

– Martwię się o ciebie.

– Martwisz się o mnie? A wyglądasz, jakbyś się nie martwił.

Noc na wsi. Psy robią swoje, a Sandow swoje. Rozkręca pilarkę spalinową, zdejmuje łańcuch, wybija z niego nity, odkłada na bok ogniwka z prostymi ostrzami. Teraz odcina ze szpuli kawałek cieniutkiej stalowej linki, jakieś osiemdziesiąt centymetrów, rozluźnia jej splot i mocuje co parę centymetrów łańcuchowe ostrza. Rozgrzewa lutownicę, przykłada cynę, spaja ostrza z linką. Po godzinie śmiertelne narzędzie jest gotowe; garota artystycznie wykonana, tnąco-dusząca, bezlitosna.

Pierwsze dni kwietnia. Muszla ciągle wysiaduje, ale już coraz weselej. Raczej bawi ją to, niż organizuje wokół idei, która kiedyś przykleiła jej tyłek do stołka. Zna już hebrajski, teraz studiuje jidysz, ornitologię i podsłuchiwanie. Sandow wymyśla coraz to nowsze kanapki, napoje i urządzenia podgrzewające. Wszystko wypróbowane, żeby zadowolić szpiega.

– I co? – pyta.

– Często chodzi na cmentarz. Podjeżdżają tu różni, auta za trymbaliony, wita się z nimi jak z koleżkami. Na mnie już nie może patrzeć. Nawet na dzień dobry nie odpowiada. No i… – szpieg Muszla zawiesza głos.

– Co?

– Nie wiem, czy to możliwe, ale chyba tego debila od tatuaży też widziałam. No, tego, co mi wydrapał na plecach ten... kompromitujący napis o miłości.

Sandow zatrzymuje przesłuchanie. Szybko zmienia temat.

– Coś na obiad?

– A może schab dzisiaj z sosem z borowików? Zjadłabym coś nowego.

– Schab to świnina. Nie wolno ci tego jeść.

– Aha. To proponuję... zrazy wołowe, zawijane, z ogórkiem konserwowym, cebulką, grzybkiem marynowanym i skórką od chleba razowego w środku, z sosem śliwkowo-czosnkowym i kaszą gryczaną. Do tego buraczki zasmażane, aha, i na pierwsze danie niech będzie jakaś zupa, najlepiej barszcz czerwony z kołdunami albo rosół z makaronem babuni.

– I gdzie to będziesz jadła?

– W domu, pod murem.

Połowa kwietnia. Na miasto spadają pierwsze wiosenne deszcze. Sandow zdejmuje Żydówkę z ulicy. Już pora najwyższa, bo zaczynają się nią interesować miejskie służby sanitarne. Żadne argumenty nie chcą działać, ani te o eksperymencie teatralnym, ani o studiach ornitologicznych. Jest zagrożenie epidemiologiczne, kurza grypa, świńska grypa i kilka innych gryp światowych, więc trzeba zabrać to zasrane stworzenie pod prysznic. Ale to nie takie proste. Z paltocika zrobił się kamienny namiot, kruki uwiły sobie w nim gniazda, stołek wrósł w guano, buty z ocieplaczami też (na noc Muszelka wychodzi z palta jak z mieszkania, z butów jak z pokoju lokatorskiego, owija się folią ogrzewającą, wlecze za sobą te wszystkie termosy i reklamówki, hałasuje i pęka ze śmiechu). Sandow wyciąga ją z gównianego przybytku na siłę. Była Żydówka histeryzuje. Nie chce się rozstać z domem.

– Podoba mi się tu, podoba mi się tu! – krzyczy. Ale Sandow jest nieugięty.

– Tam, gdzie cię wiozę, też ci się spodoba.

– A gdzie mnie wieziesz?

– Do sanatorium ze spa, basenem, masażami, fryzjerem, solarium, pedikiurem, manikiurem, siłownią, aerobikiem, indorsajklingiem, internetem, fejsbukiem, naszą klasą, restauracją japońską... Skują tam z ciebie tę skałę, wykąpią, wymoczą w algach i mleku kozim, opalą pod kwarcówką, wyćwiczą i nakarmią.

Upór ustaje w jednej chwili.

– A suszi mają w tym... sanatorium?

– Mają, mają.

Muszelce podoba się plan.

– Podoba mi się. Nawet bardzo. Nabrałam mądrości, zrozumiałam świat, siebie oraz ciebie, zadbałam o duszę, a teraz zadbam o ciało.

– A co zrozumiałaś, jeżeli wolno wiedzieć?

– Naprawdę nie wiesz?

– Nie wiem.

– Jest dziesięć sefirot i nie będzie więcej.

– I co z tego dla nas wynika?

– Dla nas? Nic. Nasze rozumki za malutkie.

Jest czternasty kwietnia dwa tysiące dwunastego roku. Do końca świata Majów zostało równo osiem miesięcy i siedem dni (21 grudnia 2012 roku – przebiegunowanie ziemi), do końca świata Noniusza Samosika – Fotografera, pięć miesięcy i dziewięć dni (23 września 2012 roku – aparat fotograficzny lejka Luftwaffe z kurarą), do końca świata Remigiusza Rosołka – Nauczyciela Tańca, sześć miesięcy i dwadzieścia trzy dni (7 listopada 2012 roku – atak radości psa Mufika). Ten dzień przeznaczony jest na koniec świata Roberta Szarczyńskiego – Tatuatora (14 kwietnia 2012 roku – garota z zębami wymontowanymi z łańcucha pilarki spalinowej).

Sandow ma na sobie ten sam robociarski kostium co ostatnim razem. Zatrzymuje auto pod nieczynną fabryką, wyjmuje garotę z tekturowego pudełka, zakłada rękawiczki, zawija na dłoni śmiercionośną linkę, wysiada z auta.

Skrada się, staje przy pokrywie kanału, odsuwa ją, naciąga na twarz kominiarkę, opuszcza się w dół.

Tatuator jest sam. Akurat podnosi do nosa skrawek ludzkiej skóry z rysunkiem pary splecionej w miłosnym uścisku. Słodki, banalny obrazek; kochankowie nadzy, nad głową wiszą gołąbki, od stóp wspina się roślinny ornament, przysłaniając intymne miejsca. Niewinność. Do tego tatuażu przypięty jest agrafką mniejszy, z numerem obozowym Władysława Romańskiego 123 422.

Sandow rozwija garotę i napina ją między dłońmi. Chce zabić. Chce zacisnąć linkę na szyi Tatuatora, a potem przeciągnąć ją nieznacznie w lewo lub prawo. Kierunek nie ma znaczenia, bo zęby wyjęte z łańcucha pilarki naostrzone są po obu stronach. Nawet króciutki ruch rozedrze skórę, a potem mięśnie i żyły na szyi Szarczyńskiego. Rana będzie głęboka, bolesna i krwawa.

Rusza, ale zaraz staje na nowo. Zatrzymuje go nagły błysk świadomości. Coś, co choć wydaje się należeć do niego, nie pochodzi z tego świata. Jego własna żywa myśl, ale posłana w głąb głowy przez trupa. Przez kogoś, kto rozproszony w powietrzu, spalony i sponiewierany, scala się na ułamki sekund w cudzych jestestwach. Ożywa jako echo. Oto zapis tej chwili: Tatuator podnosi do góry skrawek skóry z numerem, na tkankę pada światło, Sandow spogląda, liczba 123 422 wdziera się w jego głowę, przesiewa atomy pamięci, odnajduje człowieka: „Władysław Romański, mężczyzna, 37 lat, narodowość polska, oczy niebieskie, włosy jasne".

Sandow cofa się w cień. Napięcie nie chce ustąpić. Mężczyzna prawie krzyczy z bólu posłanego do jego tkanek wraz z kwasem mlekowym. Cały jego organizm jest ciągle gotowy do zbrodni, ale mózg odmawia wysłania drugiego sygnału. Jego własny mózg, przemawiający teraz w imieniu więźnia obozu koncentracyjnego Auschwitz-Birkenau numer sto dwadzieścia trzy tysiące czterysta dwadzieścia dwa – odmawia zabicia Tatuatora.

Wraca do auta. Jest wstrząśnięty i zdezorientowany. Patrzy na rękawiczki przecięte garotą w chwili największego napięcia. Z ran wypływa krew. Przypomina sobie zdarzenie sprzed chwili, wie, co się stało, i… nie wie, co się stało. Jego własny organizm – maszyna dotąd posłuszna i sprawna – zbuntował się przeciwko… sobie samemu. Wypowiedzenie posłuszeństwa, ucieczka, zdrada? Co to było? Sandow ciągle nie może uwierzyć. Jest całkowicie rozbity, zaczyna płakać.

Uspokaja się dopiero na wsi, w chatce, pod kojącym przykryciem z blachy, deszczu i kwietniowej burzy. Dzwoni do Muszelki, do sanatorium posttraumatycznego.

– Jak tam kąpiele?

– Kąpiele w błocie, masaże gorącymi kamieniami, sauna, basen, lody z polewą czekoladową... Wyobraź sobie, że nawet nie schudłam na tej koszernej diecie. A co u ciebie, Dżuku?

– U mnie... dziwnie. Czuję się tak, jakby ktoś we mnie zamieszkał i jakby ten ktoś miał całkowicie inne poglądy niż ja. Inny ogląd rzeczywistości.

– Oj, ogląd rzeczywistości, czy ty możesz mówić prościej?

– No... zamieszkała we mnie sprzeczność, kontradykcja, radykalna różnica zdań w tej samej sprawie, w tej samej chwili. Rozumiesz?

– Naturalnie, że rozumiem. Co w tym może być do nierozumienia? Dybuk w tobie zamieszkał, tak jak we mnie. Tylko że ja się z nim ułożyłam, posiedziałam pod murem, poczytałam o żydostwie w moim ajfonie. Stąd wiem. Teraz w tobie siedzi ta gnida i na coś próbuje cię nakierować. Mam nadzieję, że nie na bzykanie na boku. Przyjrzyj się temu. Może go jakoś wyprowadzisz przez mały palec u nogi?

– Przez co?

– Przez palec u nogi. Tak się wyprowadza dybuki.

– A kto to robi?

– Oj, Dżuku, rabini, ofkors.

– Ale ja nie jestem rabinem.

– Nie jesteś? A wyglądasz, jakbyś był.

KILKA ROZMÓW Z DYBUKIEM

– Kim jesteś? – pyta Sandow dybuka, ale ten nie odpowiada.

Nie chce mu się. Mieszka sobie wygodnie, w duszy wrażliwej i przestronnej, do tego – w potomku rymarza, Jakuba Szewczyka, a to jest mieszkanie szczególne. Właściciel tego domu już wie o lokatorze, już przyjął go do wiadomości i próbuje oswajać. To dobrze. Jeszcze przyjdzie pora na rozmowę i wyjawienie celu tej dybukowej napaści. Cel jest ważny, ogólnoświatowy, więc ta przyszła rozmowa jakoś pójdzie. A dybuk zmęczony. Przebił się przez zabójczy instynkt nosiciela w ostatniej chwili, to go wyczerpało, więc teraz nie będzie gadał, tylko odpoczywał.

– Jestem Władek Romański, gamoniu, już się przedstawiałem, w piwnicy. To ja poszedłem na szubienicę zamiast twojego dziadka, więc to mnie – w jakimś sensie – zawdzięczasz, że w ogóle jesteś na świecie. Niech ci to na razie wystarczy. Ja idę spać.

Wypowiadane zdania wyświetlają się w świadomości Sandowa jak uszkodzony film dokumentalny; są czarno-białe, mają rysy, zaświetlenia, poprzerywaną perforację i nieostrości. Ich pulsowanie doprowadza mężczyznę do mdłości. Układa się na łóżku w ciemnym pokoju, kładzie kompres na oczy. Też zasypia.

W środku nocy budzi się, wstaje, jedzie na łaznowski cmentarz – sam nie wie po co. Boi się jak cholera, wszystko w nim trzęsie się i podskakuje. Boli go głowa. To ten jebany dybuk – uspokaja się po cichu, ale Romański słyszy, bo też już nie śpi. Odzywa się (całkiem wyraźnie, film dokumentalny już tak nie zacina i nie pulsuje).

– Nie przeklinaj tak, bo to nie wypada. Dybuk jest jaki jest, a ty stoisz przy grobach swoich bliskich, więc powściągaj słowa.

Sandow zamiera. Nogi mu miękną i czuje, że za chwilę zsika się ze strachu.

– Po co tu mnie przyciągnąłeś?

– Zwariowałeś? Ja ciebie? Naprawdę nie potrafisz już odróżnić własnej osobistej potrzeby od moich podpowiedzi? Sandow, co się z tobą dzieje?

Sandow nie wie, co się z nim dzieje. Siada na grobie dziadka Jakuba. Zimna płyta kłuje w tyłek, deszcz pada na głowę, smutek wdziera się za kołnierz kurtki.

– Co się dzieje? O co w tym chodzi? – pyta zmarłych. Ale oni nie chcą odpowiedzieć albo... nie wiedzą i wstyd im się przyznać. Więc milczą; jak marmury, piaskowce i lastryka, które ich przygniatają.

Budzi się w dobrym nastroju. Jakby nie było nocy cmentarnej, milczenia bliskich i gadania dybuka. A może nie było? Pochyla głowę, nasłuchuje. Obcy milczy w nim. Nie zabiera się do wyjścia przez brzuch i ukrycia w zakamarkach statku kosmicznego. On siedzi spokojnie pod którąś ze ścian pokoju, pogwizduje cichutko, obmyśla plan. Może popija przy tym małą wewnętrzną kawę? A sufit tego przybytku, sklepienie nad głową? Czy widać tam żebra od spodu, jak w kościołach gotyckich? (i jedna ściana miękka, pulsuje za nią serce). Takie pytania zadaje sobie Sandow na początek dnia, jeszcze przed kawą, śniadaniem i lekarstwami. Parska śmiechem. Obraz przywołany jako skutek tych porannych wysiłków wyobraźni przypomina film animowany w 3D.

– Nie wychodzę z kina. Przez całe życie nie wychodzę z kina… – odzywa się do siebie.

Ma plan, ale na razie nie myśli o nim zbyt intensywnie. Nie zna się na dybukach, więc nie jest pewien, czy ten spryciarz wewnętrzny nie przechwytuje wszystkich obrazów wytworzonych przez jego myśl. A jeżeli tak? Na wszelki wypadek zaciera plan pozorami myśli odwrotnych. Produkuje je tak, jak się wytwarza obrazki na odpust – szybko, kolorowo, seriami. Robi sobie przy tym śniadanie: twarożek z cebulą, jajecznicę, dwie kromki chleba z masłem. I pogwizduje wesoło. Jak tamten.

Plan jest prosty. Sandow chce zmusić dybuka do wyznania prawdy. Chce wiedzieć, jaka ważna przyczyna skłoniła Romańskiego, jego emanację – no dobrze, niech już padnie to słowo – jego duszę obozową, do zamieszkania w organizmie obcego człowieka i rozporządzania jego wolnością. Przecież to napaść, inwazja, jakaś tandetna projekcja amerykańskiego gówna filmowego. Klasa C albo nawet D z Edem Woodem jako reżyserem i scenarzystą.

Wsiada do auta, jedzie na stację benzynową, kupuje paliwo i papierosy. Może dzisiaj zapali? Potem spacer nieśpieszny; Rokiciny, Łaznów, Popielawy. Tu przystaje na chwilę. Przyroda już się rozpędza, drzewa zielone, na stawach ruch, kopulacja, żabi skrzek, cztery czaple siwe podrywają się do lotu. Chodzi, rozgląda się, dotyka roślin. Dwa wielkie dęby pod budynkiem dworskim, betonowy schodek. Siada na nim jak za dawnych, chłopięcych lat.

Dybuk przyczajony. Nie wie, o co chodzi. Jeszcze nie przebija się do świadomości Sandowa ze swoimi głupimi pytaniami, ale już nie siedzi pod ścianą pokoiku. Wstał. Teraz chodzi jak więzień – trzy kroki w jedną, trzy w drugą stronę. Coś go zaczyna niepokoić. Sandow odczuwa to zniecierpliwienie lokatora, ten prąd w brzuchu.

Do Będkowa dojeżdża od strony Sługocic, polną drogą. Miasteczko jest płaskie jak naleśnik; cztery ulice ułożone w kwadrat, długie, niskie, parterowe szlaki. Na jednym z narożników stary kościół gotycki, na drugim staw, za nim cmentarz, na trzecim ślad po budynku szkoły, na czwartym fundamenty synagogi, obok dróżka w dół, w kierunku rzeki, kwadratowy ślad po budynku mykwy, drewniana chatka nieopodal. To do niej zmierza Sandow. Objeżdża remizę wystawioną na rynku (kolejny kwadrat, większy, zamknięty w więzieniu czterech ulic), skręca w lewo, jedzie wzdłuż podmurówki bóżnicy (wielka była jak krowa, jakieś dwadzieścia na dwadzieścia, ze stołówką koszerną, noclegownią, sądem rabinackim), wbija się w dróżkę błotnistą.

Kiedy zatrzymuje auto pod chatką Jana Lipińskiego, dochodzi południe. Okno otwarte na całą szerokość, na parapecie stoi radioodbiornik, z głośnika dobywa się hejnał z wieży mariackiej w Krakowie.

Wychodzi Lipiński, dziad ubrany w czarną sfatygowaną kapotę. Może mieć jakieś siedemdziesiąt, ale równie dobrze pięćdziesiąt lub sto lat; broda siwa, włosy rzadkie, do ramion, wielki nos i niebieskie żywe oczy. Kapotka brudna, wybłyszczona od wycierania tłustych łap (na brzuchu i po bokach), więc wygląda jak chałat żydowski. Ale nie wystają spod niej frędzle tałesu. Żyd spogląda spod nawisłych powiek. Nie wie, czego się spodziewać.

– Pan Sandow, dzień dobry. A miał przyjechać rok i dwa lata temu... Ja czekałem i czekałem, aż tu nagle, dzisiaj, kiedy już nie czekam... Jaki kłopot przyprowadził w żydowskie skromne progi?

Sandow nie odpowiada. Zamiast tego pokazuje na swoją pierś i kładzie palec na ustach. W ten komiczny sposób chce zawiadomić Lipińskiego o dybuku w sobie. Nic lepszego nie przychodzi mu do głowy. Żyd wybucha śmiechem.

– Ale pan jesteś śmieszny. Domyślam się, że dybuk nawiedził. Mów pan głośno, bo jak mamy tę osobę z pana wypłoszyć, to niech ona o tym wie. Niech się dowie wszystkiego po kolei. Więc najpierw, że w tym domu mieszka potomek cadyka z Międzyrzecza, stryjeczny kuzyn rebe Lipmana, wnuk i syn żydowski. Potem, że potomek ów, czyli ja, Jan Lipiński we własnej osobie, trzyma w domu zwój Tory z synagogi będkowskiej, tefila i srebrny jad do czytania języka, którego – niestety – nigdy się nie nauczył. Wolał pić wódkę. Ale to... żadna przeszkoda w wyprowadzaniu dybuków. Umie zrobić raban, że niech żydowski Pan Bóg uchowa. Jedenaście dybuków przepędził na cztery wiatry. Jednego tak mocno, że aż się zesrał ze strachu w ucieczce. Znaczy on, ten dybuk przestraszony. Człowieka nie było widać, a gówniany ślad po nim i owszem.

Lipiński przerywa dla nabrania powietrza. Wtedy głos zabiera Romański. Odzywa się w Sandowie obrazami rozedrganymi ze strachu, jakby film robiony był ręką amatora, na kamerze starej i rozklekotanej (obiektyw jakieś dwadzieścia cztery milimetry, diafragma niska, obraz rozmyty po bokach).

– Nie wyganiajcie dybuka, dziady. Nie teraz. Tam, skąd przyszedłem, czekają na mnie dwie córeczki, Henia i Zosia, oraz moja żona Helenka z domu Weinberger, więc nie będę się upierał, żeby zostać w tym żałosnym miejscu (na filmie widać dwie dziewczynki w sukienkach w kwiatki, obrobionych u spodu koronką, w kapelusikach i z parasolkami, nad stawem, przy białej łódce; łabędzie pływają po wodzie, podchodzi śliczna Helenka, uśmiecha się do obiektywu, białe zęby, czarne włosy, schyla się, wyciera chusteczką kolana młodszej córeczki).

Sandow spogląda na Jana Lipińskiego. W spojrzeniu widać zdziwienie. Jeden nie wie, czy drugi słyszał.

– Usłyszałem, znaczy, zobaczyłem, znaczy – poczułem to ogłoszenie – zapewnia potomek cadyka. – No, możemy uwierzyć. Na razie. Niech powie, w jakiej sprawie opuścił ten śliczny pejzaż z łódką i gąskami, że aż się pływać chce po wodzie?

– Łabędzie, to były... łabędzie – prostuje dybuk obrazem tak wyraźnym, że aż bije dziadów po oczach.

Żyd Lipiński wzrusza ramionami.

– Gęsi, łabędzie, jaka to różnica? Tu szyja i tu szyja na pipki do jedzenia. To może lepiej wejdźmy do mieszkania, usiądźmy przy kuchni, dorzućmy parę kawałków drewna i posłuchajmy, z czym dybuk przychodzi.

Puszcza oko do Sandowa na znak, że sprawa uchwycona. Że już się raczej nie wymknie z rąk.

Siadają, jak ustalili. Izba jest półciemna, staroświecka, nie brakuje w niej rupieci, ale w powietrzu nie wisi zapach czosnku. Lipiński wyłącza radio, zamyka okno, dorzuca smolnych drzazg do ognia. Sandow siada na kozetce, zaraz mu wskakuje na kolana szara kotka, po niej czarne kocię, a pod nogami rozkłada się psie przekarmione brzydactwo.

– Lusia, Pusio, Psotka – pokazuje gospodarz na koty, potem na grubą suczkę. – Mam jeszcze pięć królików, kuropatwę, bociana, szpaka i parę myszy. Dokarmiam, więc się kręcą przy mnie i przy domu.

Lipiński rozkłada kawałek szarego pogniecionego papieru o kształcie (mniej więcej) kwadratu, wygładza go na brzuchu, przypina pineskami do kredensu.

– Nasz ekran – tłumaczy. – Jak w kinematografie pana pradziadka Mani Hendlisza w Łodzi, na Piotrkowskiej 15. Jak to się nazywało, Kino Paryskie?

– Jeszcze gorzej. – Sandow uśmiecha się. – Theatre Optic Parisien.

– O, to całkiem dobrze, niebrzydko, ślicznie.

– A skąd pan wie o kinie mojego pradziadka?

– Nie tylko to wiem. Żyd z Będkowa musi wiedzieć różne rzeczy... A to nasze kino na kredensie pomoże słyszeć dybuka. Patrz pan w ten papier, to obrazy się wyświetlą prędzej czy później. Taki nasz pomocnik to kino wiejskie, kredensowe.

Lipiński siada na krześle, przy drzwiach wyjściowych. Na wszelki wypadek. Siedzą i gapią się w szary papier: Żyd, Polak, kot Lusia, kot Pusio i pies Psotka. Wreszcie pod naciskiem tych spojrzeń dybuk odzywa się po raz drugi.

– Byłem pomocnikiem mechanika kolejowego w Sochaczewie. Praca dobra i spokojna. Aż się zepsuł parowóz w Koluszkach. To było niedługo po pierwszej wojnie. Majster zabrał mnie na reperację, na cztery dni. Wieczorami chodziłem do kina. Za pierwszym razem na film, za drugim, trzecim i czwartym tylko po to, żeby spojrzeć w oczy bileterki, Helusi Weinberger. Dwóch nas było zakochanych do szaleństwa, ja i Jakub Szewczyk, dziadek obecnego tu pana Sandowa. Ale dziewczyna chętniej patrzyła na Jakubka; czarny, ładny, z błyskiem w oku, więc na niego się zdecydowała. Tylko że w Popielawach nie chcieli Żydówki, bo rodzina katolicka i z zasługami u biskupa. Akurat Piłsudski zaczynał swoją awanturę, więc Jakubek uciekł do Legionów, a panna przeszła w moje ręce. Starałem się zasłużyć na taki prezent od losu; ożeniłem się z nią na dwa sposoby – katolicki i żydowski, no i przede wszystkim wyraziłem moją radość w rysunku, który kazałem wykonać na piersiach. Tatuażysta był żydowski, dwa razy na miesiąc przyjeżdżał ze Lwowa na targ do Ujazdu i przyjmował na zapleczu restauracji. Narysował mnie i Helusię jak Adama i Ewę w raju, za dziesięć rubli w złocie. Helusi nawet podobał się ten obraz, ale wstydziła się na niego patrzeć dłużej niż przez parę sekund. Z tego wzięło się poczynanie dzieci w ubraniu i z zamkniętymi oczami. Taka śmieszna okoliczność.

Dybuk przerywa na chwilę, najwyraźniej pod wpływem nagłego wzruszenia. Sandow i Lipiński spoglądają na siebie. Oni nie widzą nic śmiesznego w okoliczności opisanej przez spowiadającego się. Podobnie nie do śmiechu jest kotu, kotce i psu. Wszyscy czekają w napięciu na dalszy ciąg historii, i dalszy ciąg zaraz się pojawia na ekranie.

– Przyszła ta druga, straszna wojna, a z nią... wiadomo, złoczyńca Niemiec. Zło było tak silne, tak bezlitosne, że w parę chwil skręciło dobru kark. Jak kociakowi. Ludzie potracili serca, rozumy i w jednej chwili przestali odróżniać jasne od ciemnego. Więc trafiliśmy do Auschwitz-Birkenau... Ja mogłem zostać, nie musiałem iść z rodziną. Tylko że... kto miał pójść jako ja? Który ojciec i mąż? Niemiec tego nie rozumiał, pukał się palcem w głowę. Niemiec, specjalista od muzyki, poezji i filozofii... Po stracie trzech najbliższych istot przestałem trzymać się życia. Było mi wszystko jedno, jadłem, co dali, robiłem, co kazali, spałem, wstawałem, wydalałem. Jak zwierzę, jak świnia w chlewie. Któregoś dnia na placu apelowym pojawił się gość z Buchenwaldu, Simon Stritzke, wysłannik komendantowej Ilse Koch. Szukał czegoś ładnego na torebki i portfele, bo zbliżały się daty urodzin i imienin jej kochanków. Była zima, padał śnieg, a nam kazali się rozebrać do naga, stanąć w rozkroku i rozłożyć ramiona. Hitlerowcowi Stritzkemu spodobał się mój tatuaż. Zamówił go dla pracodawczyni, ale na później („ciało jest całkowicie białe, skóra zaniedbana, odkarmić trochę, wiosną wystawić na słońce, niech się zarumieni, ale bez przesady, bo to może zaszkodzić rysunkowi"). Ja jednak oddałem mój rysunek dużo wcześniej, już za kilka dni. Kiedy po ucieczce więźniów wystawiono nas do selekcji, zgłosiłem się na szubienicę zamiast Jakuba Szewczyka. Oddałem mu dług zaciągnięty w sprawie Helusi, zresztą nie chciało mi się żyć, więc ofiara nie była taka wielka. Uciekłem z tego zawszonego, zasranego świata. Jedyne, czego dziś żałuję, to, że zwlekałem tak długo. Ze strachu, z wyobrażenia o bólu, jaki sprawia śmierć. Ale ten duszący strach jest oszustwem wszytym w organizm przy narodzinach. Kłamstwem. Śmierć nie boli bardziej niż... zatwardzenie, a już w porównaniu z bólem życia jest – przepraszam psy – psim gównem, niczym więcej.

Psotka podnosi spojrzenie. Celuje ślepiami prosto w ekran przypięty do kredensu. Po chwili namysłu przyjmuje przeprosiny dybuka. On sam przez dłuższy czas milczy. Na szarym papierze ani śladu filmu, żadnego zmarszczenia czy świetlnego refleksu, aż Sandow i Lipiński spoglądają na siebie ze zdziwieniem. Za chwilę jednak taśma rusza. Ostatnia szpulka spowiedzi dybuka.

– Bo kto to jest dybuk? Dusza, która wypożycza sobie ciało, żeby załatwić jakąś sprawę na ziemi. Koniec kropka. Nie będę wdawał się w filozofowanie o dualizmie antropologicznym czy o duszy jako o bycie samoistnym. Po chuj nam to, prawda?

My się raczej skupmy na sednie sprawy i na pytaniu, czy jest ona (sprawa) warta utrzymania głupiego dybuka jeszcze przez parę godzin w środku pana Sandowa, aż film wyświetli się wam do końca na tym... kawałku papieru, który udaje ekran, w tej śmierdzącej izbie naśladującej kino. Od razu przepraszam za ton wypowiedzi, ale pamiętam prawdziwe kino w Koluszkach, nastrój, zapach, i to tutaj trochę... obraża tę pamięć. Więc jeżeli jest zgoda (Żyd, Polak, dwa koty i pies zgodnie kiwają głowami), to ja szybko objaśniam cel.

Ekran gaśnie. Znów żadnego światła. Lipiński nie wie, co się dzieje, a przecież powinien wiedzieć jako spec od dybuków i innych spraw żydowskich.

– Nie wiem, co się dzieje – przyznaje się na głos.

– Czy mogę poprosić szklankę wody? – pyta nagle dybuk głosem Sandowa.

Lipiński oddycha z ulgą. Podrywa się ze stołka, sięga po emaliowany garnuszek, nalewa wody z kranu, podaje Sandowowi, wraca na swoje miejsce kinowe pod drzwiami. Dybuk pije, odpoczywa przez chwilę, wraca do wyjaśnień (ekran na kredensie rozpala się od razu jasnym migotliwym światłem).

– Oczywiście, wybór pana Sandowa nie jest przypadkowy. Nie chodzi tylko o pokrewieństwo z Jakubem Szewczykiem, ale również o jego wrażliwość oraz wyobraźnię. O sumę cech dających szansę na wypełnienie misji. Podobnie nie jest przypadkowy wybór panny Muszelki jako mieszkania dla drugiego, nieco cichszego dybuka, Hawy Rubin z domu Szimbork. Jak widać, chodzi o zmowę dybuków w sprawie... naprawienia kawałka ludzkiego świata. Właśnie tak. Rzecz jasna – niewielkiego kawałka, bo ile można naprawić w miejscu tak gruntownie spierdolonym? A teraz spójrzmy na związki osób i zdarzeń. Co my tu mamy? Mamy małą Ryfkę z ulicy Ciesielskiej, potem mamy Niemców grających w piłkę nożną jej głową, następnie Żydów z Chewra Kadisza z dziurawym workiem, but Simona Stritzkego (na ekranie migoczą nieostrawe cienie, piwnica, w niej żołdacy, potem ludzkie patyczki w łachmanach, dół, garść wapna, piach). Matka rozpacza, szuka dziecka, a ono... rozproszone, kostki porozrzucane po świecie. Zbierają się Żydzi w niebie, jest Natan, Hawele, Helusia (przyjaciółka Hawy Szimbork z liceum dla dziewcząt panny Pętkowskiej), Zosia, Heniutka, a Ryfki jak nie było, tak nie ma. Zaginęła między światami, zaplątała się w podszewkę i ani tu dobrze, ani tam... Co robić? Aż pojawia się ślad w osobie kolekcjonera tatuaży. Idziemy za nim, umocowani w was; w panu Sandowie i Muszelce, trochę naciskamy, wskazujemy drogę, na koniec – znajdujemy wreszcie naszą dziewczynkę. To tyle. Właściwie... wszystko. Gdyby zostać przy tym, pan Sandow zabiłby kolekcjonera, pochował Ryfkę po raz czwarty, ostatni, wróciłoby dziecko do matki. Ale czy to zwycięstwo?

Kto tu jest wygrany, a kto przegrany? Zadaję to pytanie, chociaż znam odpowiedź. Nie ma triumfatora. Wielka, ogólnoświatowa przegrana.

Dybuk Romański milknie po raz kolejny. Sandow już bez podpowiedzi sięga po garnuszek z wodą. Piją łapczywie.

Lipiński ma rozdziawioną ze zdziwienia japę. Wyświetlona historia jest z pewnością najdziwniejsza, o jakiej słyszał. Nie bardzo wie, co powiedzieć, marszczy czoło, wreszcie odzywa się niepewnie.

– Nie wszystko rozumiem, ale to, że pan – pokazuje na Sandowa – się cofnął przed zabójstwem, zrozumiałem. Więc... nie ma zabójstwa i nie ma nieboszczyka. Dybuk powstrzymał. Nie ma też wyprowadzenia przez duży palec u nogi, co Żyd Lipiński umie zrobić w pięć minut... też dybuk powstrzymał. To co w takim razie szanowna dusza proponuje?

Dybuk nie zwleka. Wyświetla odpowiedź tak szybko, że aż papier na kredensie przerywa się na jednej z pinesek. Lipiński poprawia projekcję.

– Jest dobre i jest złe. Jest też przestrzeń pomiędzy. Zło ją sobie zabiera. Dlaczego? Bo za mało tam światła i łatwo w tej niedoświetlonej przestrzeni wyprodukować pozór. Ale zło można zawrócić, prawda?

Milczenie. Ani jednego słowa, szczeknięcia czy miauknięcia. Żyd, Polak, koty i pies – milczą. Nie wiedzą.

– Ja wierzę, że można, i na tej właśnie wierze opieram mój pomysł. W szafie piwnicznej, na wystawie urządzonej przez chorą duszę spoczywa rysunek wykonany na ludzkiej skórze. Mojej skórze. Widać na nim parę obejmujących się kochanków: to ja i moja Helusia. Stoimy tam nadzy i niewinni, nad nami wisi para zakochanych gołębi. Piękny nieżywy obraz. Aż szkoda, że tylko leży pod tym nieludzkim fioletowym światłem i nie daje radości nikomu. A może znaleźć dla kochanków jakieś nowe miejsce? Tak pomyślałem i wtedy stanął mi przed oczami inny tatuaż, karmiony żywą krwią właściciela. Na tym tatuażu nie ma ludzi. Jest tylko pejzaż i ogłoszenie o braku świata. Niech więc świat się stanie. Niech kochankowie wejdą na polną drogę z jabłonią i makami, niech odpoczną pod niebem z tego pięknego rysunku. Pan Sandow wie, o jakim rysunku mówię (tym razem, dla uniknięcia pomyłki, dybuk wyświetla na papierze ostre i wyjątkowo wyraźne obrazy: piwnicę, spocony tułów Roberta Szarczyńskiego, czerwone światło lamp, lewą pierś z opisywanym tatuażem).

To powiedziawszy, dybuk milknie jednocześnie w dwóch miejscach – w głowie Sandowa i na papierze przymocowanym do kredensu. Cisza. Lipiński rozgląda się po izbie, opuszcza spojrzenie na podłogę, pokazuje palcem na but Sandowa. Spod podeszwy wytacza się ziarnko grochu. Wpada w szczelinę między deskami. Koniec filmu.

*

Teraz Sandow wie, co robić. Najpierw dzwoni do sanatorium.

– Znalazłem twoją krewną.

Muszelka nie rozumie, o czym mowa.

– Jaką krewną, Dżuku? Nikt z rodziny nie zaginął. Mama pod kontrolą, telefon co dwie godziny, ojciec odzywa się na fejsbuku, babcia jedna, babcia druga, kot Ciuma monitorowany... Nie, nie zgłaszam zaginięcia.

– Ryfka Rubin się znalazła.

– Aaa, Ryfka... to mów od razu. I co?

– Czwarty pogrzeb... chyba.

– Ale kiedy? Teraz, zaraz?

Muszli nie podoba się ta nowa okoliczność. Kwęka, stęka, aha i uha, wreszcie wydobywa z siebie kilka zdań.

– Ale ja jeszcze nie doszłam do siebie po tym... spustoszeniu spod muru. Skóra mi się dopiero nawadnia w kąpielach rewitalizujących, więc jak ja będę wyglądać na tym pogrzebie?

– Sami tam będziemy. Tylko ty i ja.

Pensjonariuszka sanatorium nie wytrzymuje. Rozpuszcza język.

– A czy my jesteśmy dwuosobowa firma pogrzebowa „Sandow i wspólnicy – truchła zbieram po świecie"? Kto nam za to zapłaci? Może chociaż napisać do Izraela, żeby nam przysłali parę tych izraelskich franków albo innych euro. Za fatygę i straty. Ja tak wyglądam – proszę bardzo spojrzeć – berecik francuski rozjebany, z palta rzeźba nowoczesna do muzeum Gugenhajma w Niujorku (czy nie Żyd przypadkiem?), buty na śmietnik, jedne i drugie. A koszty sanatorium i inne wydatki dla odzyskania równowagi psychofizycznej i moralno-bioetycznej?

– Jakiej?

– No takiej, żeby wreszcie postanowić, kim się jest na świecie. I kim się... nie jest.

– Ciągle nie wiesz?

Muszla trafiona w miękkie. Z drugiej strony cisza, potem wycieranie nosa.

– No nie wiem. Sam mówisz, że tego się o sobie nie wie od razu. A na pogrzeb się stawię, obowiązkowo. Przecież to nasza Ryfka, więc nie może mnie tam nie być. I ciuchy ubiorę jakieś menelskie, żeby nie narobić kosztów kolejnym rozdzieraniem szat, czyli tą... keriją. O, zobacz, jeszcze to pamiętam. A ty jak znalazłeś tego naszego kościotrupka? Schował ktoś, zanim rzeka porwała?

– Tak. Właśnie tak było.

– To dobry człowiek z tego... kogosia, prawda?

– Prawda, prawda. To może pojutrze ten pogrzeb?

– Dobrze, Dżuku. Niech będzie pojutrze.

DWA RYSUNKI NA SKÓRZE

Jest dwudziesty drugi kwietnia dwa tysiące dwunastego roku, dzień połączenia rysunków. Sandow budzi się przed świtem, myje, ubiera nieśpiesznie. Długo siedzi przy kawie. Przez chwilę ma pokusę, żeby sięgnąć po papierosa z paczki położonej na stole, już nawet zaczyna zdejmować celofan, ale – ostatecznie – rezygnuje.

Jedzie do Koluszek, do apteki (godzina dobrze wycelowana, końcówka nocnej zmiany, w aptece i wokół niej pusto). Staje pod drzwiami, naciska przycisk dzwonka. W środku ruch, aptekarka otwiera, spogląda, rozpoznaje. Na twarzy uśmiech przywołany w sekundę. Zaproszenie do... wszystkiego.

– No proszę, pan Sandow. A już myślałam, że pana więcej nie zobaczę... Ale śledzę karierę, przyglądam się. Coś na nadciśnienie, jakiś diovan albo accupro? A może stilnox? Ciągle nie może pan spać?

– Śpię, śpię – kłamie bez zmrużenia oka. – Tym razem większe zamówienie. Wyjeżdżam za granicę, na odludzie i... chciałbym się zabezpieczyć. Bandaże, gaza, opatrunki z przylepcem, strzykawki jednorazowe, coś do dezynfekcji ran, igła i nić chirurgiczna, znieczulenie miejscowe, powiedzmy parę ampułek lidokainy, jedną tubkę tego samego w żelu, eter dietylowy, cyklosporynę... Chyba tyle.

– I wszystko bez recepty... naturalnie?

Sandow spogląda prosto w zielone oczy.

– Naturalnie.

Czeka na zmierzch. Jedzie. Do piwnicy wchodzi od strony nieczynnej fabryki. Zaciąga pokrywę nad głową.

Tatuator jest sam, bez ojca. Stoi przy otwartej szafie z mundurem Simona Stritzkego, przygląda się gablocie urządzonej przez starszego muzealnika. Jest ładna, estetyczna, dobrze zakomponowana. Trudno jej cokolwiek zarzucić. I tło dla eksponatu wybrane nienagannie, blada zieleń bez skazy. Ideał. Robbie wzdycha. Nigdy nie doścignie ojca.

Sandow nie czeka. Rozwija aluminiową folię z gazą nasyconą eterem dietylowym, podbiega za plecy Tatuatora, zamyka go w żelaznym uścisku, zatyka nos i usta tamponem. Robbie próbuje się wyrwać, ale opór nie trwa długo, parę sekund. Za chwilę wiotczeje, mięknie i bez oporu daje się położyć na posadzce piwnicy.

Budzi się po godzinie, otwiera oczy, próbuje sobie przypomnieć, gdzie jest i co się stało. Rozgląda się. Patrzy w górę, odwraca głowę w lewo, potem w prawo, ale nie potrafi odczytać kształtu tej nowej rzeczywistości, w której przeznaczono mu rolę preparatu. Jest skrępowany, nagi, leży na kawałku folii i trzęsie się z przerażenia. Rozpoznaje oprawcę, nawet przypomina sobie okoliczności (ta mała, czarna, z głupim napisem na plecach), ale – nie rozumie. Chce zapytać, jednak i to na nic – usta zaklejone taśmą. Tymczasem Sandow siada na nim okrakiem, sięga po flamaster i dokładnie obrysowuje tatuaż z polną drogą; ujmuje go w kwadratową ramkę o wymiarach dwanaście na dwanaście centymetrów. Odzywa się głosem spokojnym, objaśniającym.

– Ten kwadrat to jest pole operacyjne. Powinienem obłożyć je zielonym odkażonym płótnem, ale to byłaby przesada. Zdezynfekowałem skórę spirytusem, teraz wyznaczam linię cięcia. Jakąś godzinę temu wyjąłem z gabloty tatuaż Władysława Romańskiego, umieściłem go w roztworze soli fizjologicznej, żeby nieco zmiękł i się nawodnił. To zwiększy szansę przyjęcia przeszczepu przez twoją skórę.

Robbie otwiera szeroko oczy. Nie może uwierzyć.

– Tak, dobrze usłyszałeś, wykonam przeszczep. Wytnę z twojego tatuażu pusty fragment między niebem a ziemią, dokładnie dwanaście na dwanaście centymetrów, i wszyję w to miejsce rysunek z parą kochanków. Zaludnię ten twój pusty, beznadziejny świat i albo cię to ożywi, albo zabije. Prawdę mówiąc... mam to w dupie. Jestem chirurgiem amatorem, nie znam się na tym, wypełniam tylko wolę trupa.

To powiedziawszy, Sandow sięga po tubkę z żelem znieczulającym, smaruje pole operacyjne, potem nastrzykuje obwód kwadratu małymi dawkami lidokainy.

– Teraz poczekamy kilka minut. Nie chcę ci zadawać bólu.

Rozpakowuje skalpel, mocuje go w stalowej rączce, czeka. Tatuator już się nie opiera. Patrzy tylko przekrwionym, zrezygnowanym wzrokiem.

– Nie zależy mi na tym, żebyś zrozumiał. Prawdę mówiąc... ja sam nie bardzo rozumiem, o co w tym chodzi. Chcę wykonać to zlecenie najlepiej jak się da, potem zabrać stąd kości tej biednej istoty (pokazuje skalpelem na szufladę z Ryfką Rubin) i pochować je na cmentarzu w miejscu, którego ani ty, ani twój chory ojciec nigdy nie znajdziecie. To wszystko.

Przykłada ostrze do skóry, naciska, stal rozdziela tkankę – równiutko jak od linijki. Rana trochę krwawi, ale i na to chirurg jest przygotowany; sięga po tampon z koagulantem w żelu, przeznaczonym dla psów i kotów. Uśmiecha się.

– Nie boli, prawda?

Kiedy ma już kwadratowe nacięcie, podważa jeden narożnik płatka skóry, odciąga go i delikatnie odcina od tkanki tłuszczowej. Nie jest to łatwe, bowiem między mięśniami a skórą Robbiego prawie nie ma tłuszczu. Po kilku minutach, używając wielu delikatnych cięć, oddziela wreszcie jedno od drugiego. Patrzy na czerwone kwadratowe pole. Jest dość równe i nie krwawi nadmiernie. Dobra chirurgiczna robota. Sandow znów się uśmiecha. Spogląda w przerażone oczy Tatuatora.

– No to sprawdźmy teraz, czy zdaliśmy egzamin z geometrii...

To powiedziawszy, sięga pincetą po tatuaż Władysława Romańskiego, zawiesza go nad raną, przymierza, na koniec opuszcza delikatnie. Kwadraty pasują do siebie. Para kochanków idealnie wtapia się w przeznaczony dla niej pejzaż.

Szycie. Sandow zatrzaskuje igłę w nożyczkach chirurgicznych, nakłuwa żywą skórę Robbiego, potem od spodu przebija tatuaż Romańskiego, przeciąga nitkę, zawiązuje, odcina, zostawiając króciutkie końcówki. Pierwszy szew zrobiony. Nie wygląda to źle. Chirurg powtarza czynność jeszcze dziewięćdziesiąt sześć razy (dwadzieścia cztery szwy na każdy bok kwadratu). Kończy. Patrzy na robotę. Łata ma zaczerwienione brzegi, tatuaż jeszcze nie czuje się dobrze w nowym miejscu. Nie są jednym – on i uczynione dla niego miejsce (i nie wiadomo, czy kiedykolwiek będą). Ale próba podjęta. Chirurg zasmarowuje szwy maścią znieczulającą, nakłada kompres, zakleja przylepcem. Na koniec wkłuwa się w żyłę w zgięciu łokcia i wpuszcza do niej całą strzykawkę cyklosporyny.

– Immunosupresor, żeby się ładnie przyjęło... Zresztą na pewno się na tym znasz lepiej ode mnie, prawda?

Tatuator nie odpowiada, bo nie może. Sandow odkleja mu usta.

– Jestem artystą, nie... zboczeńcem – odzywa się pacjent obolałym głosem. – To jest sztuka, a ja jestem artystą – powtarza.

– Zgoda, niech tak będzie, jesteś artystą, ale właśnie… wypierdoliłeś się boleśnie. Głupi świat nie zrozumiał twojej sztuki i postawił naprzeciwko ciebie… rzemieślnika, który zakończył właśnie twoją artystyczną przygodę. Przyznasz, że wyrafinowanie tego dzieła – pokazuje wzrokiem na opatrunek – przerosło wszystko, co mógłbyś sobie wyobrazić.

Sandow wybucha śmiechem. Wstaje, pakuje narzędzia, lekarstwa i opatrunki, sprząta, na koniec wsypuje do płóciennej torby szczątki Ryfki Rubin. Wkrótce jest gotowy do wyjścia. Odzywa się do Tatuatora.

– Jesteś bandytą i powinno mi być wszystko jedno, co się teraz z tobą stanie, ale… nie jest. Skłamałem, mówiąc, że mam to w dupie. Wkurwia mnie twoja głupota i to właściwie… wszystko. Sam jestem tym zdziwiony. Zostawiam ci dziesięć ampułek cyklosporyny, środki znieczulające, strzykawki i opatrunki. Terapia nazywa się immunosupresją, znalazłem to w internecie i szybko przyswoiłem. Jesteś bystry, na pewno dasz sobie radę.

CZWARTY POGRZEB RYFKI RUBIN

Stoją ubrani na czarno, Sandow w czapce, Muszelka w chustce na głowie. Krewni małej nieboszczki. Truchełko spoczywa w worku, potem w kartonowym pudełku, obwiązane, zapieczętowane. Trumna jak paczka na poczcie; odbiorca – ziemia zimna. Są smutni po raz czwarty, wedle potrzeby pogrzebowej. Cmentarzyk maleńki, pożydowski, gdzieś w świecie całkiem zapomnianym: murek szczerbaty, tu i tam macewy oplecione chwastem. Dookoła las, za nim kominy cementowni. Drzewa szare.

– Tu jej nikt nie znajdzie – odzywa się Sandow.

– Milcz. Ja znowu kłamię w dziesięciu różnych głosach. Odmawiam kadisz oszukany.

– Milczę.

Milknie. Muszla kiwa się jak stary Żyd, do tyłu, do przodu, oczy zamknięte, amplituda coraz większa, aż trudno zrozumieć, jakim cudem trzyma się toto ziemi. Całkowity brak porozumienia z prawami fizyki. Aż nagle... jeb! Leży. Wstaje z pomocą Sandowa, otrzepuje tyłek. Nie wytrzymują oboje. Wybuchają śmiechem.

– Przyznaj się, nie znasz kadiszu, w żadnym języku.

– Przyznaję się.

– To jak się modliłaś?

– Udawałam, że po hebrajsku.

– I to dobry transport dla Ryfki do nieba?

– Wystarczający.

– Co teraz będzie?

– Mnie pytasz, Sandow? Ty mądry.

– Ty mądra.

– Koniec świata będzie, którego nie będzie, bo już był.

– A my?

– Mnie pytasz, Sandow? Ty mądry.

– Ty mądra.

– Nie wiem, co będzie. Głupcy wiedzą.

– Nie chcę pytać głupców.

– To nie pytaj.

Kopią dziurę podziemną. Głęboką i czarną. Tam idzie pudełko z kośćmi. Na samo dno. Zasypują, udeptują. Macewy nie będzie, bo już była. Koniec.

Miasteczko śliczne na życzenie
Jedna ulica, rynsztok, kamienie
Pies z kotem i Żydek w chałaciku
Dziecko z lizakiem na patyku
Kogut na płocie, w surdutach pany
Sztetl na rysunku narysowany
Górą furmanka, ślub na podwórku
I Ryfka lata lekka jak piórko
Nie było, nie ma, Pan Bóg na urzędzie
Wróciło, wisi i znowu będzie

ROK IDZIE DO PRZODU

A więc maj, po nim czerwiec. Sandow i Muszelka lecą do Peru. Lima, Cusco, Pilcopata. Idzie lipiec, z nim lato nieśmiałe, potem śmielsze, na koniec spiekota zabójcza. Żniwa do dupy, tak w każdym razie utrzymują chłopi (jak zawsze). Druga połowa sierpnia, Ukraina, płyną po Dnieprze, pod dyktando Mykoły Nikitina. Wracają.

Pod koniec sierpnia ojciec Roberta Szarczyńskiego umiera na atak serca połączony z udarem słonecznym. Pogrzeb jest skromny. Zaraz po nim Tatuator pakuje kolekcję tatuaży do dwóch walizek i wywozi do spalarni tłuszczu. Główny palacz, klient Szarczyńskiego, o nic nie pyta. Pokazuje tylko, jak otworzyć drzwiczki pieca i wysunąć ruszt, potem wychodzi. Tej nocy spalarnia dymi jak oszalała. Świńskie resztki mieszają się z ludzkimi. W całkowitej zgodzie.

Wrzesień. Mufik wyprowadza się z hotelu dla psów. Już pora. Jego pani bardzo opalona po zagranicznych pobytach. Jesień nie przesadza z deszczami. Fotografer dostaje przesyłkę z aparatem fotograficznym. Nie da się już tego zatrzymać. Zresztą nie ma nikogo, kto by chciał.

Październik i listopad dość zimne, ale dzień Wszystkich Świętych w słońcu. W szkole tańca nieszczęśliwy wypadek. Rok idzie do przodu, tak jak miał iść.

Wreszcie grudzień. Mroźny, to prawda, ale do zniesienia.

KONIEC ŚWIATA NA ZAWSZE

Dwudziesty pierwszy grudnia dwa tysiące dwunastego roku. Wstają w środku nocy, ubierają się po cichu (kot Ciuma śpi po raz ostatni). Do miski zapas karmy na trzy dni, do drugiej hektolitry wody – zwykła ludzka przesada.

Jadą jak na pokaz sztucznych ogni. Muszelka podniecona.

– To ma być jakoś… o osiemnastej czy coś. Najpierw szum, potem ona leci, ta Nubiria, za nią ten jebany warkocz…

– Nie przeklinaj. Nauczysz się kiedyś?

– Naprawdę ci na tym zależy?

– Naprawdę.

– No to… spróbuję, ale nie gwarantuję… pełnego sukcesu.

– I co dalej z tą… Nubirią?

– No, wpier… to znaczy… uderza w naszą ziemię, te bieguny wariują, nie wiedzą, w którą stronę zapierdalać („przepraszam, ostatni raz"), wszystko im się jebie, jeden tu, a drugi tam, ziemia roztrzęsiona jak skurwysyn, fale tsunami, ludzie w krzyk: Matko Boska! Jezu Chryste!, Allah… coś tam!, a tu nic, chuj, nie da się już tego zatrzymać.

– A my?

– My wracamy do domu, żeby się nam kot nie zesrał ze strachu.

*

W Popielawach cichutko. Zima biała. Na stawie cienka warstwa lodu. Muszelka zaraz biegnie na ślizgawkę. Na głowie czapka w paski, potem szalik w kratkę i kurtka w panterkę. Buty – glany chuligańskie. Kompozycja na konkurs o braku gustu. Ale ciepło, a tu będzie oglądanie końca świata (więc raczej stanie niż chodzenie) i trzeba być ciepło ubranym. Na razie biegnie po lodzie i ziuuu... w jedną, a potem ziuuu... w drugą stronę. Szkoda tej ślizgawki popielawskiej.

Siedzą; Sandow na mostku, Muszelka nad stawem, na swoim stołku cmentarnym („pasuje na okazję"). Pod tyłkiem koc, na nim termofor i jeszcze jeden kocyk. Ręce pod brodą, mina poważna. Nie wytrzymuje. Odzywa się.

– A my, Sandow... narodzimy się jeszcze obok siebie?

– Narodzimy.

– Ale naprawdę w to wierzysz czy tylko tak... mówisz?

– Tylko tak mówię.

– Boję się... trochę.

– Ja też.

– A przecież mówiłeś, że nie będzie tego... gówna.

– Bo nie będzie.

– To dlaczego się boisz?

– Nie wiem.

*

Osiemnasta, po niej dziewiętnasta i dwudziesta czwarta. Nic. Tylko ćmok dookolny. Muszla zmarznięta na kość. Szczęka zębami tak głośno, że aż budzą się wrony wkurwione. Odszczekują z czubków drzew. Podchodzi Sandow. Nie wie, jak się odezwać, więc go Muszla wyręcza.

– Tylko zmarzłam... nic więcej.

– Zimno jak cholera.

– Coś robimy jeszcze?

– Ciemno, niczego się już nie zobaczy.

– Chujowy ten cały... koniec świata.

– Nie przeklinaj, obiecałaś.

Odkręca termos, nalewa herbaty, podaje Muszelce.

Mojej matce,

Rokiciny, 11 sierpnia 2012 roku

SPIS TREŚCI